COLLECTION FOLIO

Michel Déon

*de l'Académie française*


# Un taxi mauve

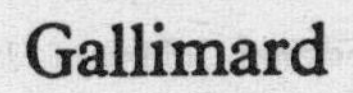


Gallimard

*Le narrateur, qui mène une vie retirée dans la campagne irlandaise, y fait d'étranges rencontres. D'abord, quelques descendants de la famille Kean, Irlandais qui ont fait fortune en Amérique. Ils sont deux frères et deux sœurs : le gentil Jerry, qui a trop fumé l'opium à New York et que l'on a envoyé se mettre au vert en Erin ; Sharon, au charme acide d'éphèbe, qui est devenue princesse en achetant un château allemand et son châtelain ; Moïra, très grande vedette de cinéma, suivie de sa cour de pédérastes et d'alcooliques ; enfin Terence, que l'on ne verra que sur un écran de télévision, car il est cosmonaute et va débarquer sur la Lune.*

*Et puis voici une autre famille : un géant fabuleux, Taubelman, mélange de Rabelais, d'Ulysse et de Tartarin, et sa fille Anne, qui est muette, jusqu'à ce qu'une chute de cheval lui rende la parole.*

*Le narrateur, délaissant pour un instant sa solitude, son chien, ses livres et ses disques, va céder à la douceur de quelques sentiments, pour Anne bien sûr, pour Sharon peut-être. Il ne sera pas le seul. Et puisque l'Irlande est le pays des fantômes, on découvrira bientôt que Taubelman est en fait mort depuis trois ans. Alors, si Taubelman n'est pas Taubelman...*

*Ainsi ce nouveau roman de l'auteur des* Poneys sauvages *nous envoûte-t-il par les sortilèges d'une histoire pleine de charme et de mystère, où la nature, peinte avec bonheur, met en valeur des personnages exceptionnels.*

Michel Déon est né en 1919 à Paris. Il a été journaliste et a travaillé dans l'édition. Il partage aujourd'hui sa vie entre Spetsai, une île grecque, et l'Irlande. Il a reçu en 1970 le Prix Interallié pour *Les Poneys sauvages.*

*Pour Manuel Vinhas*

Nous nous trouvâmes nez à nez au sortir d'un taillis, sans plaisir, lui parce qu'il était puni par son père et presque en faute s'il parlait à un étranger, moi parce que j'aime la solitude des longues courses, et, au bord des lacs et des marais, les heures de guet qui trompent mon attente. Je n'étais pas pressé — qui l'est en ces circonstances ? — mais je n'avais besoin d'aucune compagnie. Du moins le croyais-je. Nous aurions dû nous contenter d'un de ces « *Hello ! what a lovely day !* » que les Irlandais échangent toujours avec le même sourire sous une pluie battante ou dans les rafales de vent glacé, mais nos chiens lièrent amitié : Grouse — mon setter irlandais — avec sa timidité habituelle, Pack — son labrador — avec sa grosse tendresse bourrue. Je les revois en cet instant, elle le derrière collé à l'herbe, protégeant ses œuvres vives contre le museau du labrador, lui tournant autour d'elle avec une naïveté pataude. Ils se complétaient, nous le vîmes tout de suite lorsque Grouse, oubliant ses arrières, leva une bécasse que je tirai au-dessus du lac où elle tomba. Déjà le courant l'entraînait, et Pack se jeta à sa poursuite, nageant comme un furieux. Sorti loin de nous, à deux ou trois cents mètres, il galopa pour la rapporter morte, son beau bec cassé, l'œil à demi clos. Nous nous fîmes, Jerry et moi, mille politesses. Je la gardai finalement et nous décidâmes de chasser le lendemain avec Pack et Grouse.

Mes rapports avec Jerry Kean sont une longue marche et de grands silences pendant un automne et le début d'un hiver. Deux ou trois fois le Lough Roerg fut presque entièrement pris et Pack brisa la glace pour rapporter les bécassines que nous levions dans les roseaux et qui retombaient en ricochant sur la mince pellicule gelée. Il y eut des heures si belles qu'à m'en souvenir en ce moment, j'en ai encore le cœur serré : crépuscules du matin et du soir à la passée, ciels de plomb dans l'après-midi avec de brusques éclaircies qui dorent les futaies, marais détrempé où nous enfoncions jusqu'aux cuisses. Le fond du lac apparaissait comme une éternité muette bordée de pins, hérissée de roseaux jaunissants où se cachaient les sarcelles, les pluviers dorés et parfois un couple de cygnes blancs.

« Le cœur serré », juste les mots que je ne devrais pas prononcer, qu'il faut chasser de mes pensées. Pour les oublier, je marchais, je marchais ou même je ramais sur le lac, le fusil entre les jambes, Grouse assise à l'arrière du canot, ses babines humant dans le vent.

Tout était beau, immense, désert, un paysage d'avant l'homme, pur et frémissant.

Jerry fit dériver mon oraison, d'abord en parlant d'un bruit de sirène qui le poursuivait la nuit et parfois quand il se promenait seul. Une sirène à deux tons comme en possèdent les voitures de police à New York. Il l'entendait de loin, claire, vibrante, puis elle semblait s'étouffer avant de resurgir dans son oreille, si stridente que son tympan menaçait d'éclater. Un matin où nous étions assis sur une roche de lave, promontoire avancé dans le lac, d'où nous surveillions les vols d'oies sauvages, il se prit la tête à deux mains et resta un moment les yeux clos, le visage livide, le front trempé de sueur. Je lui dis :

— Vous êtes malade ?

— Non, j'essaye de me souvenir. Avant. Avant le brancard qui m'emportait. Oui, que s'est-il passé ? J'ai vomi et puis on a coupé mon pantalon. Je ne sentais rien. La douleur est venue dans la nuit. Tenez, regardez...

Il retira sa botte et releva son pantalon. La jambe avait été grièvement brûlée, de la cheville à la saignée du genou. Une plaque de chair rose, lisse, sans vie, couvrait le mollet. Jerry remit sa botte. Il souriait.

— C'est passé, dit-il. Souvent il suffit que je regarde ma jambe et la cicatrice pour que la sirène se taise. Je revois l'hôpital. Vingt et un jours le bras lié à mon mollet pour que la greffe prenne. On croit que c'est insupportable, mais non, pas du tout. Les heures passent très vite. Une espèce de vide merveilleux.

Il ne m'en dit pas plus ce jour-là. Un vol d'oies traversait le lac, poussant leur cri idiot, encadrées par deux serre-files. Elles passèrent au-dessus de nous, hors de portée.

Il habitait un cottage au toit de chaume, aux murs chaulés. Son arrière-grand-père était parti de là, un siècle plus tôt, au moment de la grande famine qui réduisit l'Irlande à un corps exsangue. Un chemin bordé de genêts grimpait jusqu'au cottage dominant les bois, les champs de tourbe et la nouvelle route pour Shannon. Une situation magnifique qu'on ne pouvait guère apprécier de l'intérieur tant les fenêtres étaient petites. Des massifs d'hortensias entouraient le jardinet où les premiers jours de printemps voyaient se lever des jonquilles. Tout un mur de la chambre de Jerry était décoré de photos qui formaient un arbre généalogique au sommet duquel régnait, barbu, en chapeau à larges bords, un revolver à la ceinture, l'ancêtre, le vieux Patrick Kean du temps où il était ouvrier sur la fameuse ligne de chemin de fer des Rocheuses. D'autres photos le montraient plus tard, à diverses époques de sa vie, la barbe taillée comme celle du colonel Cody, Buffalo Bill, le tueur de buffles. Le revolver avait disparu et un col dur remplaçait la chemise de brousse et le ruban noir noué négligemment. Il était devenu un des actionnaires de la compagnie de chemin de fer, et une autre photo le montrait vers 1920, à soixante ans, assis sur une chaise au milieu de ses employés. De chaque côté se tenaient son fils et son petit-fils, le père de Jerry. La dernière photo du vieux Patrick avait été prise la veille de sa mort, à quatre-vingt-dix-neuf ans. Il n'était plus qu'une momie aux yeux glauques, la peau du visage collée aux larges pommettes. Son fils était mort, et son petit-fils lui donnait le bras. Ils avançaient dans un jardin exotique et Jerry marchait devant eux, un ballon à la main, enfant blond aux yeux naïfs. Je ne me lassais pas de regarder ces photos qui racontaient plusieurs générations : la première épouse, un vrai monstre au regard torve, la seconde, celle du grand-père, déjà moins utilitaire, la troisième, la mère de Jerry, une belle créature aux yeux gris d'argent, puis les deux sœurs de mon ami : Moïra, Lion d'or à Venise pour son interprétation d'Augusta Brandebourg dans le film de Losey, et Sharon, celle qu'on appelait la Princesse, parce que son père lui avait acheté pour époux un principicule allemand, une des dernières altesses d'Europe. Du monstre au regard torve à ces deux créatures de rêve on mesurait le chemin parcouru par les Kean depuis leur départ du cottage au toit de chaume, et cela bien mieux qu'avec les hommes tant Jerry avait encore la silhouette de son arrière-grand-père, ce beau et grave géant aux épaules carrées. De génération en génération, seul le nez aquilin s'adoucissait, symptôme d'une certaine déperdition d'énergie et d'un affinement intellectuel. Pourtant un frère de Jerry avait hérité le nez agressif de l'aïeul, mais il était aussi un pionnier dans son genre, un défricheur d'espaces : Terence servait dans l'Aéronavale et depuis cinq ans suivait un entraînement de cosmonaute à la N.A.S.A.

Au cours de leur ascension, les Kean n'avaient pas oublié le cottage d'où ils étaient partis. Le vieux Patrick y était revenu en pèlerinage vers la cinquantaine, mais les champs à l'entour ayant été dévolus à des cultivateurs, il avait dû se contenter de restaurer la maison, de la rétablir, avec un soin touchant, dans l'état où elle se trouvait lors de son départ à quinze ans. Jerry n'avait pas été autorisé à faire venir l'électricité. En revanche, son père avait exigé qu'il eût le téléphone. Et ce téléphone sonnait la nuit, à des heures inattendues : un bref appel de New York pour vérifier qu'il était là. Sa mère ajoutait quelques mots tendres, puis Jerry retrouvait sa solitude, les nuits de grand vent dans les bois dont les hêtres bruissaient comme des vagues sur une grève, ou la pluie qui noyait tout et laissait, à l'aube, une terre fumant des lambeaux de brume grise. J'admirais qu'il résistât à ce traitement sauvage pour un garçon de vingt ans. Il aurait pu s'endormir comme une marmotte, n'esquisser que les gestes nécessaires à sa survie, attendre on ne sait quel salut de l'extérieur, ou même s'enfuir en coupant le dernier fil qui le reliait aux siens, mais non, il acceptait, un peu aveuglément certes, cet état de choses. Pelotonné sur lui-même, sans lectures, sans musique, il se découvrait une vie intérieure comme un enfant découvre son nombril.

Je l'ai dit : il me plut tout de suite. Nous marchions. Cinq à six heures par jour dans les bois voisins, au bord du Lough Roerg ou dans la solitude brûlée des tourbières. A certains moments, nous parlions beaucoup, à d'autres pas du tout. Il avait lu un peu, et, très curieusement, ses connaissances s'arrêtaient au dix-neuvième siècle américain : il aimait Henry David Thoreau et citait souvent *Walden ou la vie dans les bois* auquel j'avais fait autrefois de vains efforts pour m'intéresser. En revanche, nous pouvions parler longtemps de Whitman dont le lyrisme priapique nous réchauffait quand nous restions debout dans l'eau, à guetter les colverts. La poésie de Whitman manquait d'espace en Irlande, mais elle exprimait assez bien l'enthousiasme de l'homme devant la nature et sa confiance en lui-même. Jerry savait aussi par cœur des pages d'Emerson, philosophe mineur à la pensée aristocratique dont le mérite est d'avoir été le premier à distinguer Whitman. Il me parla un jour d'Hawthorne qui m'intéressait moins qu'Henry James, Poe ou Melville à peu près inconnus de lui. Quelque professeur lui avait donné des bribes de culture, des repères, mais cette culture restait inachevée. Jamais Jerry n'avait eu la curiosité de suivre un fil, de compléter ces connaissances éparses. Du vingtième siècle il ne connaissait que *Faulkner à l'Université,* recueil de réponses de l'auteur de *Tandis que j'agonise...* aux questions posées par les étudiants de l'université de Virginie pendant une année scolaire. Ce livre l'avait intéressé, mais en soi, sans éveiller le moindre attrait pour l'œuvre même de Faulkner, ce qui est étrange car *Faulkner à l'Université* est une explication des mythes, des obsessions et des rêves de l'auteur par l'auteur et surtout une attitude pleine de bon sens d'un écrivain devant la sottise, le délire obscène ou l'esprit tarabiscoté de ses lecteurs. Jerry donnait l'impression d'une intelligence laissée en plan, à peine défrichée. Les mauvaises herbes ne recouvraient pas encore ces sillons mal tracés. On verra comment Taubelman s'entendit à brouiller les cartes et à semer le trouble dans cette virginité intellectuelle.

Je viens d'évoquer Taubelman. Voilà qu'il entre en scène et je dois me contraindre à effacer tout sentiment personnel en parlant de lui. Jerry le rencontra début octobre, un jour où je me trouvais à Dublin pour un de ces examens acceptés par routine et dont je ne revenais ni guéri ni plus mal. Des pluies atlantiques s'étaient abattues sur l'Ouest irlandais, et, partout, des mares, des étangs s'étaient formés. Les canards se posaient au hasard sans qu'il fût possible de les prévoir. Jerry se posta au bord d'un étang où nous étions, en général, assez heureux pour qu'apparaissent un couple ou deux à la passée. Nous avions installé là deux murets de grosses pierres derrière lesquels, accroupi, on se dissimulait entièrement. Les murets se faisaient face à une trentaine de mètres, mais nous connaissions assez nos positions réciproques pour ne pas nous tirer dessus, d'ailleurs les canards arrivaient toujours du couchant, flèches noires dans le ciel orangé ou noyé par le bleu de nuit. Rien n'était apparu là depuis plusieurs jours et Jerry s'obstinait. Comme moi il aimait cet endroit où régnait le silence. Le crépuscule découpait la lisière d'un bois charbonneux et les eaux dormantes se couvraient de moire. Il s'installa derrière son muret, Pack derrière lui, et attendit. L'aube gagnait la campagne, des râles passaient en trombe à fleur d'eau. Un froid humide l'enveloppait et il se laissait gagner par cette torpeur d'avant la nuit qui insensibilise lentement. Des vols de corbeaux s'abattaient sur une île du Lough Roerg. Jerry écarquillait les yeux, s'endormait à demi, se réveillait au cri d'une poule d'eau. Enfin un couple surgit dans un sifflement et un froissement d'ailes, si vite qu'il fut impossible de tirer, ils étaient déjà sur l'eau, barbotant, plongeant, à peine discernables. Jerry plaqua son chien au sol et retint son souffle. Combien de minutes passèrent ainsi, et ce qui le poussa à tirer, il ne le sut pas. Toujours est-il qu'il tira et que le mâle s'étala foudroyé tandis que la femelle s'envolait. Alors un torrent d'injures creva la nuit, une vraie litanie que Jerry médusé encaissa. L'honneur de sa famille y passait. Il n'y avait plus qu'à courber la tête. Quand ce fut fini, Jerry demanda :

— Qui êtes-vous ?

— Levez-vous et vous verrez ! cria une voix énorme aux sonorités de bronze.

L'instinct lui conseilla de lever d'abord son chapeau de tweed vert au-dessus du muret. Une volée de plombs le troua et Pack en reçut un par ricochet dans la cuisse, poussant un hurlement de douleur.

Quelqu'un s'était caché depuis un moment derrière le muret d'en face, celui où je prenais le plus souvent position. Jerry se sentit heureux. Enfin quelque chose arrivait.

— Êtes-vous mort, espèce de salopard ? cria la voix.

— Non. Et maintenant c'est votre tour.

Jerry se glissa hors du muret et tira ses deux cartouches au jugé, dans les pierres. Un tonnerre de nouvelles imprécations rugit et une ombre à peine discernable se leva. Jerry la crut immense, l'ombre d'un ogre, de quelque créature épouvantable. Un vol de corbeaux croassa et prit de la hauteur. Pack cessa de geindre en se léchant la cuisse et hurla à la mort. Sans bruit, Jerry glissa deux cartouches de 16 dans son fusil et dit d'un ton égal :

— Vous avez blessé mon chien.

— Pouviez pas le dire que vous aviez un chien ! Jamais vu un imbécile pareil !

L'ombre se déplaça le long de l'étang parmi les roseaux. La nuit, tombée en quelques minutes, était si noire que la silhouette disparut. On n'entendit plus, porté par l'eau, qu'un bruit de bottes sucées par la vase. Jerry retraita derrière son muret et caressa Pack qui geignit de nouveau. Du sang poissait sa cuisse agitée d'un tremblement. Jerry pensa que si ce fou avait tué Pack, il méritait une volée de plombs dans le ventre.

— Où est votre chien ? demanda soudain la voix proche.

— Ici !

— Et un chien noir en plus ! A-t-on idée la nuit !

L'homme se pencha et son ciré craqua avec un bruit de carton froissé. Pack cessa de geindre quand une main le palpa à tâtons.

— Ce n'est rien ! dit la voix adoucie. Une éraflure. Il peut marcher, mais je le porterai. Suivez-moi.

Jerry s'aperçut qu'un chien suivait le chasseur, un labrador roux qui renifla Pack.

— Arrière, Blondie ! Va chercher.

Blondie sauta dans l'étang et nagea vers le canard abattu.

— Apporte vite, espèce d'idiote !

La chienne déposa le canard au pied du chasseur qui le prit et l'enfourna sans hésitation dans sa gibecière.

— Allons chez moi, dit-il. J'ai tout ce qu'il faut pour soigner... Au fait comment s'appelle-t-il ?

— Pack !

— ... pour soigner Pack. Parce que, bien entendu, vous n'avez rien chez vous ?

— Rien.

— Mon nom est Taubelman.

— Le mien est Jerry Kean.

— Ah c'est vous le petit Kean !

— Je mesure un mètre quatre-vingt-six et il y a peut-être deux mille Kean dans le Comté Clare.

— Trouvez-en un seul qui ait un accent américain comme le vôtre !

— Bon, d'accord, je suis le « petit » Kean.

— Suivez-moi.

— Je connais le chemin aussi bien que vous.

— Mettez vos pas dans les miens si vous ne voulez pas être avalé par le marais.

Taubelman, Pack dans ses bras, quitta le bord de l'étang pour traverser un champ semé d'énormes cailloux sur lesquels le pied butait ou glissait. Le vent se levait, chassant les derniers nuages et dans le ciel d'encre les étoiles s'allumaient par milliers. Taubelman soufflait, jurait, avançant comme un bulldozer dans les ronces et les genêts. Ils escaladèrent un mur de pierraille et comme Jerry en fit tomber une partie, l'homme s'arrêta, posa Pack dans l'herbe et rebâtit le mur.

— Avec votre gabarit, vous n'êtes même pas foutu de passer correctement un obstacle pareil.

— Je m'étonne qu'un type comme vous prenne la peine de le rebâtir.

— Pauvre con ! un type comme moi vous n'en avez encore jamais vu, vous n'en verrez jamais, et vous n'avez pas fini de faire le tour de mon cul.

— Je peux jurer aussi bien que vous.

— En quelle langue ?

— En anglais.

— Et moi en cinq langues... non pas cette pierre-là... une plus petite... Misère ! quand je pense que vos aïeux ont crevé de faim pour bâtir ces milliers de murs et que vous n'êtes même pas foutu de mettre une pierre sur une autre...

Ils gagnèrent un chemin embourbé et trouvèrent une jeep coiffée d'un caisson de bois qui la transformait en conduite intérieure. Taubelman ouvrit une porte sur l'arrière.

— Montez là, ordonna-t-il, et prenez Pack sur vos genoux. Peux pas vous avoir devant. C'est ma fille qui conduit.

Jerry grimpa et s'installa tant bien que mal entre deux sacs qu'à l'odeur, il supposa être pleins d'avoine. Sur le siège du conducteur se tenait une femme aux cheveux cachés sous un foulard de soie brillante. Elle ne détourna même pas la tête et quand elle mit le contact, seule la lumière jaune du tableau de bord s'alluma, tirant à peine de l'ombre un profil figé au nez délicat. La jeep s'arracha à la boue et fonça dans les ornières du chemin, griffée au passage par les ronces des mûriers. Il ne fallut pas longtemps pour atteindre la grand-route que la jeep traversa en trombe, dédaignant de ralentir au stop, pour gagner un autre chemin mieux tenu. Ils avancèrent dans un sous-bois décharné et les phares figèrent sur place deux chevreuils aveuglés. Des cahots firent sauter en l'air Jerry abominablement mal assis. Après s'être cogné plusieurs fois le crâne au plafond, il finit par rentrer la tête dans les épaules sans plus chercher à dévisager la jeune fille agrippée au volant.

La course ne dura pas plus de quelques minutes et, après avoir passé une poterne et une grille à bestiaux, la jeep freina dans une flaque d'eau, face à une bâtisse indiscernable dans la nuit. Une lumière s'alluma, éclairant une belle porte de bois renforcée de ferronneries. Jerry sortit courbatu, s'étira, reprit Pack dans ses bras.

— Venez ! dit Taubelman.

Jerry eut le temps de voir la jeune fille s'engouffrer dans ce qu'il comprit enfin être une haute tour flanquée d'un bâtiment. Un domestique en veste blanche descendit les trois marches et siffla Blondie qui le suivit vers le chenil. Après un étroit couloir, on arrivait dans une pièce basse et ronde aux murs de pierre rugueuse. Un feu brûlait dans la cheminée devant un canapé et de larges fauteuils de cuir.

— Posez-le près du feu. Je reviens avec ce qu'il faut.

Pack gémit, puis se lécha la cuisse couverte de sang. Jerry lui caressa la tête et regarda l'ameublement hétéroclite de la pièce : quelques beaux meubles voisinaient avec des horreurs. Sur les murs, on avait hâtivement encadré des chromos découpés dans des magazines, mais aussi de fort belles gravures anglaises représentant une chasse au renard, du rendez-vous jusqu'à la curée. Dans une vitrine brillaient, vernissés, des coquillages pour la plupart sans intérêt ou ébréchés. En revanche, sur un guéridon couvert de velours cramoisi, brodé d'or, s'étalait une ravissante collection de sulfures.

Taubelman revint avec de l'alcool, des ciseaux, une bande de pansements et une seringue. Par terre, sur le tapis, devant le feu, il commença de soigner Pack qui s'abandonnait à lui. Jerry regardait cet homme étrange si violent et si doux à la fois, capable de tuer son semblable pour une vétille mais ému par la blessure d'un chien. Le visage était puissamment laid, comme grêlé par la petite vérole. Le nez bourgeonnait et une oreille n'était plus qu'un chou-fleur. Les yeux noirs et brillants, enfoncés sous les orbites s'ombraient de longs cils presque féminins. Ses cheveux gris, plantés bas sur le front, bouclaient sur la nuque. Le teint basané faisait penser à un Oriental. Cette laideur n'avait rien de repoussant. Bien au contraire, Taubelman attirait, et ses mains fortes, aux doigts spatulés mal soignés, retenaient l'attention autant que le visage. A leur précision, à leur douceur, on les devinait très habiles, délicates même. Elles s'arrêtaient pour caresser le museau et le crâne de Pack qui se laissa faire sans un grognement et tressaillit à peine lorsque Taubelman lui injecta une dose d'antibiotiques.

— Voilà, dit-il, enfin. Ce n'était rien, mais il vaut toujours mieux nettoyer les blessures au plomb. Pack est un beau chien. Où l'avez-vous trouvé ?

— Un fermier me l'a vendu.

— O'Shaughnessy ?

— Oui.

— Il soigne bien son élevage, mais quel imbécile !

— En tout cas, il ne tire pas sur les chiens.

— D'abord, je n'ai pas tiré sur Pack, mais sur vous. Ensuite, qu'est-ce que vous pensez d'un type qui massacre des canards en train de barboter sur un étang ?

— Ce n'est peut-être pas très malin, mais ça ne vaut pas la mort d'un homme.

— Vous êtes mort ? Non ! Bon, alors fermez-la et prenez un verre avant que nous vous raccompagnions chez vous.

Le retour ressembla à l'aller. Quand Jerry sortit du donjon avec Pack dans ses bras, il aperçut les phares allumés de la jeep dont le moteur tournait déjà. Taubelman lui ouvrit la porte arrière et Jerry s'assit à même le caisson métallique. On avait retiré les sacs d'avoine et la jeune fille était au volant. Son père s'installa à son côté. Elle ne détourna pas même la tête. Apparemment, elle connaissait le chemin, car elle le laissa en bas de la colline devant le raidillon conduisant au cottage.

— Au revoir, dit Taubelman. Je viendrai demain prendre des nouvelles. Il est possible qu'il dorme mal. Ne lui donnez rien à manger, juste à boire et autant qu'il voudra.

— Au revoir... et merci mademoiselle.

— Vous fatiguez pas. Elle parle pas.

Jerry retrouva le cottage où se consumaient encore des braises qu'il eut des difficultés à ranimer. Les allume-feu ne parvenaient pas à secouer la torpeur des blocs de tourbe et il dut rester accroupi une bonne demi-heure devant les cendres, soufflant pour qu'une flamme éclairât enfin l'âtre. Pack se coucha devant la cheminée au moment où le vent hurla dans les arbres. La rumeur s'accrut dans la nuit, avec des accalmies qui duraient quelques angoissantes secondes. Deux hêtres s'abattirent dans un froissement de branches. Le bois geignit, éclata, puis se tut. Jerry s'effondra dans un mauvais fauteuil. Il ne pouvait pas dormir et la voix tonitruante de Taubelman résonnait encore dans ses oreilles. « Elle ne parle pas », avait-il dit. Cela signifiait-il qu'elle était muette ou bien qu'elle se refusait à proférer un mot ? Il se souvenait du foulard de soie protégeant les cheveux, de la silhouette grimpant en hâte le perron, d'un vague profil. Rien d'autre. En plein jour, il ne la reconnaîtrait pas. Si Pack ne se remettait pas, Jerry tirerait deux cartouches de 16 à bout portant dans le ventre de Taubelman. Quelle impression cela faisait-il d'être un assassin ? L'ennui n'était pas le remords, mais la police, le tribunal, la prison. Tout le monde disait que le vieux Patrick Kean avait tué un homme à ses débuts. Petit garçon, un jour, Jerry le lui avait demandé :

— Grand-père est-ce vrai que vous avez tué un homme ?

— Oui, mais pas un homme. Une crapule. Deux crapules exactement.

— Ça vous a fait mal ?

— Non, pas du tout.

— On ne vous a pas puni ?

— Je me suis caché quelques semaines, et quand j'ai réapparu, tout était oublié...

Il se souvenait du visage de momie de l'arrière-grand-père : une peau si lisse, si tendue sur les os qu'on la croyait toujours prête d'éclater. Vers une heure du matin le téléphone sonna. Ses parents venaient de dîner. Ils allaient au cinéma. Dans le téléphone, lointaine et distincte, résonna la sirène d'une voiture de police.

— Qu'est-ce que c'est ? demanda Jerry, la gorge nouée.

— Encore des imbéciles qui jouent avec la mort, dit son père. Il y en a de plus en plus. Je te passe ta mère.

— Allô mon chéri... Tu ne manques de rien ?

— De rien.

— Tu ne t'ennuies pas ?

— Non, jamais plus.

— La Princesse m'a téléphoné ce matin de Rome. Elle compte passer te voir dans quelques jours.

— La Princesse ? Vous voulez dire Sharon ?

— Oui, bien sûr tu le sais. Nous n'avons qu'une princesse dans la famille.

— C'est peu.

— Nous n'avons pas pu faire mieux.

— Bonne soirée maman.

— Bonne soirée mon petit.

— Il est une heure du matin ici.

— Ah oui, j'oublie toujours. Rendors-toi bien.

— Je ne dormais pas. Pack a été blessé.

— Oh j'espère qu'il va mieux. C'est si triste un chien qui souffre...

Alors il pensa aux jeux d'enfance avec Sharon, à cette longue fille au visage étiré fendu d'yeux de biche, à ses belles mains aristocratiques qui semblaient ne savoir manier que le fard, et qui, en réalité, connaissaient tant, tant de secrets. Il s'en était passé des choses avec Sharon, et elle paraissait tantôt les oublier, tantôt s'en souvenir avec impudeur. Sharon belle et triste, à la poitrine plate, au ventre de garçon ombré d'un duvet blond. Elle aimait se balancer, nue sous sa robe de cotonnade claire, à la plus grosse branche d'un des chênes d'Inglewood. Jerry en avait le vertige, non qu'elle montât si haut, mais parce que les cuisses blanches de Sharon passaient et repassaient devant ses yeux. Elle était si tendre avec lui. Et puis elle l'oubliait, elle l'ignorait comme s'il n'existait plus. Sharon. Pourquoi Sharon avait-elle épousé cet imbécile distingué, offert sa fleur à un homme mou et absent ? Il aurait rêvé d'un autre destin pour elle. Que venait-elle soudain faire en Irlande ? Le blesser ? Se moquer de lui ? Ou lui redonner un mortel goût de vivre ?

A cinq heures, le vent tomba. Jerry sortit de sa torpeur et se cuisit deux œufs sur le plat qu'il mangea debout devant la table de cuisine. Pack le rejoignit en boitant, but dans son bol et se recoucha. Jerry ouvrit le journal de la veille et le parcourut distraitement. Il ne s'intéressait qu'à la chronique locale, celle du Comté de Clare, un monde à sa mesure, bien qu'en fait il ne parlât à presque personne. Une fois, il avait eu la surprise de voir le portrait de Moïra. Le journal rappelait que l'actrice au Lion d'or était d'une famille originaire du Clare. C'était étrange de la revoir ainsi, souriante parmi les avis de décès et la publicité pour les engrais et les ventes de bétail. La photo ne flattait guère la belle Moïra. On aurait dit une poupée aux yeux ronds. Jerry n'aimait pas Moïra. Elle l'avait toujours traité en enfant.

Ne trouvant pas Jerry au rendez-vous habituel le lendemain, je passai au cottage. Il dormait et vint m'ouvrir, les yeux pleins de sommeil. Grouse se jeta sur Pack et lui lécha le museau.

— Oh... entrez, je ne sais pas très bien quelle heure il est.

— Trois heures de l'après-midi...

— Je me suis couché tard. Au lever du jour. Le vent m'a tenu éveillé.

— Il y a eu une tempête cette nuit. Un cargo s'est perdu au large d'Aran. Avez-vous déjeuné ?

— Non. J'ai cuisiné deux œufs vers cinq heures du matin.

J'avais tiré quatre bécassines dans les roseaux du Lough Roerg. Nous les mangeâmes à la pointe du fusil, grillées sur le feu, petite chair au goût sauvage d'herbes et de lac. Je lui dis ce que je savais sur Taubelman. A peu près rien. La notoriété publique. Il s'était installé en Irlande depuis deux ou trois ans, après avoir restauré un donjon qui lui revenait d'un vague héritage. On prétendait qu'il ne s'appelait pas Taubelman, mais d'un nom très banal : Dubois ou Brown ou Schmidt ou Martinez. Ou même Mac Donald car, dans un pub, un soir de grande beuverie, il s'était dit originaire d'Écosse. Écossais, pourquoi pas ? L'Écosse fourmille de fantômes, de fous, d'hurluberlus, de vagabonds inspirés, de génies solitaires qui se dévorent eux-mêmes tel Catoblépas, de mythomanes qui disent la vérité. On le trouvait fastueux et pingre à la fois, tantôt payant sans compter, tantôt laissant traîner des notes jusqu'à l'arrivée de l'huissier. Ces deux attitudes irritaient autant les Irlandais que n'éblouit pas le faste et qui méprisent la pingrerie. J'avais aperçu Anne, sa fille, deux ou trois fois aux rendez-vous de l'équipage du Comté. Elle traînait un van avec sa jeep, ne parlait jamais à personne, sellait aidée de son père, suivait la chasse deux ou trois heures sur une jument alezane ou une jument noire, toutes deux difficiles et qui bottaient chiens et cavaliers. Elle était obligée d'attacher un ruban rouge à leur queue quand elle les montait et tout le monde se tenait à distance. Il était possible qu'elle fût muette ou simplement avare de mots. Je ne pouvais pas dire si elle était jolie ou inexistante. Elle s'engonçait dans un imperméable crasseux et enfonçait sa toque jusqu'aux sourcils. On n'apercevait que son menton volontaire, une bouche aux lèvres bien dessinées et serrées, un regard sombre. Elle montait avec assez d'art, mais imprudemment, exigeant de sa jument des sauts que des cavaliers plus réfléchis évitaient. Elle était tombée une fois, après un passage de rivière, et alors qu'un cavalier s'apprêtait à la relever tandis qu'un autre rattrapait sa jument, Taubelman avait surgi pour la prendre dans ses bras et la remettre sur pied après lui avoir tapoté la joue. Comment s'était-il trouvé là en pleine campagne, loin de la route où stationnait la jeep ? Nul ne pouvait le dire, mais il n'avait laissé à personne le soin de relever sa fille. On le rencontrait parfois aussi au pub d'Inishgate, chez Willie Kox, un ancien jockey qui, avant la guerre, avait remporté un triplé : le Grand Prix de Dublin, Epsom et l'Arc de triomphe, avec un cheval irlandais de célèbre mémoire : King Lear. Des photos de King Lear au pré, au paddock, en course décoraient le pub qui s'appelait bien entendu, *L'Éperon.* Taubelman y apparaissait à peu près une fois par semaine pour de longues séances. On savait, dès son entrée, qu'une grande soirée commençait jusqu'à l'heure de la fermeture, à minuit. Il s'asseyait à une table stratégique, à l'angle de la salle et commandait du stout et du cognac qu'il buvait alternativement. Sa capacité s'avérait prodigieuse. Elle étonnait même les Irlandais, peu faciles à surprendre en la matière. Il offrait à boire à tous et acceptait avec une grâce royale les tournées en retour. Il assurait à Willie l'avoir vu gagner ses trois grands prix et lui racontait ses courses avec un luxe de détails infinis. Ils avaient, néanmoins, un différend : Taubelman affirmait qu'à l'arrivée du Derby Willie avait perdu sa cravache et que ce n'était pas pure malchance si elle était tombée entre les jambes de Black Beauty qui remontait le gagnant et avait fait un écart suffisant pour être battu d'une tête sur la ligne d'arrivée. Willie n'aimait pas du tout cette histoire. Il jurait sur la Vierge n'avoir jamais commis d'irrégularité de sa vie. Willie était un petit homme coléreux, toujours engoncé dans d'énormes chandails à col roulé, comme s'il devait perdre une livre ou deux avant la pesée, avec une drôle de tête vissée sur un long cou décharné, un nez écrasé et des lèvres fendues par un coup de sabot alors qu'il était lad chez un entraîneur de Newmarket. Taubelman insistait, précisait et l'ancien jockey sortait de son comptoir, furieux, le poing levé, vociférant. Plus il vociférait, plus Taubelman montrait de calme. Le spectacle enchantait la clientèle du pub, un lot de traîne-savate, de boit-sans-soif, de va-de-la-gueule, d'Anglais couperosés installés dans la région pour échapper au fisc ou, comme Billie et Teddy, pédales vieillissantes et fuyant on ne sait quelle réprobation. Tous avaient élu la clientèle de *L'Éperon* pour famille et se rendaient au bar avec la régularité de fonctionnaires à leur bureau. Le mètre soixante de Willie se dressait devant le mètre quatre-vingt-dix de Taubelman et plusieurs fois ils avaient failli en venir aux mains, mais la soirée, par quelque miracle, finissait toujours bien, dans une béatitude épaisse et une tabagerie infernale. A la fermeture, Taubelman, le pas à peine incertain, sortait uriner puissamment dans le caniveau. Il mettait une certaine ostentation à déployer un membre hors des dimensions communes que, dans ses soirs de meilleure gaieté, il appelait une trompe d'éléphant. Anne était déjà là, au volant de sa jeep et ils repartaient pour le donjon, dans la nuit froide, salués par les malédictions de Willie Kox.

— Oui, dit Jerry, c'est un drôle de type. On ne sait pas quoi en penser et cela vous met en état d'infériorité à son égard. Il est capable de tout. Mais moi aussi, parce que je m'en fous, je l'aurais tué s'il avait tué Pack. Vous savez, il y a déjà eu un justicier dans ma famille.

Pack allait mieux, encore qu'il jouât au grand malade, avec cette affectation si particulière aux chiens. Nous le sortîmes dans le jardin, et oubliant sa cuisse douloureuse, il se roula avec Grouse.

— Ma mère m'a téléphoné cette nuit, dit Jerry, pour m'annoncer que Sharon passerait bientôt par ici.

— Vous ne paraissez pas très content.

— Je ne sais pas. Sharon peut être formidable ou impossible. Elle a de plus en plus tendance à être impossible, et comment le lui reprocher : tout le monde s'aplatit devant elle parce qu'elle a épousé un imbécile de prince. Je n'ai pas besoin d'elle, je suis presque heureux et quand je terminerai ma peine, je retournerai en Amérique. A moins que je reste dans le Clare. On doit pouvoir vivre de très peu. Mon père me laissera le cottage. J'élèverai des chiens ou des chevaux. Je n'y connais rien, mais j'apprendrai.

— Nous n'en sommes pas encore là !

— Non, c'est vrai.

— Nous prîmes rendez-vous pour le lendemain, et il m'accompagna jusqu'à la porte du jardin. Au fond du vallon, une jeep arrivait roulant à faible allure dans le chemin défoncé.

— Le voilà ! Restez ! dit Jerry.

— Je n'ai pas très envie de le connaître.

— Je vous croyais curieux.

— Plus maintenant !

Dans le raidillon, je croisai Taubelman. Sa silhouette énorme fut un instant devant moi. Il semblait vouloir encore l'amplifier en portant des vestes à soufflets ou des raglans aussi évasés que des manteaux de cavalerie. Je me demandai à quel animal il faisait penser, mais oui, c'était à l'ours grizzli. Ses pieds chaussés d'énormes bottes vertes avançaient à petits pas dans la déclivité. Nous nous connaissions de vue. Un simple coup de tête avait suffi à nos relations et je croyais m'en tirer ainsi encore une fois, mais il se planta en travers du sentier et me dit en français sans accent :

— Alors monsieur, vous me fuyez !

— Quelle drôle d'idée !

— Vous étiez moins sauvage à Taroudant quand j'ai tiré votre Land Rover de l'oued.

Un instant je ne fus plus en Irlande, mais dans le

Sud marocain, un hiver. Avec Marthe, nous devions pousser jusqu'à Zagora et soudain une pluie avait grossi l'oued que l'on franchit d'ordinaire à gué. Le chauffeur s'était imprudemment avancé et la Land Rover y serait restée si un tracteur monté par deux colosses n'était apparu, s'offrant à nous tirer de là. Je ne me souvenais plus du visage des deux hommes habillés de kaki et coiffés de chapeaux de brousse. Se pouvait-il que l'un des deux fût ce diable de Taubelman ? Rien n'était impossible. Cela remontait à plus de quinze ans, et la pureté de cet hiver lumineux et glacé me revint en mémoire avec la traversée du Dadès et le beau séjour à Ksar es-Souk, près des souvenirs de Bournazel.

— Je plantais des orangers. Quelle chiennerie ! Trois ans de travail foutus parce qu'il n'a pas plu un hiver ! Alors qu'ici il y a de la pluie à revendre. Comment va Pack ?

— Mieux. Qu'est-ce qui vous a pris de tirer sur un chien ?

— Je n'ai pas tiré sur Pack. J'ai tiré sur ce petit con de Jerry. Il s'en souviendra. Il ne fusillera plus à bout portant des colverts en train de pêcher à la ligne... A un de ces jours.

Il continua son ascension de son pas lourd et balancé. En bas du raidillon, la porte de la jeep arrêtée s'ouvrit et Anne sortit pour marcher au bord du chemin, une cigarette allumée à la main. Je sifflai Grouse qui courait vers elle, et la jeune fille tourna vers moi son visage d'un bel ovale souligné par un foulard de soie claire noué sous le menton. Je reçus son regard comme un choc, un regard velouté, oriental sous les sourcils arqués. Je ne dirai pas qu'elle me parut belle la première fois où je la vis vraiment ailleurs qu'à la chasse à courre. Son expression était trop dure, presque hostile pour l'importun qui dérangeait le cours de sa rêverie. Je la dépassai en inclinant la tête et elle sembla soudain abandonner son hostilité pour me répondre d'un même mouvement de tête. En m'éloignant, je gardai l'image de cette grande fille, au masque fermé, habillée comme un homme d'un pantalon de coutil, d'un blouson de daim et chaussée de bottes vertes pareilles à celles de son père. Il fallait que son corps fût très beau. Impossible d'imaginer autre chose. En même temps, à cause du regard noir, des paupières légèrement bistrées et peut-être aussi à cause de l'évocation de Taroudant par Taubelman, elle me rappela les femmes berbères accroupies dans leurs voiles bleus au bord des sources, lavant leur linge ou jouant avec l'eau. Mais les Berbères étaient petites, minces, fluettes avant d'enfanter, et tout respirait la grâce en elles : les bracelets d'argent sur leurs bras maigres, les piécettes d'or dans leur coiffure, leurs fortes lèvres puériles s'ouvrant sur une denture pointue comme celle des fennecs, et même leurs doigts teintés, rongés par le henné. Marthe avait pris une photo d'une fille à peine nubile et l'agrandissement était resté longtemps sur ma table, m'offrant l'image d'un sourire radieux et confiant. Combien de fois avais-je levé la tête, interrompu ma lecture, pour contempler ce visage heureux ? Non, il n'y avait rien de commun entre Anne Taubelman et les petites Berbères, mais si son père avait vécu dans la vallée du Dadès à l'époque où il le prétendait, elle devait avoir cinq ou six ans quand je m'y promenais et nos regards s'étaient peut-être déjà croisés.

Une centaine de mètres plus loin, le chemin virait pour éviter une église en ruine et un cimetière envahi par les herbes. Je me retournai : Anne, demeurée à l'endroit exact où je l'avais dépassée, me regardait m'éloigner. Quel instinct me fit lever le bras pour un au revoir ? Je ne sais pas. En tout cas, elle me répondit, la main ouverte. Ce fut un choc, une sorte de bouffée chaude, presque un malaise. Puis elle disparut et Grouse tomba en arrêt devant une poule faisane que je laissai s'envoler vers un boqueteau. Comment retrouver Anne, l'approcher sans passer par Taubelman ? Et Taubelman, d'instinct, inspirait de la défiance en même temps qu'il attirait sans que l'on pût réellement se défendre de lui. Dans la solitude et la pacification intérieure que je m'imposais en Irlande, il ouvrait violemment une porte aux souvenirs et à la curiosité. Mais lui-même ? Pourquoi vivait-il ici, dans ce paysage d'eau trouble, de prairies vertes, parmi ces collines couronnées de genêts dorés et de fougères roussies ? C'est lors de ce retour que, débouchant sur la grand-route, Grouse manqua d'être écrasée par un stupéfiant engin : un vieux taxi londonien peint en mauve, conduit à toute allure par un petit homme en chapeau de tweed que j'eus à peine le temps d'apercevoir. Le taxi zigzagua quelque peu sur la route après avoir évité Grouse, puis reprit sa gauche et disparut au prochain tournant juste avant Inishgate. Je devais apercevoir cet étrange taxi plusieurs fois avant de savoir à qui il appartenait, mais il ne m'intrigua vraiment qu'après être apparu dans un des rêves interminables que je fis à Leenden. Maintenant que j'écris cette histoire tandis qu'elle s'achève après un hiver doré, je sais qu'une vérité viscérale a besoin de se faire jour en nous, que seuls certains êtres sont capables de nous l'arracher ou certains signes de la provoquer et qu'il importe de ne pas l'étouffer si l'on ne veut pas être rongé. Elle cree la vie, notre vie, un douloureux enfantement jusqu'à la mort, un mélange de désespoir et d'exaltation sans lequel rien n'aurait de sel. Taubelman était le serpent et aussi la pomme. Sans êtres comme lui, le monde crèverait de certitudes. Il bousculait tout, il mentait et il disait des choses si vraies qu'elles étaient insupportables. Et en même temps, il devait, au cours de cet hiver, se révéler misérable et puéril. Sa cuirasse présentait tant de défauts qu'on avait pitié de lui, ce dont il profitait aussitôt avec une totale absence de vergogne. Mais si j'étais armé, Jerry ne l'était pas. Il pouvait passer pour la victime désignée, et, avec son sens infaillible de la chair fraîche, Taubelman allait se jeter sur lui.

anglais. Un vieux taxi [illegible] peint en mauve, conduit à toute allure par un petit homme en chapeau de tweed que j'eus à peine le temps d'apercevoir. Le taxi zigzagua quelque peu sur la route après avoir évité Groupes, puis reprit sa gauche et disparut au prochain tournant juste avant l'auberge. Je devais apercevoir cet étrange taxi plusieurs fois avant de savoir à qui il appartenait, mais il ne m'intrigua vraiment qu'après être apparu dans un des rêves interminables que je fis à Tredeen. Maintenant que j'écris cette histoire tandis qu'elle s'achève après un hiver doré, je sais qu'une vérité éternelle a besoin de se faire jour en nous, que seuls certains rêves sont capables de nous l'arracher ou certains signes de la providence et qu'il importe de ne pas l'étouffer si l'on ne veut pas être rongé. Elle crée la vie, notre vie, un douloureux enfantement jusqu'à la mort, un mélange de désespoir et d'exaltation sans lequel rien n'aurait de sel. Taubelman était le sel, et aussi la [illegible]. Sans êtres comme lui, le monde [illegible] de contraintes : il bousculait tout, il menait et il disait des choses si vraies qu'elles étaient insupportables. Et en même temps, il devançait les coups de ces [illegible] [illegible]. Sa cuirasse présentait tant de défauts qu'on avait pitié de lui, [illegible] aussitôt avec une totale absence de [illegible]. Jerry ne l'était pas. Je pouvais passer outre la victime désignée, et avec son [illegible] infaillible de [illegible], Taubelman allait se jeter sur lui.

Oh, il ne le dévora pas en une seule fois ! Il le grignota, lançant de temps à autre des coups de boutoir qui désarçonnaient cet esprit faible et rêveur à la recherche d'une personnalité. Sans le secours instinctif de sa jeunesse, Jerry eût été broyé. Il le fut d'ailleurs plus ou moins, surtout dans les quelques moments où je l'abandonnai à lui-même, on verra pourquoi. Après tout, je n'étais ni sa bonne d'enfant ni son garde-malade. En fait, j'ai lutté bien plus contre Taubelman que pour Jerry. Ce fut Sharon qui m'éclaira sur la mystérieuse sirène et la brûlure. Nous allâmes chercher la Princesse le surlendemain à Shannon. L'avion avait trois heures de retard et nous restâmes au bar du premier étage à contempler la plaine de l'estuaire. Un soleil radieux inondait l'aéroport où s'affairaient des hommes en salopettes vertes et des hôtesses en tweed non moins vert. Des mouettes parsemaient les pelouses le long des pistes, si familiarisées avec le bruit des réacteurs qu'elles ne bougeaient même plus lors des atterrissages et des envols. Dans le ciel clair, surgissaient les avions. On reconnaissait des squales, des raies, des brochets. Il y eut même une daurade et une rascasse, un vieux cargo à hélices qui se posa en bout de piste, sur une roue, boiteux, avec des yeux exorbités crachant de courtes flammes. Comme dans un conte de fées, un requin apporta la Princesse en tailleur rose, ses cheveux blonds au vent, les mains dans les poches. De la file des voyageurs gris ou noirâtres qui descendaient la passerelle, Sharon se détachait avec insolence. Derrière elle trottait une grosse Chinoise chargée de sacs et de paquets, sa femme de chambre. Sharon ne s'embarrassa pas de la douane, abandonnant ces vulgarités à Mme Li qui mâchouillait un anglais désespérant. Elle embrassa son frère avec véhémence et daigna s'apercevoir de moi quand Jerry m'eut présenté au moins trois fois. Son regard bleu auquel la myopie prêtait un flou distingué m'isola de la foule hagarde qui piétinait à la sortie. Il n'y avait pas une ombre de naturel chez elle, tout au moins à ces moments-là.

Nous abandonnâmes Mme Li dans un hôtel à quelques kilomètres du cottage des Kean, Sharon ayant décidé d'habiter avec son frère. La petite maison sur la colline lui tira des cris d'admiration, les mêmes qu'elle aurait eus pour Angkor Vat, Schönbrunn ou Versailles. Mais là, je me trompe sans doute : les palais ne lui inspiraient probablement qu'une moue d'ennui. La Princesse était extrêmement simple : elle adorait la vie rustique, rêvait de vivre d'œufs au lard et d'eau puisée au tonneau sous la gouttière. Elle me prouva tout de suite sa simplicité en se déshabillant devant nous pour se changer. J'aurais dû ne pas la regarder. C'eût été lui rendre la monnaie de sa pièce, répondre que si elle me considérait comme un meuble sans importance dont le désir ne pouvait même pas l'effleurer, elle était, elle-même, pour moi, n'importe qui, sans aucun intérêt. Mais comment se dominer tout à fait quand cette longiligne créature passa devant moi vêtue d'une chaîne d'or à la taille ? Son corps déroutait par sa beauté, encore qu'elle n'eût pratiquement pas de poitrine, offrant un torse effilé de jeune garçon, avec des bouts de sein d'un rouge mauve très étrange, deux fleurs écrasées sur les pectoraux. Tout le contraire de la volupté classique, une espèce d'échalas qui, en se mouvant, déplaçait un violent parfum. Après s'être chauffée un moment, accroupie devant l'âtre, elle enfila un pantalon de velours et un chandail. Elle pouvait aussi bien passer la chemise de son frère ou décrocher un rideau, elle demeurait une créature souveraine dont l'aisance fleurait le dédain. En vérité, elle méritait bien ce titre de Princesse, si la chose avait encore une signification. Les petites altesses pataudes et joufflues qui cherchaient des maris dans l'Europe du Gotha avaient tout juste le droit d'être ses bonnes.

J'aimai aussi sa voix. L'affectation en corrigeait les pointes d'accent américain. Elle mêlait à sa conversation des mots français ou allemands qu'on mourait d'envie de lui souffler en anglais. En somme, elle avait tout pour agacer et si elle n'y parvenait pas autant qu'elle le désirait peut-être, c'est que, presque malgré elle, un charme vénéneux naissait de sa voix et de l'aisance du moindre de ses gestes, quelque chose d'impossible à préciser, qui vous prenait aussitôt qu'elle daignait s'animer, peut-être le signe stellaire sous lequel s'était placée, par une chance sur un milliard, sa naissance. Pourtant, comme Jerry, elle descendait du vieux Kean qui avait eu le revolver facile. Dans ses veines coulait le sang du pionnier de l'Ouest à une époque encore héroïque, et il lui en restait une violence contenue qui tenait en respect, un dédain superbe des convenances. Elle avait apporté une bouteille de vodka qui ne fut bientôt plus qu'un souvenir, et Jerry m'emprunta la voiture pour aller acheter de l'alcool au pub de Willie Kox. Je restai avec Sharon qui s'allongea sur les peaux de mouton devant la cheminée, ferma les yeux et se mit à me questionner :

— Vous êtes l'ami de mon petit Jerry ?

— Nous courons les bois ensemble. C'est beaucoup mieux que de l'amitié.

— Vous veillez sur lui.

— Il se garde très bien lui-même.

— Non, non, n'en croyez rien. Je me suis beaucoup occupée de lui avant mon mariage. C'était mon petit Jerry, mon jouet, mon copain. Je lui ai appris des tas de choses : dire « merde », voler dans les magasins, et même se masturber, enfin tout ce qu'on ne vous apprend pas à l'école. Je lui ai montré son premier sexe féminin, le mien. C'est fou ce que ça le passionnait. Et surtout ne croyez pas que nous avons couché ensemble. Rien de toutes ces choses infiniment vulgaires et si fréquentes qu'elles sont d'une banalité à pleurer. J'aurais été là que je ne l'aurais pas laissé s'enliser dans la saloperie de Greenwich. Non, non, je l'aurais empêché. Mais, après tout, c'était mon droit aussi de me marier, de vivre ma vie. Jerry n'était plus un bébé : dix-huit ans, champion du quatre cents mètres haies, des filles comme il en voulait. Pas très intelligent, peut-être ? Mais qui l'est vraiment ? Et puis je reste persuadée que c'est un cerveau en friche auquel il faut insuffler la vie. Je dois m'occuper de lui. M'aiderez-vous ?

— Je ne suis pas un homme qui parle beaucoup.

Je crois qu'elle me vit réellement pour la première fois. Un regard bleu voilé me scruta et quelque chose passa entre nous, une reconnaissance, des affinités contraires qui pouvaient composer et se respecter. Suivit un moment assez agréable pendant lequel elle se tut, contemplant le feu de tourbe qui brûlait chichement. Puis Pack sortit de son panier et renifla sous la porte. Jerry apparut, trempé, suivi de Taubelman coiffé d'un chapeau ciré, plus laid que jamais, le blanc des yeux strié de jaune, signe qu'il avait bu et s'était arraché avec peine au comptoir de Willie Kox.

— Qui est-ce ? demanda Sharon avec une moue de dégoût.

— Le type qui a blessé mon chien et qui le soigne.

— Ah bon ! As-tu trouvé de la vodka ?

— Oui, fabriquée à Cork.

Sharon eut un haut-le-cœur, et Taubelman un instant interloqué par la froideur de l'accueil sauta sur l'occasion de prendre la situation en main :

— N'importe quel imbécile est capable de fabriquer de la vodka. J'en fabrique moi-même à temps perdu, et je vous la ferai goûter. Les yeux fermés, vous ne la distinguerez pas de la Russkaïa ou de la Stolovaïa. Il n'y a pas de secret : un litre et quart d'eau, une cuillerée de sucre, un litre d'alcool à 90°. Chauffez, mélangez, réchauffez, éteignez, refroidissez. Une écorce d'orange, cinq gouttes de glycérine et vous avez une vodka impériale, ou plutôt « cubaine » comme ils disent maintenant à Moscou.

— Qu'est-ce que c'est que ce type ? dit Sharon. Un bistrot ? Un pharmacien ? Un paysan ?

— Un chasseur, dit Jerry.

Taubelman resta la bouche ouverte, mais on ne le désarçonnait pas longtemps.

— J'ai donné la recette à un type du Pirée. Il fabriquait déjà du whisky, un tord-boyaux à crever qu'il vendait sous étiquette, quinze ans d'âge *very old pure whisky*. Il a lâché son whisky et il s'est mis à fabriquer de la vodka avec de l'alcool de pommes de terre, et maintenant il est riche à crever. Même les Russes lui en achètent et il a pris le marché aux Chinois qui la tirent de l'alcool de riz. Pourquoi pas les

Irlandais ? Si celle-là vous fait peur, j'ai apporté de quoi l'améliorer.

Il tira de sa poche des cubes de glace dans un sac en plastique, du poivre rouge et des citrons verts, et, en effet, améliora la vodka irlandaise que nous bûmes jusqu'à minuit. Mais l'atmosphère resta gelée. Sharon parla peu, sinon pour contrer Taubelman qui se montra à son égard d'une platitude incroyable. Jamais, je n'aurais imaginé que ce ruffian pouvait être intimidé. Pourtant il l'était, bien qu'il ne perdît pas pied, luttant pour survivre aux sarcasmes de Sharon. Je ne me souviens pas de tout ce qui fut dit ce soir-là, et peu importe car cela ne tourna guère qu'autour des mérites comparés du whisky écossais et du whisky irlandais, du vin du Chili et du vin de Californie, des vermouths italiens ou français. Taubelman affichait une science irritante, et force est de dire qu'au moins sur les chapitres que je connaissais assez bien, il ne proférait pas de stupidités. Deux ou trois fois, il sortit dans le jardin, et comme il laissa la porte ouverte à la nuit froide, nous entendîmes le jet puissant de son artillerie personnelle foudroyer les parterres d'hortensias.

— Une toute petite vessie, ton copain, dit Sharon à Jerry. Qu'est-ce que ça veut dire ? On ne boit pas quand on ne tient pas. Il me dégoûte. Et ce n'est pas vrai, il ne m'a jamais rencontrée avant ce soir.

Car, naturellement, Taubelman prétendait avoir rencontré la Princesse au bal donné à Venise, cinq ans auparavant par Éric Schoelberg, un Germano-Chilien enrichi par le caca d'oiseau, une soirée mémorable dont toute la presse avait parlé. Sharon y était apparue déguisée en oiseau de paradis et au cours du bal elle avait giflé un Pierrot hagard qui s'était révélé être l'ambassadeur de Grande-Bretagne. Taubelman ne s'arrêtait pas là : il avait aussi rencontré Sharon à la table de jeu du casino de Monte-Carlo l'après-midi où elle avait gagné cinquante mille dollars en moins d'une heure. Cela était vrai, mais que faisait-il, lui, dans tous ces endroits à la fois, et aussi à Taroudant ? On avait beau se pincer, jurer qu'on n'y croyait pas, ce témoin invisible, toujours présent au moment d'événements singuliers, emportait la conviction. Sauf avec Sharon. Elle l'insulta et il répondit avec de grands rires. Vers minuit, il était au milieu d'un de ces grands rires quand Anne poussa la porte et apparut sur le seuil, habillée comme toujours de son jean délavé, de son blouson de cuir, les cheveux protégés par un foulard de soie. Le rire de Taubelman s'étrangla. Il dit d'une voix brouillée par l'alcool : « Bon, je viens ! » et s'extirpa d'un mauvais fauteuil en rotin. Il parut soudain peser tout son poids. Anne ne bougeait pas. On aurait pu croire qu'elle ne nous voyait pas. Quand il s'approcha de la porte, elle tourna les talons et disparut dans la nuit. Taubelman s'arrêta et nous lança un « à bientôt » qui sonnait faux.

Sharon me dit :

— Qui est-ce ?

— Sa fille, je crois.

— Elle est assez belle.

— Oui, elle le cache, mais ça se voit !

— Lui, est ignoble !

Il entendit sûrement au moment où il refermait la porte et, après une hésitation, trouva mieux de jouer les sourds. Sharon bâilla et je me levai à mon tour.

— Chassez-vous demain, Jerry ?

— Oui, et ma sœur viendra, n'est-ce pas Sharon ?

— On verra. Demain, j'aurai la gueule de bois.

— Oh, tu ne l'as jamais !

— Je vieillis.

— Non, tu ne changes pas !

— Ma peau change. Regarde, je commence d'avoir des tavelures sur les mains. Tu sais, comme les vieillards...

Elle tendit les mains en avant vers le feu, de longs doigts effilés aux ongles nacrés et bombés. On voyait, en effet, poindre de petites taches roussâtres sur la peau.

— Tu disais ça à quinze ans !

— J'en ai vingt-huit.

— Ce n'est pas encore la mort, dis-je. Vous êtes très belle.

Sharon posa un baiser rapide sur ma joue, presque à la commissure des lèvres.

— Jerry, ton copain est très gentil. On va vivre.

Sur la route, je rencontrai la jeep arrêtée, codes allumés au bord du fossé. Debout, jambes écartées, Taubelman se soulageait. Sharon avait raison : une vessie d'enfant. Cet homme avait des points faibles, mais nous ignorions encore, les uns et les autres, combien il le savait et en tirait parti. Je dépassai la jeep après un appel de phares et Anne répondit de même, ce qui me causa un plaisir aussi rare que son geste de la main, quelques jours auparavant dans le chemin. Peut-être, pour une raison inconnue, ne parlait-elle pas, mais elle envoyait des signes et ces signes arrivaient jusqu'à moi qui seul les reconnaissais.

L'histoire de Jerry aurait ressemblé à des milliers d'autres si elle ne s'était pas terminée par un drame. Sharon me l'apprit un matin que nous étions à l'affût au bord du lac, cachés dans les roseaux. Jerry ramait sur une coquille de noix pour contourner un îlot d'où quelques canards, avec un peu de chance, pouvaient se lever et passer à portée de fusil. Le ciel était d'une tristesse grise qui devenait poignante depuis plusieurs jours. Des corneilles, des ramiers se rassemblaient au faîte des hêtres dénudés bordant le lac. Il y avait en Sharon une écervelée qui parlait trop, qui vous assommait d'inattendus, et puis aussi un être capable de se replier sur soi-même, physiquement et moralement, et d'écouter les bruits de la terre et du ciel : le cri des courlis, la gifle d'un brochet sautant hors de l'eau, le gémissement des arbres étreints par le vent. Les canards s'envolèrent trop loin de nous. Jerry apparut, ramant à genoux contre le courant dans la petite embarcation qui dérivait vers l'aval du lac. Sharon s'assit dans l'herbe, ramenant ses genoux osseux sous son menton et tirant sur son chapeau ciré jusqu'à cacher son visage rosi par le froid. Alors j'appris l'histoire de Jerry tandis que, devant mes yeux, il ramait pour gagner la rive, assourdi par le vent et l'effort... Les mots de Sharon venaient en surimpression sur sa haute silhouette que le ciré vert déformait. Cette même silhouette quelques mois auparavant avait sauté d'un deuxième étage en feu où une petite Iranienne de vingt ans, Ashrami, se tordait seule dans les flammes. Oui, Jerry, le champion du quatre cents mètres haies, fumait l'opium avec cette fille. Comment cela était-il arrivé ? Nul ne pouvait le dire, mais Jerry avait aimé cette boulotte aux yeux de gazelle rencontrée sur le campus. Elle ne se piquait pas, elle fumait depuis l'âge de quinze ans, modérément d'ailleurs, avec la sagesse d'une Orientale. Ils étaient allés camper dans le Connecticut pendant deux semaines, seuls sous la tente, parfaitement heureux, mais au retour Jerry fumait lui aussi. Un peu d'abord, sans en être affecté, puis très vite de plus en plus, avec l'avidité d'un adolescent qui brise ses freins. Il vint habiter chez Ashrami, un petit studio de Greenwich, dans une maison de crépi rouge. Ce n'était pas l'amour, — d'ailleurs ils le faisaient de moins en moins, le désir éteint par l'opium — mais une complicité tendre, nourrie de songeries puériles qu'ils prenaient pour un monde à eux, au-dessus des médiocrités ambiantes. En deux mois, Jerry avait changé physiquement d'une façon invraisemblable : amaigri, la peau tirée sur les os, les yeux, le teint jaunis, il marchait comme un somnambule... Jerry s'arrêta de ramer et se dressa debout dans le canot pour viser une chose noire qui nageait à la surface. On n'apercevait qu'une tête pointue, un dos arrondi, une queue qui godillait. Il tira et la loutre plongea. Le canot avait dérivé d'une vingtaine de mètres et Jerry dut forcer pour remonter le courant. Nous entendions les rames aux manchons de cuir mal suiffés grincer dans les dames... Comment ses parents ne s'étaient-ils doutés de rien ? Il y a des grâces spéciales pour l'aveuglement des pères et des mères. Jerry glissa dans une autre vie, loin d'eux. Tout lui devenait enfin facile : les murs contre lesquels il avait si longtemps buté s'effondraient, la drogue lui ouvrait une vie facile où il n'était plus besoin de se forcer le cœur pour arriver à la fin d'un quatre cents mètres haies. Était-il amoureux d'Ashrami ? Ce n'est même pas certain. Ils vivaient comme un couple de petits-bourgeois, devant la télévision, descendant avec un filet à provisions pour se ravitailler chez l'épicier italien de la rue voisine. Lentement, ils lâchèrent les cours de Columbia. Ils se délestaient, ils n'appartenaient plus au règne des vivants. La drogue même ne leur coûtait rien. Un oncle d'Ashrami, membre d'une délégation à l'O.N.U., la leur apportait chaque semaine, avec de légères admonestations quand il s'apercevait que la provision s'épuisait de plus en plus vite. La mesure et la sagesse d'Ashrami s'effondraient devant la faim de Jerry. Un après-midi leur lampe à alcool se renversa. Le tapis sur lequel ils étaient allongés prit feu et ils restèrent un long moment à regarder les flammes lécher les murs, cerner leurs deux corps sans volonté. Ashrami s'endormit peut-être, transportée dans un paradis rougeoyant peuplé de démons torves et velléitaires qui se dévoraient les uns les autres jusqu'à n'être plus qu'une grande flamme en colère. Alors Jerry sauta par la fenêtre et roula sur un store avant de s'affaler sur le trottoir au moment où la police et les pompiers arrivaient précédés par les cris stridents de leurs sirènes. Il était inexact que Jerry ne se souvînt de rien. Il avait parlé à Sharon, mais à Sharon seule en face de laquelle il demeurait sans défense. Elle le connaissait tellement bien !... Pack que je retenais par le collier me glissa des mains et se jeta à l'eau nageant vers l'embarcation. Jerry lui cria de s'en aller, mais le chien posa une patte sur le bordage et le canot chavira. Jerry eut le temps d'agripper son fusil. Il reprit pied plus près du rivage et arriva jusqu'à nous, ruisselant, traînant ses lourdes bottes pleines d'eau et de vase. Sharon l'obligea à se déshabiller pour le frotter avec un chandail sec. Il rentra nu sous son ciré, grelottant et presque heureux. Comme nous approchions du cottage, nous aperçûmes la jeep qui s'en allait. Ainsi Taubelman n'attendait plus qu'on l'invitât. Il se présentait de lui-même avec assurance et fatuité. D'ici peu, j'en étais certain, nous ne ferions plus un pas sans le trouver sur notre chemin. Fort heureusement, cet homme qui se présentait comme une encyclopédie ne savait pas ou ne voulait pas conduire. Il dépendait d'Anne et Anne exerçait ses juments plusieurs heures par jour. Nous la rencontrâmes le lendemain du bain forcé de Jerry, seule, passant d'un champ dans un autre, sautant vingt fois, trente fois un muret, acharnée, ne perdant jamais patience. Comme nous étions en lisière d'un bois, elle ne nous vit pas et nous pûmes la contempler à loisir, admirer son buste droit, la douceur et la fermeté de sa main, la grâce de son port de tête. Tout son caractère était là, sans doute : du courage, de la patience et le goût de la perfection. Nous eûmes l'impression d'être indiscrets, autant que si nous nous étions collés au trou d'une serrure pour l'épier en train de se déshabiller. A la chasse je l'avais vue monter souvent, mais plus tendue, presque hostile parce qu'on la regardait à la dérobée. Quand elle tomba après une faute de pied, j'eus du mal à retenir Jerry. Anne se releva après quelques secondes d'étourdissement. Un roncier avait arraché son foulard de soie et libéré une lourde chevelure noire qui cachait son visage. Elle marcha vers sa jument qui broutait dans un angle du pré et la rattrapa sans mal. Les cheveux d'Anne flottaient dans son dos, belle masse mouvante et brillante dans le soleil du matin. Oui, cette chevelure était à s'agenouiller, quelque chose de féerique qu'elle s'empressa de cacher de nouveau sous le foulard repris dans le roncier. Quand je pense à la beauté d'Anne, telle qu'elle me frappa ce jour-là, j'associe toujours ce souvenir à ma première rencontre réelle avec elle, quelques jours plus tard, chez Taubelman. Sean Coen, le domestique, m'avait introduit dans la pièce ronde du bas. Anne assise devant le feu sur un tabouret de piano, offrait sa chevelure à son père armé d'un peigne d'écaille géant et d'une brosse au manche en argent. Il lissait cette magnifique crinière avec une tendresse insoupçonnable chez lui, attentif à ne pas faire mal, tenant ferme dans sa grosse main les mèches dont il démêlait les extrémités qui atteignaient les reins d'Anne. Pour une fois, elle n'était pas en jean et en blouson, mais habillée d'un kimono bleu pâle orné de dessins noirs. Ses pieds nus et blancs se crispèrent dans la laine du tapis quand elle me vit, et elle joignit les mains sur ses cuisses. Pourtant, elle sourit et son visage, souvent si dur et buté, s'éclaira comme illuminé par une vague de douceur intérieure, presque un plaisir. Tout aurait été merveilleux — le feu de bois, les dimensions inusitées de la pièce, cette jeune fille en kimono peignée par un géant rendu à l'humilité — si Taubelman ne s'était mis à parler. Je ne l'écoutais pas, laissant libre cours à une émotion indicible et sans forme. Au-dehors, il pleuvait et le vent hurlait, mais au centre de cette pièce ronde meublée de façon si baroque, une jeune fille offrait au peigne et à la brosse une chevelure d'une beauté irréelle. Quand Taubelman eut terminé, il se pencha pour baiser sa fille sur le front. Elle ferma les yeux comme à un signal, parut s'absorber en elle-même, puis contempla son propre visage dans le grand miroir dore sur la cheminée. Au-dessus d'elle, se dressait un géant qui semblait implorer un signe de reconnaissance, n'importe quoi qui l'attacherait comme le plus fidèle des chiens. Anne sourit et se leva pour passer devant moi. Nos regards se rencontrèrent et elle sourit de nouveau. Oui, c'était bien elle, mais transformée, irradiée par sa chevelure déployée. Elle sortit et Taubelman reprit son discours. Sa parole soudain m'étonna. Il n'était plus le même. Un charme le tenait encore.

— Avez-vous jamais brossé les cheveux d'une jeune fille ? Non, jamais n'est-ce pas ? Vous n'y avez même pas pensé. Eh bien alors, vous ne savez rien de la vie. Il n'y a pas de bonheur plus grand que de parfaire la beauté. Et où se réfugie-t-elle ? Dans les yeux, dans les cheveux...

Mais le charme l'abandonna assez vite quand il parla de Sharon en termes plus que crus. Je me levai et lui serrai la main.

— Qu'avez-vous ? dit-il. Vous ne supportez pas la vérité ?

— Ni le mensonge.

— J'en sais un peu plus que vous.

— Les réalités que j'aime n'ont rien à voir avec le mensonge et la vérité.

— Mais je la connais cette princesse comme si je l'avais faite. Vous pouvez m'en croire.

— Oui, ce que vous connaissez d'elle tient dans les ragots des commères de journaux. N'importe quel concierge en sait autant que vous.

Taubelman éclata de rire.

— Amoureux de la Sharon ! Voilà ce que vous êtes ! Ah, c'est la meilleure !

— Vous êtes idiot.

— Bon, d'accord... mais un peu voyant extralucide aussi. Disons que ça vous pend au nez. N'empêche... je vous ai prévenu. Et puis il y a une chose que nul autre que moi ne connaît : elle aime les nègres, oui mon cher... les nègres ! vous avez compris pourquoi : je n'ai pas besoin de vous faire un dessin à l'échelle.

Il eut un geste éloquent de l'avant-bras.

— Non, merci. Au revoir.

— Ne partez pas sans me dire pourquoi vous êtes venu !

— Ah oui c'est vrai... mais tout cela me semble un peu sans objet maintenant.

— Allons, allons ne faites pas le difficile.

— Sharon et Jerry vous invitent à dîner demain soir avec votre fille.

— Anne ne viendra pas. Elle ne sort jamais.

— Vous non plus, je suppose. Comment supporteriez-vous de dîner avec une femme qui choisit ses amants parmi les nègres ?

— Ah çà, je m'en fous bien. Je viendrai.

— Essayez de décider Anne.

— Je ne me donnerai même pas cette peine...

Nous étions pris au piège, car, bien entendu, si Sharon avait décidé d'inviter Taubelman, c'était pour rencontrer Anne dont je lui avais parlé. Il vint dîner au cottage et fit passer dans cette soirée où nous lui voulions du mal (Sharon et moi) un souffle assez extraordinaire. Taubelman mangeant était un spectacle à la fois répugnant et fascinant. Il avala cinq ou six douzaines d'huîtres généreusement poivrées avant de les porter à sa bouche et de les engloutir avec un affreux bruit de succion, dévora une boule entière de pain bis et peut-être une livre de beurre. Ne parlons pas du stout qu'il but par pintes — cinq ou six au moins — avant d'aborder la vodka au moment du saumon fumé. Le tout à une vitesse incroyable de peur que l'un de nous prît la parole et ne la lui rendît pas. Deux ou trois fois de suite, il répéta :

— Ah, ce soir ça va... je suis en forme ! Rien ne m'arrêtera.

C'était Gargantua, mais aussi Ulysse et peut-être Tartarin. Il savait tout sur toutes les huîtres du monde, goûtait le stout comme on aurait goûté un vieil armagnac. Il ne raconta certainement pas plus de trois histoires, mais interminables et passionnantes, noyées dans des détails saugrenus, haletantes et décousues. Je n'ai pas retenu la totalité de ce qu'il dit au cours de cette soirée où il jeta ses feux pour séduire Sharon. Je ne me souviens que d'une histoire complètement démente, le récit de son unique voyage en Amérique, à seize ans, sur un cargo panaméen pourri de la quille à la cheminée. Il était soutier, et dans la dernière semaine du voyage, il ne dormit pas plus de dix heures, réquisitionné avec l'équipage pour pomper l'eau qui envahissait les cales. A la fin, ils pompaient dans un état voisin du somnambulisme, pataugeant jusqu'aux genoux dans une mélasse de charbon et d'huile, et passant le travers de la Liberté sans s'en rendre compte, pour accoster à un dock au moment précis où les pistons saturés d'eau, crevant leurs culasses, ébouillantaient le chef mécanicien et deux soutiers. Taubelman, épuisé, s'endormit dans le creux d'une aussière lovée et se réveilla vingt-quatre heures après sur un bateau désert. Le capitaine, le second et l'équipage avaient fui devant le désastre de la cargaison. Pas une âme sur les docks, un port figé dans ses eaux d'encre, et, derrière, une ville noire aux gratte-ciel aveugles perdus dans des nuées grises. Comment aurait-il su que c'était dimanche ? Il se crut sur une planète abandonnée par la vie, seul survivant d'une catastrophe épouvantable...

Si puissante était la parole de Taubelman, que, malgré notre aversion, nous le vîmes devant nous devenir tout à coup ce jeune mousse de seize ans, noir de charbon et de crasse, hébété de sommeil et de fatigue, tenaillé par la faim, contemplant du pont d'un cargo mort la ville fantastique, objet de ses rêves, figée dans un silence abyssal comme le royaume d'Ys. Quelle peur d'un monde nouveau où il serait seul ! Mais des hommes comme Taubelman ne se retrouvent jamais seuls. Une obscure complicité les lie au hasard. Pour eux, la vie avance par bonds et chaque saut dans le vide est une raison de croire à leur étoile...

Le jeune mousse descendit sur le quai du dock pour errer parmi les rails, les grues, les wagonnets et les diables abandonnés. La vie arrêtée à cet instant lui parut d'une force et d'une brutalité inouïes. Une dragueuse béait de la gueule, découvrant ses crocs triangulaires sertis dans une mâchoire d'acier. Les bittes d'amarrage, énormes, monstrueuses, supportaient la strangulation des câbles qui retenaient à quai le vieux cargo blessé aux flancs dévorés par la rouille. Le ciel insaisissable se reflétait dans de larges taches d'huile et de cambouis. Partout traînaient des chaînes aux maillons gros comme la main. Des plaques de tôle modulaient d'étranges vibrations quand on posait le pied dessus. Il n'y avait pas un chat, pas même un de ces rats qui annoncent l'homme. Tout semblait en acier, d'une hostilité, d'une froideur insoutenables. Parmi des montagnes de caisses entassées s'ouvraient des labyrinthes qui sentaient la paille et le carton moisi, avec des signes venus du reste de la terre — bonjour de Yokohama, de Vancouver, de Lisbonne, du Havre, de Naples — et le mot « fragile » écrit en toutes les langues. Un moment, il se perdit dans un de ces labyrinthes et, en cherchant son chemin, tomba nez à nez avec un chien policier au collier hérissé de pointes, une bête fantastique, aux babines retroussées sur une denture de loup, aux yeux de feu...

A l'instant où Taubelman parla de ce chien, une chose étrange se produisit dans le cottage : Pack et Grouse qui dormaient l'un contre l'autre devant le feu se levèrent, s'étirèrent, et vinrent chacun poser son museau sur une cuisse de Taubelman qui les caressa et s'arrêta de parler pendant quelques minutes pendant lesquelles nous ne dîmes rien non plus.

Alors il reprit — sur un autre ton — une longue digression sur les chiens. Son enfance avait été peuplée de drahthaars, de bergers allemands et de bouviers des Flandres dressés par son père qui entretenait, en Estonie, une chasse fantastique sur un domaine de quinze mille hectares. A cinq ans, il se levait la nuit pour se glisser dans le chenil et dormir avec les chiots des molosses que personne n'osait approcher. Il connaissait leur langage qui n'est pas fait de sons, mais d'ondes télépathiques, et il savait leur parler, obtenir d'eux la douceur et la soumission... Devant le chien en arrêt, Taubelman ne bougea pas, se contentant de le regarder dans les yeux et quand les policiers arrivèrent au pas gymnastique, ils trouvèrent leur limier sur le dos, les quatre pattes en l'air, jouant à se laisser caresser le ventre par un grand garçon hirsute à la salopette maculée de graisse et de charbon. Ils voulurent se saisir de Taubelman mais le chien montra les crocs et ils gagnèrent le poste interloqués, sans comprendre quel enchantement s'abattait sur ce fauve qui avait déjà mis en pièces plusieurs maraudeurs des docks. Au poste, traînait par routine un de ces ramasseurs d'information qu'on a peine à baptiser journaliste, un certain Romuald Fairbank que tout le monde appelait Romy le Jaune à cause de ses yeux injectés de bile, de sa peau safranée d'hépatique. Cet homme sans âge, à la casquette crasseuse vissée entre les oreilles écartées, au mackintosh taché de graisse et brûlé par les mégots avait été, dans sa jeunesse, un poète salué, pour une seule plaquette de vers libres, comme un des égaux de Frost et de Pound. Son journal conservait cette épave — malgré de longues disparitions, des plongées démentes dans le monde halluciné de la Bowery — parce que Romy, dans sa folie suicidaire, gardait un sens poétique du fait divers. L'apparition de ce jeune gaillard jouant avec le chien policier qui aurait dû le mettre en lambeaux fut un choc pour lui. Il assista à son interrogatoire, un morceau savoureux : Taubelman jouait l'imbécile et l'ahuri, et ses papiers avaient disparu avec le capitaine du cargo. Romy le Jaune rapporta quelques lignes au chef des informations et, le soir même, un commando du journal débarqua dans le poste des docks. On photographia le mousse en cellule, derrière les barreaux, entouré des chiens de police. Le lendemain matin, les New-Yorkais trouvèrent dans leur quotidien habituel l'histoire de ce singulier dompteur. Une souscription de lecteurs fournit en une journée sa caution et Taubelman se promena en liberté dans New York. En liberté, est une façon de dire. On le reconnaissait partout, on s'arrachait cet adolescent qui refusait d'avouer sa nationalité et parlait aussi bien anglais qu'allemand, français ou russe. Il céda à la première facilité : entrer au service d'une richissime vieille folle qui entretenait vingt-huit chiens dans son hôtel particulier de Park avenue, Miss Olivia Pennyhurst...

— Répétez-nous son nom, dit Sharon.

— Pennyhurst, vous avez très bien entendu. C'est votre tante, enfin votre grand-tante, la sœur de votre grand-mère n'est-ce pas ? Je n'ai pas de doute là-dessus, d'ailleurs, j'en ai parlé avec Frédéric-Charles il y a trois ou quatre ans, la dernière fois que je l'ai rencontré...

— Quoi ? Vous connaissez mon mari ? Pourquoi ne l'avez-vous pas dit ?

— Vous ne me l'avez pas demandé !

Je dois avouer qu'à cet instant Taubelman fut superbe, humble et condescendant à la fois, savourant son triomphe, plein d'une délicatesse et d'une discrétion qui l'émerveillaient lui-même. Comme il avait lâché ça ! A croire que sa fabuleuse histoire n'avait été inventée que pour servir sur un plateau par un biais — mais quel biais admirable ! — le nom du prince Frédéric-Charles. Vrai ou pas vrai, en tout cas, c'était une réussite. Jerry fut assez content. Taubelman inspirait enfin confiance. Quant à Sharon, son agressivité se détendit : pour la première fois elle sembla voir Taubelman qui reprit son récit avec assurance... Très vite il s'ennuya chez Miss Pennyhurst dont les chiens trop près du sang étaient incapables d'un dressage intéressant. Collant son front à la vitre du rez-de-chaussée, un matin, Taubelman aperçut une silhouette connue, un petit homme à la casquette cassée, au mackintosh maculé, Romy le Jaune, un cure-dent entre ses lèvres bleues, signe qu'il allait boire d'une minute à l'autre, mais que quelque chose l'en empêchait encore. Ce « quelque chose » le jeune marin en avait une poignée dans sa poche : de quoi acheter la viande des chiens pour la semaine. Il reprit son caban au vestiaire et rejoignit Romy. Ils ne se quittèrent pas pendant une dizaine de jours.

Aujourd'hui, la Bowery à la pointe de Manhattan n'est plus la même. Elle a perdu une partie de sa raison d'être qui fut le métro aérien. On a trop parlé d'elle et de ses déchets humains, mais au temps évoqué par Taubelman, elle était encore un chancre secret de New York, une réserve d'horreur et de désespoir dont on ne sortait que pour le cimetière ou l'asile. Toute la cloche de New York avait rendez-vous là, dans des bars empuantis de vomi et de fumée, où des grappes d'hommes en loques accrochés au comptoir buvaient des alcools immondes, une bière tiède qui sentait l'œuf pourri. A la fermeture, jetés à la rue, ils s'affalaient sur les trottoirs, dormaient contre les piliers du métro, serrés les uns contre les autres, murés dans leur démence sans issue. Un des rassemblements de cloches les plus hallucinants, dont on ne pouvait s'évader comme on s'évade de la Maube vers la Seine où il y a toujours un peu d'air frais, des ponts pour vous abriter, et même des arbres dans la Cité, signes qu'adresse à la misère le vieux paradis terrestre.

Pourquoi Romy buvait-il là, alors que New York regorgeait de bars où l'on s'enivrait en paix, avec la considération de son voisin ? Il prétendait que l'odeur des pauvres est une griserie sans nom, que la mort, d'un coup de surin dans le foie, était une jolie loterie à laquelle on ne jouait pas ailleurs. Toujours est-il qu'il apprit à boire à Taubelman, une science qui demande de la délicatesse quand on a de l'argent, de la brutalité quand on n'en a pas. Le dixième jour, une voiture de police envoyée par le journal pour récupérer Romy le Jaune les ramassa au milieu d'une rixe. Taubelman serrait la gorge d'un homme quand un policier lui tapa sur l'épaule avec sa matraque. Taubelman lâcha son type qui tomba sur le trottoir comme une enveloppe vide.

— C'est peut-être le premier type que j'ai tué ! dit-il. Je ne le saurai jamais. Enfin... il faut bien un commencement et dans la Bowery ça n'avait pas d'importance. Le matin passaient des voitures de la morgue qui embarquaient les gars déjà raides dans le ruisseau. Il fallait même faire attention à ne pas se laisser ramasser dans le coma, sinon les croque-morts, payés à la pièce, vous estourbissaient pour de bon, plutôt que de vous jeter dehors de la morgue quand vous vous réveilliez. Le policier m'a pris par le bras et nous sommes allés dans sa voiture où on a ouvert les fenêtres parce que Romy et moi nous puions une vraie pourriture. On m'a lavé, douché, laissé dormir trente-six heures pour m'annoncer que, malgré la caution et parce que j'étais un petit garçon pas sage, on me garderait au poste jusqu'à ce que je donne mon nom et l'adresse de mon papa et de ma maman. Alors, oui j'ai cédé et j'ai télégraphié à Papa et il a tout de suite envoyé un chèque de deux mille dollars pour que je m'achète des costumes et des chaussures et que je prenne le *Mauretania* en première classe s'il vous plaît, pour gagner la France. Il m'attendrait au Havre. Les flics étaient soufflés. De leur vie, ils n'en avaient jamais palpé autant. Je leur ai offert des cravates et du parfum pour leurs femmes. On m'a conduit en voiture découverte jusqu'au bateau et là il y avait des tas de journalistes qui voulaient savoir qui était mon père, et pourquoi il était bourré de fric. Je leur ai raconté des trucs énormes, que nous étions les banquiers de l'Arabie, et que nous ne savions pas quoi faire avec l'or de tous ces rois bourrés de pétrole. Il fallait me voir dans le salon des premières en pyjama de soie et escarpins vernis, parfumé à la lavande, gominé comme un Valentino, respirant un gardénia — connaissez-vous rien de plus fort et de plus enivrant que l'odeur du gardénia, même pas la tubéreuse ou le jasmin, non il n'y a que le gardénia —, je répondais à tous ces connards. Heureusement, comme on allait appareiller et que les haut-parleurs gueulaient pour foutre les visiteurs à la porte, mon pote est arrivé, avec son vieux mackintosh, sa casquette à la visière cassée, ses grandes oreilles décollées : Romy le Jaune. Nous avons bu un dernier verre ensemble, un « schpountz » il appelait ça : de l'eau-de-vie, du rye, du vermouth et de la bière, quelque chose de vraiment très fortifiant pour un gringalet de seize ans et d'un mètre quatre-vingt-dix... Oui, ne me regardez pas comme ça : je n'ai pas grandi après... Son « schpountz » m'a tellement saoulé qu'on m'a emporté dans ma cabine et que pour la deuxième fois j'ai passé le travers de la Liberté sans la voir... Je ne suis jamais retourné à New York. On me dit que la Bowery n'est plus la même et que c'est bourré d'intellectuels, de déserteurs et de putes... Alors ? A quoi bon ?

Je regardai l'heure : minuit. Taubelman parlait sans arrêt depuis le début du dîner. Et maintenant son gosier desséché n'en pouvait plus. Il se versa une pinte de stout qu'il but les yeux clos, la tête renversée. Son visage se creusait de fatigue : cernes sous les yeux, narines pincées. La peau grêlée des joues et du front serait bientôt comme celle de Romy le Jaune.

Naturellement, je n'ai pas essayé, sauf sur la fin, de rendre la richesse verbale de son histoire. Il y avait chez Taubelman un goût des mots pour les mots, une sorte de musique pour l'argot et la préciosité, qui est impossible à rendre en français par écrit. Tirons notre chapeau : les conteurs sont des rois, des poètes inspirés, la plus haute illustration du génie de l'homme. Ils ridiculisent l'écriture. Avec Taubelman, nous avancions en pleine poésie, et tel un illusionniste, il s'escamotait derrière les mots, pour apparaître comme un jeune fugueur de seize ans au coffre d'athlète et à la cervelle vide. Mais les cervelles se remplissent et Taubelman savait un nombre infini de choses. A un point irritant. Il retombait parmi nous, de tout son poids, avec ses minauderies mondaines, ses grâces de pachyderme et, quand même, son charme certain, envoûtant. Nous sentions très bien qu'il pourrait nous raconter sa vie entière et que si nous avions assez à boire — et de temps à autre la permission de nous lever comme lui, pour arroser le jardin — nous l'écouterions sans fin. L'homme est fait pour raconter. Dès qu'il sait écrire ou lire, il s'atrophie et dégénère. La paresse l'envahit. Sa mémoire ne lui sert plus à rien, et l'esprit de l'escalier prend le pas sur la repartie. Taubelman à table, excité par l'alcool et la nourriture, montrait du génie. Il fallait en convenir, si fort qu'on se défendît de lui. Nous savions qu'il mentait, mais où ? A quel moment ? Il avait vécu une vie de rencontres, de hasards quasi miraculeux comme on n'en voit que dans les romans d'aventures pour enfants. La vérité existait quelque part. On pouvait situer des points de repère, mais Taubelman brouillait la piste avec la science des hâbleurs...

Minuit était l'heure où Anne venait le chercher. Je sortis sur le prétexte le plus plausible et restai quelques minutes dans le jardin. Au-dessus se déployait un ciel d'une beauté inouïe, serti d'or, traversé de traînées ivoirines, un ciel comme il n'en existe nulle part ailleurs qu'en Irlande la nuit. J'étais là, tête levée, quand la barrière cria. Par une fenêtre, une lame de lumière striait la pelouse et l'allée. Anne s'avança et s'arrêta dans la lumière. Nous étions si près l'un de l'autre que j'entendis son souffle écourté par l'ascension de la colline. Puisque nous ne pouvions pas parler, j'avançai le bras. Nos mains se rencontrèrent pour une brève pression, puis Anne se dirigea vers la porte à laquelle elle frappa avant de la pousser et de se tenir debout sur le seuil. Taubelman la suivit presque aussitôt. Je crois qu'il m'avait oublié car il passa près de moi sans me voir, titubant, appuyé d'une main sur l'épaule de sa fille. La nuit les prit et je les entendis descendre avec lourdeur le sentier.

Dans le cottage, Sharon rangeait les reliefs du souper et Jerry l'aidait. Il avait trop bu lui aussi et brisa deux verres.

— Tu es saoul, mon petit, dit Sharon.

— Pas du tout ! N'est-ce pas que c'est un type formidable ce Taubelman ?

— Je me demande s'il connaît vraiment Frédéric-Charles.

— Il y a un moyen, dis-je. Téléphonez maintenant au prince...

Je n'avais pas achevé ces mots que Sharon harcelait déjà la téléphoniste du bourg voisin, puis les téléphonistes de Dublin, de Londres qui se relayèrent pour nous donner l'Allemagne fédérale, un village du Palatinat et enfin le château. Il ne dormait pas, il était dans sa bibliothèque en train d'achever la lecture de je ne sais quel tome XII sur les papillons ou les minéraux, ou peut-être même, simplement, la bouture des rosiers, la cuisine à travers les âges, car Frédéric-Charles était un prince gobinien, capable de transcender en une passion scientifique ou pseudo-scientifique la perte de ses illusions sentimentales. Sharon s'expliqua d'abord sur les trois derniers mois qu'elle avait passés sans lui donner signe de vie. Elle arrivait. C'était imminent. Son retard tenait à une maladie de Jerry qui maintenant allait beaucoup mieux. Oui, elle était près de lui, dans le cottage, et justement venait de passer prendre un verre un drôle de type, dont on ne savait rien et qui savait tout, un certain Taubelman.

— Taubelman ! répéta la voix dans l'appareil. Oui, je connais. Je l'ai perdu de vue depuis longtemps. Nous avons fait une partie de la guerre ensemble, puis il a disparu. C'est un géant, n'est-ce pas ? Né en Estonie, je crois, mais d'une mère orientale, un drôle de mélange.

— Il prétend vous avoir vu il y a trois ou quatre ans.

— Moi ? Attendez,... oui, c'est possible. Enfin, je ne me souviens plus très bien. Je ne le jurerais pas. En tout cas, je lui dois un grand merci. Sans sa présence, j'aurais été encore quelques semaines sans nouvelles de vous. Faites-lui mes amitiés et téléphonez la veille de votre arrivée que je vous fasse préparer votre appartement. A très bientôt, ma chère...

Sharon reposa le téléphone :

— Il est merveilleux d'indifférence, n'est-ce pas ?

Au moins nous savons par lui que Taubelman existe réellement.

Je n'en étais pas aussi certain.

Comme pour mieux ménager ses effets, Taubelman n'apparut pas le lendemain matin. Sharon montra de l'irritation. Un jouet, ou un souffre-douleur, lui manquait de respect. Elle voulut passer chez lui l'après-midi, caprice de femme qui ne tolère pas d'attendre. En plein jour, le donjon et le bâtiment carré qui le flanquait n'avaient pas cet aspect rébarbatif que je leur avais trouvé le seul soir où je m'y étais rendu pour inviter Taubelman. Des fenêtres à guillotine remplaçaient les meurtrières et les jours de souffrance, du lierre recouvrait la maison. A l'entour, un paysage de collines rousses, de futaies blêmes et de prairies vertes en damier, immuable sous la pluie comme dans le soleil, symphonie sans mélancolie que les frissons de vent argentaient.

Nous trouvâmes le domestique, Sean Coen, assis sur les marches du petit perron, en train de fumer. Il avait troqué sa veste blanche contre un énorme costume de tweed rapiécé, don de Taubelman. Je connaissais Sean pour l'avoir vu maintes fois au pub de Willie Kox à Inishgate. Il s'y rendait chaque samedi soir à bicyclette, prenait une cuite monumentale et, au retour, perdait son vélo que la matinée du dimanche il s'occupait à chercher dans les fossés ou les sous-bois. Sean était un ancien de l'I.R.A., l'Irish Republican Army qui occupa en 1922 le Palais de Justice de Dublin. Cathal Bruga était mort la tête dans ses mains, et quelques semaines plus tard il avait été blessé au côté de Michael Collins expirant. Deux fois, le sang des héros de l'Indépendance avait maculé ses grosses pattes de tueur à la retraite. Périodiquement, des journalistes, des historiens de la guerre civile venaient l'interroger, essayaient de lui soutirer un souvenir inédit. Sans eux, Sean ne se serait peut-être même pas rappelé la guerre civile, les soldats anglais qu'il tuait à coups de barre de fer, le bombardement du Palais de Justice par l'artillerie régulière, sa vie traquée pendant l'année de la répression. Mais à force de le questionner, de le passer sur le gril, on avait quelque peu tourneboulé sa pauvre tête et il lui arrivait de mimer seul pendant son travail aux écuries ou dans le jardin, le tac-tac des mitrailleuses, l'explosion des obus de 75, le grondement des mines ou les commandements secs des officiers britanniques avant l'assaut. Son visage carré, grossièrement taillé dans une puissante masse osseuse, et une chair couturée de rides noires s'empourprait, les yeux, d'un bleu aigu, devenaient d'une fixité inquiétante. Il suffisait cependant de lui taper sur le bras pour qu'il revînt dans le présent et dise presque toujours :

— Oh, Michael Collins, ça Monsieur, c'était un homme ! oui, un vrai homme ce Michael.

Sean se leva pour nous accueillir et bien qu'il fût lui-même grand et large d'épaules, il parut flotter dans le costume de Taubelman, tel un vieux clown abandonné sur la piste. Il nous assura que Monsieur était parti pour Londres sans préciser quand il reviendrait. Aucun de nous n'osa demander si Anne était là, mais je m'arrangeai pour tourner la voiture devant les écuries et le garage : la jeep, son van et une des juments manquaient. Anne exerçait son cheval dans une région éloignée où elle ne risquait pas de rencontrer quelqu'un qui la connût.

Du coup Sharon éprouva l'impérieux besoin de retrouver les services de M$^{me}$ Li qui se prélassait dans son hôtel de luxe à quelques miles de nous. Je dus aller chercher la femme de chambre le matin et la ramener chaque soir, incapable de refuser, pestant contre une corvée qui grignotait en absurdes allées et venues, un temps dont je m'étais juré de garder les précieuses minutes pour moi. Mais comment aurais-je pu dire non, expliquer ce pourquoi j'étais là, seul, détaché, libre et, par moments même, presque heureux ? Il aurait fallu tout dire ; je me tus. Pendant que la Chinoise pédicurait, manucurait Sharon, puis repassait, cousait, lavait dans le minuscule cottage, avant de regagner, à la nuit, sa chambre de palace, je me promenais avec Jerry. Nous venions de découvrir à quelques kilomètres de là, un plateau rocheux couvert de bruyères et de fougères. La marche y était lente et pénible, mais les grouses abondaient. Nous chassions devant nous jusqu'au moment d'avouer notre fatigue et de revenir sur la route pour regagner lentement le cottage des Kean. Jerry, avec lequel je n'avais échangé que les mots nécessaires à notre avance dans les bruyères, parlait enfin :

— Je me demande quand Sharon partira. Elle est venue pour trois jours et en voilà dix qu'elle traîne. On dirait même qu'elle s'installe, qu'elle passera ici le reste de sa vie. Moi, je n'en peux plus. Elle m'horripile, elle est impossible, elle est juste à l'opposé de tout ce que je me suis pris à aimer. Mais je ne peux pas la foutre dehors. Je voudrais bien lire les livres que vous me donnez, et la nuit, dès que vous êtes parti, elle éteint la lampe et se met à parler, interminablement, sur les uns et les autres...

— Les uns et les autres ? Elle ne connaît pas grand monde ici, à part Taubelman... et moi, si, du moins, j'ai assez d'importance à ses yeux pour qu'elle se souvienne de moi dès que j'ai franchi le pas de la porte.

— Oh, ne faites pas le modeste. Vous intriguez Sharon. Elle parle autant de vous que de Taubelman. Elle n'arrive pas à comprendre pourquoi vous vivez ici, elle est sûre qu'il y a une raison et que vous la tairez. Si elle s'apercevait que vous aviez envie d'elle, elle coucherait tout de suite avec vous, à condition que vous lui livriez votre secret.

— Ce n'est pas un secret, Jerry.

— Je ne vous le demande pas.

— Je vous le dirai peut-être un jour, mais rien ne presse.

— Et quand elle ne parle pas de vous, elle parle de Taubelman. Elle l'a détesté, méprisé, et maintenant elle voudrait savoir s'il est un mythomane ou s'il a vraiment vécu ce qu'il raconte.

— Pour ça, elle finira par coucher avec lui.

— C'est assez dégoûtant n'est-ce pas ?

Je dis à Jerry qu'il n'y avait pas de critère pour les accouplements. Les plus beaux peuvent être sordides et les plus monstrueux révèlent parfois une beauté cachée. Sans aucun doute, Taubelman tournait autour de Sharon. Arriverait-il à ses fins ? Quand nous rentrions pour la trouver vautrée dans un fauteuil, les lunettes sur le nez, écoutant pour la centième fois sur un électrophone à piles la trompette de Miles Davis ou le Tijuana brass, elle ne me semblait plus qu'une pauvre créature préoccupée de s'engloutir dans les riens de la vie. La disparition de Taubelman la mettait en veilleuse. Elle reprendrait souffle quand elle pourrait l'insulter, le pousser dans ses retranchements. Mais Taubelman ne réapparut pas de plusieurs jours et c'est Jerry et moi qui trouvâmes à la pointe nord de la plage de Lahinch le van d'Anne et sa jument alezane en liberté, les rênes passées par-dessus l'encolure et traînant à terre. Nous eûmes les pires difficultés à l'attraper. Elle trottait gaiement dans l'herbe, galopait sur le sable autour de nous, se dressait sur ses postérieurs en hennissant. Enfin, Jerry se souvint qu'il nous restait une pomme de notre en-cas, et la jument se rapprocha assez pour que je la saisisse par le montant du filet. Après l'avoir dessellée, nous la poussâmes sans effort dans le van. Si Anne n'était pas blessée, elle reviendrait à sa jeep. Nous l'attendîmes un moment avant de chercher à démêler sur le sable les traces brouillées des fers, jusqu'à ce qu'un vol de goélands marins attirât notre attention. A marée basse, la plage de Lahinch s'étend à perte de vue, grand croissant majestueux semé de traînées d'algues, de galets blancs, de bourrelets d'écume abandonnés par les vagues, de longues dalles de pierre grise. L'océan semble s'en être retiré jusqu'à l'horizon. Les goélands survolaient une forme imprécise que, de loin, nous pouvions aussi bien prendre pour une barque envasée ou un récif émergé, tache sombre dans cette immensité. C'était bien Anne, et quand nous approchâmes, courant dans les derniers cent mètres, la marée montante lui léchait déjà les pieds. Étendue sur le dos, un bras replié sous elle, maculée de vase, elle offrait au ciel son visage livide sur lequel le sang coulant du front avait déjà séché, engluant une paupière et les cheveux épars. Je défis son blouson de daim et passai la main sur sa poitrine. Une mince chemise protégeait un sein tiède qui se soulevait par saccades. Jerry la prit par les pieds et moi sous les bras, lourde, amorphe. Sa belle chevelure dénouée traînait dans le sable. Les goélands reprirent de la hauteur mais continuèrent à tournoyer au-dessus de nous, jusqu'à ce que nous ayons regagné la voiture.

Jerry conduisit tandis que je m'installai sur la banquette arrière, tenant sur mes genoux et dans mes bras le corps inerte d'Anne. Une odeur confuse émanait d'elle, un rien acide, mélange d'algue et de vent océanique. Ses yeux clos, ses narines pincées sculptaient un masque mortel. Maintes fois, j'avais déjà eu à mes pieds, ces temps derniers, des oiseaux mourants et je les regardais avec une indicible curiosité aspirer leur ultime bouffée d'air, s'arracher à la vie avec un frémissement frileux. Que l'autre monde devait être froid ! Je tâtai les mains d'Anne : glacées. Cette jeune fille inconnue passerait peut-être dans mes bras. En me penchant sur son visage meurtri et maculé de pépites de sable, je pouvais apprendre le secret que je ne craignais plus. Lui laisserait-on me le confier pour m'aider à passer, moi aussi, le seuil ? Cela n'avait rien d'atroce, de déchirant. Il me semble avoir éprouvé à cette minute une exaltation dont il était impossible de se défendre. Tous les signes convergeaient vers ce rendez-vous et je m'y rendais sans inquiétude. Plus je m'en rapprochais, moins j'y pensais. Ma disparition serait propre, effaçant jusqu'à l'amertume de quitter tant de belles choses — les vagues de l'océan brisées par les falaises de Moher, un vol de cygnes dans le ciel pâle — et même des espérances —, la main d'Anne rencontrant la mienne, la nuit dans le jardin de Jerry.

Comme nous traversions Ennystimon, une voiture avertit derrière nous et le corps d'Anne se convulsa deux ou trois fois. Je la serrai plus violemment contre moi et glissai ma main sous sa chemise pour éprouver le cœur. Il battait par saccades sous un jeune sein libre. Ce fut vraiment une sensation inouïe — un bonheur diffus teinté d'angoisse — que de tenir dans ma paume cette chair délicate et tremblante. Je laissai ma main dans la chemise. De temps à autre, Jerry demandait si Anne vivait et je répondais : « Oui, elle respire, son cœur bat », d'une voix râpeuse qui ne m'appartenait pas. Nous roulions entre des murs de pierre grise cachant les prairies, mais quand la route grimpait sur un monticule, le regard embrassait un instant la campagne nue et verte tachée de moutons qui broutaient l'herbe à genoux, parmi les mouettes rieuses, *larus ridibundus,* aurait dit ce pédant de Taubelman que je m'attendais presque à voir surgir dans un tournant, mystérieusement prévenu, comme il l'avait été une fois à la chasse à courre, pour nous arracher sa fille et l'emporter dans ses immenses bras.

Jerry conduisait vite et nous évitâmes de peu un tracteur, puis un camion d'algues avant d'arriver à Ennis. On nous indiqua l'hôpital, un long bâtiment de pierre grise au milieu d'un jardin où se promenaient des couples d'infirmières, leur cape bleue sur les épaules. Un écriteau désignait le pavillon des accidentés. Jerry se rangea devant l'entrée et bondit dans la loge de la gardienne. Un instant après, deux infirmières poussaient vers nous leur brancard roulant. Une sœur en voile blanc ouvrit la porte de la voiture. Son premier regard fut pour ma main qui n'avait pas quitté le sein d'Anne. Coupable, je la retirai, m'arrachant à cette tiédeur exquise tandis que les infirmières prenaient Anne sous les épaules et la glissaient sur le brancard où elles la recouvrirent aussitôt jusqu'au menton d'une couverture. Nous suivîmes, Jerry et moi, le chariot au bureau des admissions où se présenta l'interne de service, un jeune homme rougeaud, certainement timide, mais qui prit de l'assurance devant notre embarras :

— Accident de la route ?

— Non. De cheval.

— Vous étiez témoins ?

— Nous sommes arrivés après.

— Combien de temps après ?

— Je ne saurai le dire.

— Pourquoi est-elle couverte de sable ?

— Elle est tombée sur la plage de Lahinch.

— Et son cheval ?

— C'est une jument alezane. Nous l'avons récupérée et enfermée dans son van.

— Ah, tant mieux ! Veuillez dire ce que vous savez au bureau des admissions. Je m'occupe de votre blessée.

Nous étions dans un couloir où passaient des

infirmières, des hommes en blanc qui jetaient à peine un regard sur le brancard. La sœur, d'une main tendre, caressait le front d'Anne et dégageait les cheveux pris dans le sang coagulé. Sur un geste du jeune homme rougeaud, le chariot fut poussé vers les battants de la salle de soins. L'énorme machine engloutissait Anne pour nous la rendre valide ou morte. Nous ne pouvions plus qu'attendre et renseigner la jeune fille du bureau des admissions. Un instant je crus rêver : cette jeune fille aussi était rougeaude. Malgré un nœud dans les cheveux, elle ressemblait trait pour trait à l'interne.

— Êtes-vous malade ? demanda-t-elle.

— Non, mais je trouve que vous ressemblez à l'interne.

— C'est mon frère.

Elle ouvrit un registre et en lissa patiemment les feuilles du plat de la main.

— Son nom ?

— Taubelman, je crois...

— Pourquoi « je crois » ?

— C'est le nom que donne son père... si c'est son père.

— Et son prénom ?

— Anne. De cela, je suis à peu près certain.

— Son âge ?

— Je l'ignore : entre vingt et vingt-cinq ans, probablement.

— Écoutez, je note vos réponses. Nous vérifierons ensuite. Son adresse ?

— Dun Moïran Castle, par Inishgate.

— Personne à prévenir ?

— M. Taubelman, à la même adresse, mais il est absent. A Londres, je crois...

— Doit-on vous tenir au courant ?

— Certainement ! dit Jerry. Ne pouvons-nous attendre ici ?

— Oui, installez-vous dans le hall. Vous verrez mon frère quand il sortira de la salle de soins.

Jerry partit garer la voiture, et nous nous laissâmes tomber dans de mauvais fauteuils, face à des piles de mièvres magazines. D'autres gens attendaient comme nous, un couple de vieux et, assise sur une petite chaise, une femme énorme dont la jupe trop courte et tendue découvrait les cuisses marbrées. Un enfant d'un an, habillé de laines multicolores, sautait sur ses genoux, pleurnichait, riait, geignait. Elle tentait de le distraire avec des images sans y parvenir. Chaque fois qu'elle soulevait l'enfant, une épouvantable odeur de lait et de diarrhée arrivait jusqu'à nous. Puis la femme se mit à pleurer : des larmes coulèrent de ses yeux verdâtres sur ses joues couperosées. Pour les essuyer, elle tenta de poser l'enfant à terre, mais il se mit à hurler et elle le reprit sur l'injonction courroucée d'une infirmière masquée qui traversa le hall. Cette femme, je l'ai observée comme j'ai observé peu d'êtres humains. Je pourrais encore, des mois après, décrire sa jupe, son chemisier à fleurs, ses pieds boursouflés dans des souliers à lacets, ses cheveux filasse assez rares, frisés dans le cou et sur le front. Elle n'avait rien pour elle, elle était même sale et son enfant puait. Pourtant, un homme l'avait épousée, ils vivaient en commun, et un sentiment, qu'ils ne savaient ni définir ni comprendre, les liait l'un à l'autre. Et il y avait des milliers d'êtres ainsi que ne corrompaient jamais l'amour romanesque et le désir, satisfaits de ce qu'ils possédaient pour la vie. Le couple de vieux appartenait au même règne animal, mais plus propre, mieux tenu. La femme gardait son sac de plastique noir glacé sur les genoux et malgré l'ennui de l'attente, elle ne l'ouvrait jamais. Peut-être ignorait-elle même ce que contenait ce sac du dimanche, réservé à la messe ou aux cérémonies religieuses, mariages, baptêmes, enterrements. Assise sur une chaise — sans doute n'avait-elle jamais osé s'asseoir dans un fauteuil de sa vie —, elle gardait la tête droite, mais ses mâchoires sans dents broyaient sans arrêt une bouillie invisible. Le vieux était plus calme et fumait une pipe noire au tuyau recourbé. Il la remplissait d'un tabac découpé en lamelles dans une briquette dure. Le geste précis et adroit désarticulait ses deux puissants pouces. C'était un géant maigre et sec conservé dans la peine et la pauvreté. Qu'attendaient-ils, les uns et les autres, sans personne pour leur faire l'aumône d'une nouvelle rassurante ? Ils m'aidaient à ne pas penser à Anne, tandis que Jerry, plongé dans un magazine, lisait une histoire de cow-boys. Enfin, le jeune interne sortit, et sa soeur, du bureau vitré, nous désigna dans le hall d'attente.

— Nous l'avons déchoquée, dit-il. Elle a réagi. Je ne crois pas qu'elle ait une fracture du crâne. Nous ne le saurons qu'après la radio cet après-midi. Rien d'autre, sauf sans doute des contusions internes, une cheville foulée et une clavicule cassée. Je ne peux pas encore vous rassurer, mais je ne crois pas que vous devez vous inquiéter. Nous allons la monter à l'étage Saint-Joseph. En ce moment, elle dort. Appelez en fin d'après-midi et demandez la surveillante, elle vous renseignera... Si j'ai un conseil à vous donner, c'est de ne pas laisser trop longtemps seule dans son van la jument de cette personne. Elle va s'inquiéter, s'énerver, peut-être se blesser. Savez-vous où est son écurie ?

— A Dun Moïran Castle.

— Ah, chez les Taubelman ! Leur domestique était au Palais de Justice de Dublin en 22. Sean... Sean Coen. Il faut le prévenir. Il doit se faire un sang d'encre. De quel pays êtes-vous ?

— Je suis français, dis-je.

— Et moi américain, dit Jerry.

— Je pars pour l'Amérique le mois prochain, en stage à Houston. Vous connaissez Houston ?

— Non, dit Jerry.

— C'est malheureux, j'aurais bien aimé savoir comment est cette ville...

Il se balançait sur ses jambes, repris par une timidité qui l'empourpra encore plus violemment.

— Nous ne pouvons pas la voir ? demandai-je.

— Non, c'est impossible. Peut-être ce soir, vers sept heures. Sœur Agnès voudrait qu'on apporte quelques affaires de toilette à cette jeune fille. Le pouvez-vous ?

— Oui, certainement.

Dans la voiture, sur la route de Lahinch, je dis à Jerry :

— Nous n'avons oublié qu'une chose dans notre signalement d'Anne.

— Oui, je sais laquelle : Anne ne parle pas. Mais est-ce la peine de le leur préciser ? Ils s'en apercevront bien. J'ai une drôle d'impression : en vérité, j'ai un peu peur de Taubelman, comme si nous nous étions mêlés de quelque chose qui ne nous regarde pas.

— Ce n'est pas notre faute.

— Oui, mais il est fou. Rappelez-vous qu'il a voulu me tuer parce que j'avais tiré un canard posé.

A Lahinch, en effet, la jument s'énervait à l'intérieur du van. Du sabot, elle raclait le plancher. Nous la calmâmes en lui parlant, lui caressant la croupe et l'encolure, puis Jerry prit le volant de la jeep en direction de Dun Moïran. Sean n'était pas aux cent coups comme le craignait l'interne. Ou s'il l'avait été, l'angoisse venait de lui passer avec une bouteille de whisky et quelques bières. Il nous accueillit rigolard et, assis sur une marche du perron, il nous regarda nous occuper de la jument, la conduire dans son box, lui donner à boire, à manger, et même la brosser car elle s'était roulée dans le sable. Il nous encourageait de la voix et du geste avec de fines plaisanteries dans le genre : « Ah, je vous paye encore bien trop pour ce que vous faites. » A la fin, agacé, je lui demandai s'il avait compris qu'Anne était à l'hôpital. Oui, oui, il avait très bien compris, et du moment que rien d'essentiel n'était cassé, tout allait bien.

— Il faut que nous lui apportions quelques affaires personnelles. Où est sa chambre ?

— Au premier. Je vous laisse y aller.

Jerry ne voulut pas m'accompagner. Curieux comme il craignait Taubelman absent bien plus que présent ! Il ne s'en défendit pas d'ailleurs.

— Je suis certain qu'il sera furieux que nous nous soyons occupés de sa fille.

— Fallait-il la laisser sur la grève de Lahinch ?

— Non, mais la veiller et le joindre par n'importe quel moyen.

— La marée montante l'aurait noyée.

— Je sais. C'est indéfendable. Une impression, juste une impression.

Un escalier en colimaçon éclairé par des barbacanes vitrées grimpait dans le donjon. Sous les pas, la pierre résonnait avec une sonorité presque joyeuse. Deux portes donnaient sur le premier palier aux murs garnis d'étagères portant une collection complète du *National Geographic magazine,* des dictionnaires et des atlas. J'ouvris la première, à tout hasard. C'était la chambre d'Anne, telle qu'on l'aurait rêvée pour elle : une pièce carrée où le jour pénétrait par deux fenêtres étroites. Un grand lit à colonnes occupait le milieu du mur. La même étoffe en soie de Bagdad, bleue, tissée de fils d'or, tapissait les murs et couvrait le lit au pied duquel était jetée une carpette en épaisse laine de mouton. Anne se coiffait devant un miroir vénitien posé sur une table d'acajou garnie d'un nécessaire en argent. Je restai là, un moment, sans souffle, troublé de troubler une intimité aussi discrète, comme si elle avait réellement été présente, mais il n'y avait rien à violer : tout était en ordre, rangé avec soin, sans une trace de poussière ou d'abandon. Une bibliothèque garnissait un mur derrière un fauteuil ecclésiastique. Mû par une vieille habitude, j'approchai pour lire quelques titres : un rayon consacré à l'équitation, au dressage, aux soins à donner aux chevaux, un autre à des livres d'écrivains irlandais parmi lesquels figuraient Joyce et Flaherty en bonne place. Plus bas étaient alignés des romans anglais pour la plupart, puis quelques allemands et des français. En français, il y avait trois livres que j'avais beaucoup aimés, lus et relus dans ma vie. J'ouvris le premier : il était annoté. Anne, si elle ne parlait pas dans la vie, parlait avec ses livres. En moi quelque chose disait : on n'a pas le droit, pas le droit de faire ça sans raison, Anne n'aimerait pas me voir ici. Je remis le livre en place et cherchai la commode où elle rangeait son linge. Il y en avait une derrière la porte, une commode anglaise, ventrue aux poignées de bronze, surmontée d'un marbre gris. Dans des cadres baroques en argent, s'offraient trois photos : Taubelman à vingt-cinq ou trente ans sans doute, le visage encore lisse, avant sa petite vérole, presque beau, l'air avantageux en tout cas, habillé de blanc sur un court de tennis, la raquette à la main, à une époque où, sans doute, Anne n'était même pas née. A côté de lui, elle avait placé une photo de ses juments, dans la cour de Dun Moïran. Sean les tenait en bride, béat, heureux. Qui pouvait être, sinon sa mère, cette jeune femme aux épaules nues, le front ceint d'un bandeau, une main sur sa gorge. On reconnaissait les mêmes yeux sombres sous de fins sourcils en arc. C'était le monde d'Anne : son père (?), ses juments et Sean, sa mère (?). Elle vivait avec eux. Régnait dans la pièce une odeur fraîche et légère, l'odeur d'une peau lustrée par un savon. Cela venait de la salle de bains attenante où je trouvai en effet un savon aux amandes dont le parfum imprégnait encore le creux de ma paume après le long trajet jusqu'à l'hôpital. L'étagère de verre ne supportait aucun produit de beauté : juste une eau de toilette de la même marque que la savonnette. Un gant de crin et une brosse à long manche parlaient d'une hygiène sévère et d'un corps habitué à s'endurcir. Je ramassai l'essentiel et revins à la commode. Le premier tiroir ne contenait que des chandails et des chemises de laine. Dans le second, je puisai du linge blanc d'une discrétion presque morne, tout ce qui cachait, protégeait cette longue silhouette mince dont je ne connaissais qu'un sein. Un instant, les yeux fermés, je rêvai d'Anne s'habillant au milieu de la chambre, le lit encore défait, l'oreiller creusé par sa nuque, et le soleil du matin, jaune orangé, entrant par la fenêtre à guillotine. Tirait-elle les rideaux au réveil que son regard découvrait un bosquet de noisetiers, les blessures noires des tourbières dans l'herbe fauve et le village d'Inishgate avec son église de granit et d'ardoise, les maisons aux toits de chaume et la haute grange communale dont le couvert de tôle ondulée miroitait dans la lumière du levant. Que tout cela était rassurant et simple ! Dans l'armoire, je pris le kimono bleu qu'elle portait le soir où Taubelman lui brossait les cheveux, et une valise dans laquelle j'enfournai avec une maladresse d'homme, ses affaires de toilette, son linge, son peigne d'écaille et la brosse en argent de la coiffeuse. J'y ajoutai un livre qu'elle était en train de lire, avec un marqueur à la page 145. D'un crayon, je soulignai une phrase qui nous semblait destinée : « Ils échangèrent des signes, mieux que toutes les paroles du monde. »

Sur le palier, je fermai la porte sans bruit et allai descendre quand un ronflement secoua la chambre voisine de celle d'Anne. Un ronflement, un râle ou plutôt une sorte de borborygme qui ne dura pas. Ce ne pouvait être que lui pour atteindre une telle sonorité. Posant la valise sur la marche, je soulevai le loquet qui s'ouvrit sans résistance, livrant passage à une violente odeur nauséeuse, une odeur de maladie, d'urine jaune. Les rideaux tirés filtraient une faible lumière dans laquelle voletaient des poussières. Sur un lit en désordre, à l'angle opposé, gisait une forme ébouriffée dont la respiration difficile remplissait la pièce. Taubelman dormait profondément, un bras à terre, la bouche grande ouverte. A son chevet, une table pliante portait un assortiment de fioles et de pilules, une carafe d'eau et un verre. J'approchai pour mieux distinguer son visage qui me parut à la fois terreux et verdâtre. Les lourdes paupières closes se confondaient avec les cernes bistres des orbites. Son front, sa lèvre supérieure ruisselaient de sueur. Une crise de paludisme en Irlande ? C'était possible si, comme il le disait, il avait traîné ses bottes partout. Je me souvenais de colosses anéantis sur leurs lits de camp, veillés par un boy qui chassait les mouches, sous les tropiques africains. L'haleine acide de Taubelman me sauta au nez quand je me penchai sur sa bouche ouverte, trou noir dans lequel remuait l'éclair rougeâtre d'une langue épaisse qu'il tira pour se lécher les lèvres. Ce four béant, maintenant privé de parole, attirait irrésistiblement. J'eus envie d'y enfourner en masse les mensonges, les hâbleries, les extravagances qu'il débitait à l'état de veille. Il en serait mort, étouffé par le venin de sa grossièreté, et peut-être allait-il mourir empoisonné par tout ce qu'il n'avait pas encore bavé. Inouï de le voir ainsi, ce roc transformé en loque délirante. Il ne faudrait pas l'oublier, quand il reviendrait à la surface, portant trop beau, ivre de soi-même, plein de suffisance et de bassesse. Malgré tout, je ne le réveillai pas, gardant pour moi la satisfaction de le prendre en flagrant délit quand il raconterait son voyage à Londres. En sortant à reculons, je heurtai et renversai le pot de chambre près du lit. Taubelman ne broncha pas.

— Vous en avez mis du temps ! dit Jerry.

— Je ne trouvais rien. Anne est une personne d'ordre.

— Je l'aurais juré.

Des mouches bleues se promenaient sur le front de Sean, ou butinaient les commissures de ses lèvres. Il s'était endormi sur le perron, face au soleil. Je voulus le secouer, il roula sur le côté.

— Nous lui téléphonerons ce soir. Il sera sorti des ténèbres, dit Jerry. A moins que nous laissions un mot pour Taubelman quand il reviendra de Londres.

— Inutile de l'inquiéter. Si Anne n'a eu qu'une commotion, elle regagnera Dun Moïran demain ou après-demain...

A l'hôpital, nous remîmes la valise à Sœur Agnès qui n'avait pas revu Anne que l'on radiographiait au premier étage.

— Téléphonez ce soir, dit-elle. La surveillante vous renseignera.

Comme nous passions devant le bureau des admissions, la jeune fille tapa contre la vitre avec son stylo et ouvrit son guichet.

— Mon frère ne pensait pas que vous reviendriez. Il veut vous parler.

Je la rassurai :

— Dites-lui que la jument va bien. Je crois que c'est ce qui l'intéressait.

— Oui, merci. Je le lui dirai tout à l'heure. Vous ne l'attendez pas ?

— Nous lui téléphonerons.

Jerry conduisit jusqu'au cottage. Maintenant que tout était réglé, qu'il fallait attendre, nous nous sentions extrêmement las, l'un et l'autre.

— Je me demande ce que pensera ce type quand il s'apercevra qu'Anne ne parle pas, dit Jerry.

— Oh, rien ! Il mettra cela sur le compte du traumatisme. A moins qu'elle parle. Franchement, je ne l'ai jamais crue muette. Rien n'est clair et limpide avec Taubelman. Il est possible aussi qu'elle le déteste et qu'elle ne parle pas *à lui !* A lui, seulement. J'interrogerai Sean avec plaisir. Il doit savoir. Malheureusement il est à craindre qu'il soit parti pour une grande semaine de soûlerie. Il n'a même pas compris qu'Anne était à l'hôpital.

— Si nous passions le revoir ?

— Tout entouré de mouches bleues ? Merci.

— Oh, ce n'est pas un mauvais type !

— C'est même la crème des types.

Il s'arrêta au bas du sentier montant au cottage et resta les mains sur le volant.

— Je n'ai pas envie de voir Sharon, dit-il. Elle va me tourner et me retourner sur le gril jusqu'à ce que j'avoue notre journée.

— Et pourquoi ne pas l'avouer ?

— Elle réveillera ciel et terre pour retrouver Taubelman... et le prévenir. Quand il sera revenu, Anne ne sera plus à nous.

— Oui, je comprends. Moi aussi, j'aimerais qu'Anne reste à nous, mais nous ne pouvons pas l'enlever sans qu'elle acquiesce.

Nous disions « nous ». Chacun pensait « je » et pour la première fois, j'eus l'impression qu'une comédie se jouait entre Jerry et moi. Nous n'étions pas tout à fait sincères l'un et l'autre, mais il était grisant d'altruisme de ne pas se le montrer, grisant de se faire tacitement le « don » réciproque d'Anne. Un moment, j'eus envie de raconter ma découverte de Taubelman écrasé par la fièvre dans son lit, mais non, ça, c'était mon arme secrète. A n'employer que par moi, le jour, l'heure, la minute venus.

— Franchement, répéta Jerry, je n'ai pas envie de voir Sharon ce soir.

— Allons attendre les nouvelles à *L'Éperon.*

Le pub venait d'ouvrir et Willie était encore tout frais derrière son comptoir, une pinte de stout à portée de la main, rendant la monnaie de quelques phrases sibyllines à un fermier noueux et sec comme la canne qu'il tenait entre les jambes, Endas O'Callihier. Il parut heureux de nous voir et de glisser vers nous deux verres de Paddy.

— Belle journée, n'est-ce pas ? dit-il. Comment va la chasse ?

— Bien, bien, mais le faisan se fait rare.

— Hier, Joe Mitchell en a rapporté six.

— Joe est un renard. Il connaît les bois de la région. Mais qu'il tue avec sa pétoire rafistolée au fil de fer m'émerveille bien plus. Un jour, elle lui éclatera à la figure…

— Oh, il s'en fout, Joe. Quand il n'aura plus de fusil, il attaquera les faisans au bâton.

— Pourquoi ne chassez-vous pas, Willie ?

— Avec mes pattes cassées, mes côtes défoncées, je ne suis plus bon à courir le marais ou les bois. Laissons ça à d'autres… Et puis maintenant à la chasse, on rencontre des n'importe qui…

Il but une gorgée et s'adressa au fermier, mais en fait les mots étaient pour nous :

— Tu le connais, toi, Endas, ce bâtard de Taubelman ?

Endas hocha la tête :

— Oui, oui… il connaît bien la bête… Aussi bien que Joe. Peut-être même mieux.

— Ça sûrement pas ! Joe est le meilleur chasseur du Clare.

— Oh moi je dis ce que j'ai entendu dire !

— Tu répéterais n'importe quoi.

— Te fâche pas Willie. On est toujours d'accord.

— Ça n'empêche pas que c'est un sacré bâtard et qu'il ment quand il affirme m'avoir vu balancer une cravache dans les jambes de Blue Prince à Epsom. Qu'il le dise encore une fois et je le vide !

— Comment feras-tu ? demanda malicieusement Endas.

— As-tu jamais reçu un tabouret sur ton crâne de pierre ?

— Oui, une fois, Willie, et je suis allé à l'hôpital. Je peux te dire que ça fait mal, mais le bâtard ne te laissera pas le temps de l'assommer.

— C'est ce qu'on verra. Bonsoir Billie, bonsoir Teddy.

Deux Anglais entraient, ce vieux ménage d'homosexuels habitué de *l'Éperon* et qui habitait un cottage à deux miles d'Inishgate. Ils s'étaient installés un métier à tisser et vivaient, chichement mais heureux, de leurs étoffes de tweed. Jerry qu'ils avaient invité deux fois en vain chez eux les détestait.

— Hello, Jerry Kean, dit Billie, nous vous attendions la semaine dernière... mais je sais que vous avez des excuses. La Princesse est là...

Billie avait l'air d'un petit marquis tombé dans la dèche : la taille cambrée par des vestes trop cintrées, chauve avec une demi-couronne de cheveux blancs frisés comme un communiant, un rien de poudre pour dissimuler les gerçures occasionnées à son teint de pêche par le rude climat et le travail dans un atelier mal chauffé. Il m'agaçait à me parler de Gide et de Proust chaque fois qu'il pouvait m'accrocher et huit jours avant je l'avais envoyé promener assez sèchement en lui demandant s'il s'intéressait à Gide et à Proust parce qu'ils étaient des grands écrivains ou simplement parce qu'ils avaient été des homosexuels déclarés. Mais on ne désarçonnait pas Billie pour si peu et sans doute symbolisais-je à ses yeux, parce que j'étais français, la culture et la civilisation qu'il avait quittées, pour vivre ici son amour de vieillesse avec le pauvre Teddy, une loque au physique et au moral, toujours enrhumé et geignant jusqu'à ce qu'il ait bu ses trois ou quatre whiskies chauds. Il fallut les subir jusqu'à l'arrivée des autres habitués. Le pub s'emplissait à petits coups comme pour laisser à Willie le temps de tirer sa bière avec une lenteur étudiée. J'aimais son visage attentif quand il manœuvrait les leviers à pression, le soin avec lequel il laissait la bière ou le stout se décanter. Tout un art qu'il n'abandonnerait à personne, qu'il refusait même d'enseigner à son neveu, un fort garçon de vingt ans, roux comme seul un Irlandais sait l'être, couvert de taches de rousseur, que nous appelions Petit Willie par dérision car il mesurait bien un mètre quatre-vingt-dix, au moins trente centimètres de plus que son oncle. Nous bûmes pas mal, ce soir-là, Jerry et moi, pour nous donner le courage nécessaire. On nous avait précisé : pas avant sept heures moins le quart, mais pas après sept heures non plus car la surveillante, trop occupée, refuserait de répondre. Je consultai plusieurs fois ma montre avant que Jerry prît des pence dans sa poche et les glissât dans la fente de l'appareil automatique à l'angle du comptoir. J'entendis la sonnerie, le standard qui nasillait :

— Nous vous donnons la surveillante de l'étage Saint-Joseph.

Une autre sonnerie plus grêle résonna et Jerry me tendit l'écouteur :

— Parlez-lui, moi je n'ai pas envie.

Après une bonne minute, la surveillante décrocha. Je lui dis mon nom et que nous avions amené Anne dans l'après-midi.

— Elle va bien, aussi bien que possible. Je l'ai vue à l'instant...

Jerry marchait de long en large dans le pub et je bouchai mon oreille libre pour mieux entendre la voix de la surveillante :

— Je crois même qu'elle a dîné... elle a dîné n'est-ce pas... oui, elle a dîné... Ah, attendez, il y a un message de l'interne, Mr Braithwaiter... oui, il demande... attendez, c'est fou ce qu'il écrit mal... oui, il demande si la jument de M^lle^ Taubelman est une Renwood alezane ?

— Je n'en sais rien.

— Dommage, cela semblait l'intéresser beaucoup.

— Plus que son diagnostic sur M^lle^ Taubelman ?

— Écoutez monsieur, c'est son affaire. Pas la mienne.

Elle raccrocha assez sèchement pour que je n'eusse pas de doute sur sa mauvaise humeur.

— Que se passe-t-il ? dit Jerry.

— L'important est qu'Anne ait dîné.

— Parle-t-elle ?

— La surveillante ne m'a pas laissé la chance de poser la question. La sagesse, d'ailleurs, est, pour nous, de connaître la vérité le plus tard possible.

— Oui... peut-être...

Nous bûmes un dernier verre et Billie s'enhardit à nous demander ce qui le démangeait depuis son entrée dans le pub :

— Nous serions très heureux, Teddy et moi, si la Princesse acceptait de visiter notre atelier...

— Je lui transmettrai, dit Jerry avec condescendance, mais la Princesse, comme vous dites, se fout éperdument de l'artisanat. Elle s'habille chez les grands couturiers ou dans les surplus de l'armée américaine...

La nuit était tombée quand nous sortîmes, une nuit froide d'hiver qui annonçait une gelée. Je pensai qu'il serait humain de passer par Dun Moïran et de réveiller Sean de sa cuite. Nous le trouvâmes dans l'écurie où, par un merveilleux réflexe d'ivrogne, il était allé se coucher dans la paille. Jerry lui jeta un seau d'eau à la tête et Sean se réveilla furieux, l'injure à la bouche. Il avait des brins de paille jusque dans les oreilles.

— Qu'est-ce qui vous prend ?

— Sean, c'est important ! M^lle^ Anne est tombée de sa jument. Elle est à l'hôpital d'Ennis. Elle va mieux ce soir. Vous préviendrez M. Taubelman.

Sean se leva, dessaoulé d'un coup.

— Vingt dieux ! j'y vais...

— Où ?

Il faillit dire : « Le prévenir », mais dans la brume de son cerveau, un reste de lucidité le retint.

— A l'hôpital bien sûr. Elle a besoin de moi.

— Nous lui avons apporté ce qui lui faut.

— Comment ?

— Cet après-midi, je suis monté dans sa chambre.

— M. Taubelman sera furieux.

— C'est vous qui m'avez indiqué le chemin.

— Je vais avoir des histoires.

— Non sûrement pas. Je suis un tombeau... A l'hôpital, on s'occupe très bien de M^lle^ Anne. Attendez plutôt le retour de M. Taubelman pour lui expliquer ce qui s'est passé.

— Mais je n'en sais rien !

— Nous l'avons trouvée, Jerry Kean et moi, sur la plage de Lahinch, évanouie. Elle n'a rien de grave. On la soigne très bien.

Sean gratta longuement sa chevelure hirsute. Dans son costume vert, il ressemblait de plus en plus à Albert Fratellini.

Nous le laissâmes à ses anxiétés et je raccompagnai Jerry à son cottage.

— Vous ne voulez pas monter ? me demanda-t-il.

— C'était une journée épuisante, je crois que j'ai envie de rentrer chez moi et de me coucher.

— Mais vous n'avez ni déjeuné ni dîné !

— Et puis il faut raccompagner M^me^ Li, j'allais l'oublier.

— Je suis désolé.

— Ne le soyez pas.

Comme attendu, nous trouvâmes Sharon, des lunettes sur le nez, lisant dans un vieux fauteuil en pitchpin recouvert d'une affreuse cretonne bleue. Sur l'électrophone tournait un disque éraillé, un festival Fats Waller. Mme Li, assise sur un tabouret nain, réchauffait ses mains au feu de tourbe. Elle ne daigna même pas lever vers nous son visage inexpressif.

— Enfin ! dit Sharon. Je vous croyais perdus, tombés dans un trou, dévorés par les renards. J'allais avertir la police.

— Nous nous sommes perdus, affirma Jerry. Et nous crevons de faim !

Il ouvrit une boîte de conserve, cassa des œufs et nous dînâmes au coin du feu, en compagnie de Mme Li qui levait avec ostentation le petit doigt dès qu'elle saisissait son verre.

— Et en plus, vous ne rapportez rien ! dit Sharon. Une journée entière à la chasse, même pas une bécassine ? Vraiment, vous vous couvrez de ridicule !

Jerry ne releva pas. Il se contenta de me regarder de temps à autre pour prendre courage. Si je le laissais tomber un seul instant, il raconterait et la tempête de questions se lèverait. Un sentiment nouveau naquit entre nous ce soir-là, nous partagions un secret, et ce secret nous avions besoin de le protéger contre la curiosité de Sharon. Nous nous sentîmes un peu plus forts, un peu plus amis, avec dans la poitrine une inquiétude sourde chaque fois que revenait l'image d'Anne sur la grève, la marée montante léchant déjà ses bottes.

Au retour, alors que je roulais sur une étroite route qui me ramenait au cottage de Mrs Colleen, de vigoureux appels de phares éclairèrent mon rétroviseur. Je me garai aussi à gauche que possible et dans un vrombissement joyeux une voiture me dépassa à toute allure : l'antique taxi mauve dont j'eus le temps d'apercevoir le petit conducteur au chapeau de tweed, agrippé à son volant plat.

Je n'ai pas parlé de moi. A force de me faire oublier, je m'oublie moi-même. Mais si je termine ce récit — je n'ose pas dire un livre tant mon inexpérience en ce domaine est totale, tout au plus aimerais-je l'appeler un « machin » — si je termine le récit des événements de cet hiver, mon propre portrait manquera. Il y aura un vide, juste une voix sans âge ni visage. A me relire, je trouve à mon ton de la lassitude (elle n'est pas affectée, elle est bien mienne). D'un autre je dirai : il pousse à l'extrême les effets d'un ton monocorde. Rien n'est moins voulu. J'écris pour meubler des heures solitaires, comme d'autres se livrent au jardinage, aux patiences ou à la tapisserie. Dans ce ton, mes quelques amis me reconnaîtront si une écriture est fidèle à une voix. Quelques cas de fidélité : Chardonne, Cocteau, Céline. Un cas d'infidélité : Jouhandeau chevrotant et mignard alors que son écriture est d'une lumineuse pureté. Admettons donc qu'une voix sourd peut-être de ces pages, une voix enténébrée. C'est déjà beaucoup. J'aurais aimé écrire un roman. Les personnages qui défilent dans cette histoire s'y prêtent. Mais on ne s'improvise pas romancier à mon âge, même avec l'idée assez précise des ruses, des points de suspension, des coups de théâtre qui retiennent l'attention d'un lecteur toujours prompt à se désintéresser. Il y aurait fallu un temps qui m'est, je crois, mesuré. J'ai donc raconté ce qui s'est passé comme cela s'est passé, sans prendre la peine de glisser ici et là quelque artifice. On peut me croire : j'ai tenté d'être exact et sincère. Rien que d'écrire le mot « sincère » me fait sourire. Pour avoir trop souvent vécu autour de la Méditerranée je sais quelle méfiance inspire un personnage qui parle en posant la main sur son cœur. Ajoutons encore que pour être mieux lu — oui, pas de fausse pudeur, je veux l'être, je tiens à l'être — je n'aurais pas dû user du « je ». Trop tard ! J'en reviens à la voix dans la coulisse. Elle n'a pas encore de visage. Pourquoi faut-il toujours sortir ses papiers ? Nom, prénom, lieu de naissance, âge, occupation, domicile. Ici, personne ne vous demande jamais une carte d'identité. Vous êtes cru sur parole. Beau respect de la sincérité qui est plus naturelle à l'homme que le mensonge jusqu'à ce qu'il découvre combien le mensonge paye. Je me réserve le droit de ne pas répondre ou de répondre flou.

*Age :* entre cinquante et cinquante-cinq ans. Le mauvais miroir du placard me renvoie une silhouette que je ne reconnais pas sans panique. L'homme arrête sa croissance à vingt ans. Immédiatement après, il vieillit, un long travail de sape qui, selon les cas, donne ses effets aux environs de la cinquantaine. Il me reste des épaules, un torse. En dessous, les choses s'affadissent, la peau boursoufle et il faut lutter chaque jour pour que l'abdomen reste en place. Les jambes se sont trop musclées. Comme tous les solitaires, j'ai aimé la marche, elle a accompagné ma pensée. Elle l'accompagne encore dans les bois quand j'avance à lourdes enjambées parmi les ronciers. Je reste dur et sec quand je me raidis, mais à l'abandon je n'ai plus que dégoût de moi-même à une époque où le corps de toute la jeunesse est devenu si beau qu'il envahit les magazines et tourne à l'obsession. Du visage, ne parlons guère plus : le nez force, les cheveux reculent, une tonsure apparaît, les orbites se creusent, les dents s'abîment. En somme on gagne en caractère ce qu'on perd en grâce. Maigre consolation.

*Lieu de naissance :* Paris. Quelle indication vague ! Comme si c'était la même chose de naître à la Villette ou au parc Monceau, d'être de la Bastille ou de Passy. Des races différentes qui ne se mélangent pas et souvent se haïssent quand il ne leur suffit pas de se mépriser. Et je suis si peu de Paris, ayant toujours vécu ailleurs : la Méditerranée, l'Asie, les Amériques, l'Afrique et maintenant l'Irlande. Dans chacun de ces endroits, je suis né une autre fois : à la mer, dans la brousse, au cœur du désert et aujourd'hui dans la lande

souffletée par un vent atlantique qui a goût de se
quand on le boit. J'ai connu plusieurs résurrection
bien plus importantes que ma naissance à Paris. L
cœur s'enfièvre, l'imagination délire. Un immens
amour fraternel vous prend. Et ce n'est pas toujour
une déception.

*Occupation :* là encore, je me demande quelle impor
tance cela peut avoir à l'époque où commence cett
histoire, ma rencontre avec Jerry au sortir d'un taillis
Il est assez clair qu'en ce moment, je ne fais rien. J
suis un homme sans occupation, qui marche d
longues heures chaque jour, s'est fait un ami, Jerry, li
(j'ai ma vie entière lu avec une frénésie qui a tout d'u
coup ici le souffle plus court), écoute de la musique et
enfin, écrit. A la vérité, j'ai toujours écrit, tenu de
carnets de notes sur mon travail, rédigé des article
pour des revues. Qu'on se rassure, ces revues étaient
pour la plupart, scientifiques ou de vulgarisatio
scientifique. Avec un peu plus de confiance en moi
j'aurais certainement tenté d'être un écrivain ou a
moins un journaliste. J'ai raconté des voyages dans de
magazines, pour le plaisir, en marge de mes occupa
tions professionnelles, et, peut-être, pour communi
quer à des hommes plus jeunes le goût que j'ai eu pour
les grands espaces. On verra plus loin comment l'un d
ces reportages joua un rôle dans mes relations ave
Taubelman. Je ne sens pas la nécessité absolue de m
situer « avant » l'Irlande, de raconter qui j'ai été. L

porte est fermée sur un long passé intéressant où j'ai eu la sensation précieuse de vivre en homme libre, privilège poussé maintenant à l'extrême. En respect de Balzac dont c'était une préoccupation dominante lorsqu'il situait un héros, j'ajoute que j'ai d'honnêtes moyens d'existence qui suffisent amplement à mes besoins. Encore une liberté conquise par moi seul et partie de zéro.

*Situation sociale :* on vous laisse le choix entre quatre possibilités : célibataire, marié, veuf, divorcé. Rayez les mentions inutiles. En quoi, cela regarde-t-il quelqu'un ? J'ai toujours été seul, surtout aux moments où je le paraissais le moins, même avec Marthe.

*Domicile :* chez Mrs Colleen, route d'Inishgate à Corofin. Je pourrais en dire beaucoup plus sur Mrs Colleen que sur moi-même : une petite dame propre et frisée, aux paupières tombantes. Bas de coton gris et souliers plats à boucles. Le dimanche, pour la messe, elle coiffe un canotier noir à ruban blanc. Elle est la propre dentellière des cols et des manchettes qu'elle porte au cou et aux poignets. Son dentier la gêne pour tous les mots en *sh* et ses phrases habiles à éviter la difficulté prennent parfois une tournure étrange. Elle est née dans cette maison et on jurerait qu'elle n'a jamais quitté le Comté de Clare, mais interrogez-la : elle parle le thaï. Son mari dirigeait une exploitation de bois précieux à Nakon Ratchima.

Elle est restée trente ans en Asie. Elle a chassé le tigre à dos d'éléphant, et montée sur un yak, elle est allée jusqu'à Lhassa. Plus de mille petits Siamois ont été convertis au catholicisme par ses soins. La moitié ont communié. Quelques-uns sont restés chrétiens. Nous parlons parfois devant une tasse de thé. Elle a beaucoup apprécié la vie, et ce qui lui reste à vivre, bien que son mari soit mort, est encore une grande joie. Je loue l'aile gauche de son cottage : une chambre, un petit salon, une salle d'eau. Nous partageons la cuisine pour nous cuire des œufs brouillés au bacon ou frire un carrelet. La laideur de cet intérieur m'est complètement indifférente. Il faut que j'y pense pour m'apercevoir des abat-jour en étoffe plissée ornés de glands rouges, des chromos pieux dispersés sur les murs, des chaises gothiques et des fauteuils recouverts de housses grises. Tout de même, j'ai demandé à Mrs Colleen de m'ôter la poupée chinoise du petit salon. Ce visage de porcelaine aux joues lisses et aux yeux bridés finissait par m'obséder. Mrs Colleen a été très mortifiée. La poupée vient d'Hong Kong. Elle a de vrais cheveux. Nous avons heureusement plein de sujets d'entente parfaite. D'abord ma chienne Grouse à laquelle elle prépare des plats de riz frit à la chinoise. Grouse a pour Mrs Colleen des tendresses d'enfant adopté, et je me demande si, dans son for intérieur, Grouse ne me croit pas l'amant ou le mari de ma logeuse. Comment l'en dissuader ? Mrs Colleen passe de grands moments dans son jardin où je l'aide un peu quand un livre me tombe des mains. Le gazon est tondu dès que le soleil brille. Le troisième samedi du mois, Mrs Colleen donne un thé de dames et, à cette occasion, elle m' « emprunte » ses propres cuillers et ses tasses. Il y a deux ans encore. le curé de la paroisse, le Père Brett, présidait ces réunions. Après sa mort, il a été remplacé par un jeune curé, le Père Martin, qui a tendance à considérer que les âmes de pécheresse comme celles de Mrs Colleen et ses amies ne méritent pas ses uniques soins. On le voit plus souvent sur le terrain de hockey qu'aux réunions « mondaines » d'Inishgate. Je ne sais pas de quoi Mrs Colleen parle avec les autres dames patronnesses. A travers la cloison, j'entends un pépiement sans la moindre solution de continuité. Les voix se confondent, affectées des mêmes chuintements dus aux dentiers. Avec moi seul, c'est la même chose : Mrs Colleen parle sans arrêt pendant une heure et, à la fin, j'ai l'impression qu'elle n'a rien dit. A force d'insister, j'ai pu lui tirer quelques bribes de souvenirs sur sa vie asiatique, mais il faut les lui arracher un par un. Je crois que ça ne l'intéresse plus du tout et qu'en remettant ses pas de vieille dame dans ses pas de jeune fille, elle a effacé quarante ans d'existence avec feu Mr Colleen.

J'écris dans le salon où s'entassent un peu partout des livres et des disques, des dossiers inutiles empilés sur des étagères où ils resteront jusqu'au coup de balai *post mortem* que donnera Mrs Colleen avant d'accueillir un nouveau locataire, de préférence celui-là frais et rose pour qu'il dure longtemps car il n'y a rien de pire que de changer d'habitudes quand on est une femme aussi formelle et ponctuelle. La pièce est petite et je l'encombre encore d'une malle cabine apportée de France, un de ces bagages anciens comme on n'en voit plus guère, trouvé l'an dernier, avant mon départ, au marché aux puces. J'avais décidé d'y entasser ce à quoi je tenais, dans n'importe quel ordre, et, naturellement, la malle a été pleine avant que j'aie eu le temps d'y mettre l'essentiel, et je suis parti ainsi sans très bien même me rappeler ce qui avait été sauvé du bazardage général. Ici seulement, j'ai ouvert la malle et retrouvé un Jules Verne dans la collection Hetzel (*Vingt mille lieues sous les mers*, ce livre qui fut si important pour l'imagination de Rimbaud, pour l'imagination des enfants de mon âge et me donna à jamais le goût des voyages), des coquillages du Pacifique, une rose de sable ramassée en Mauritanie, un foulard indien, un fusil trop beau pour le tireur distrait que je suis, quelques livres de chevet de mon père sur les oiseaux et la théosophie, un portrait de ma mère. Je raconterai plus loin dans ce récit, ce qu'il advint de certaines de ces reliques une veille de Noël. La table de noyer suffit à mon travail intermittent, débarrassée de son napperon au crochet et poussée devant la fenêtre qui donne sur l'angle du jardin où Mrs Colleen entretient ses hortensias bleus.

Il me semble que je revois Anne, le bras en écharpe,

pousser la barrière et se diriger vers la maison. Oui, Anne s'est mise à parler après son accident. Nous le sûmes le lendemain, car Taubelman, enfin prévenu par Sean, dans un sursaut diabolique se remit sur pied, balayant sa fièvre de toute l'énergie qui lui restait. Un taxi le conduisit à l'hôpital où il tenta sans succès de reprendre sa fille. J'arrivai peu après, en plein esclandre, accompagné de Jerry. Sœur Agnès essayait de calmer un Taubelman au teint de cire, amaigri de plusieurs kilos, tenant à peine sur ses jambes mais capable encore d'amplifier sa voix jusqu'au tonnerre. Quand il tourna vers moi son regard brûlant, ses yeux à la sclérotique injectée de bile, j'eus pitié de lui.

— Ah vous ! Enfin ! cria-t-il en levant ses immenses bras qui déployèrent les manches et les flancs de son manteau de cavalerie au point de le faire ressembler à quelque oiseau nocturne, peut-être à un grand-duc à cause du jaune des yeux.

— Quelles sont les nouvelles d'Anne ?

— Excellentes... Elle va très bien et ces imbéciles ne veulent pas la laisser sortir. Dites-leur, vous, que j'ai une maison où elle sera cent fois mieux soignée qu'ici...

— Par Sean ?

— Par moi !

— Vous tenez à peine debout !

— J'arrive de Londres. Pas dormi de la nuit...

— Je n'en doute pas.

Il passa ses doigts sur ses yeux et tout d'un coup

terriblement las, à bout de force, comprenant que je savais, il posa sa main sur mon avant-bras qu'il étreignit pour demander le secret.

— Laissez-la quelques jours encore, dis-je. Elle a eu un grand choc, elle est restée au moins deux ou trois heures dans le coma. Quelles sont les nouvelles, Sœur Agnès ?

— Les radios sont bonnes. Le diagnostic de l'interne est confirmé. Elle a juste une clavicule cassée, une foulure et quelques contusions sans gravité, mais il faut du repos. Elle parle avec difficulté.

— Pourquoi ne me disiez-vous pas qu'elle parle ! hurla Taubelman.

Sœur Agnès était de ces personnes qui répondent à l'escalade de la nervosité par un calme toujours plus grand.

— Mais, monsieur, je vous aurais plutôt signalé le contraire. Il est naturel qu'elle parle, même si c'est avec une difficulté due sans doute aux nombreux analgésiques qu'elle a absorbés en vingt-quatre heures.

— Vous ne comprenez rien, madame. Rien à rien. Voilà trois ans qu'Anne n'a pas prononcé un mot.

— Mon nom est Sœur Agnès... Je dois vous avouer, monsieur, que nous ne le savions pas. Personne ne nous l'avait signalé...

Elle se tourna vers Jerry et moi et répéta :

— Personne, n'est-ce pas ?

— Nous n'y avions pas pensé.

— Eh bien, monsieur, dit Sœur Agnès en joignant

les mains comme pour une prière, c'est un miracle, et je vais de ce pas en remercier le Seigneur dans notre chapelle. Voulez-vous vous joindre à moi ?

— Non, vous prierez aussi bien pour deux ! dit-il avec grossièreté.

— Certainement... Revenez ce soir, vers six heures, j'ai l'impression que vous pourrez la voir... si elle le désire.

Sur cette flèche de Parthe, Sœur Agnès s'enfuit dans le couloir. Taubelman parut près de s'effondrer. Il s'appuya au mur, le front ruisselant de sueur.

— Je ne me sens pas bien.

— Il n'y a pas de meilleur endroit qu'ici pour vous soigner, dit Jerry.

— Foutre non... Je me soigne seul. Pouvez-vous me raccompagner à Dun Moïran ?

C'est peu de dire que nous le raccompagnâmes, nous le portâmes. Dans l'escalier du donjon, Sean le monta pratiquement sur son dos. La chambre était telle que je l'avais vue la veille avec son lit en désordre, sa table de potions. Taubelman laissa tomber son manteau. Il avait gardé sa veste de pyjama sur un vieux pantalon de velours qui glissa à terre, découvrant deux longues jambes puissantes et velues, et un caleçon à fleurettes qui lui allait comme à un minet des gants de boxe.

— Paludisme ! dit-il d'une voix assourdie. Cette foutue merde de paludisme... un jour j'en crèverai.

Il se prépara lui-même un verre d'eau qu'il but avidement après avoir mis des cachets dans sa bouche.

— Bonsoir, mes amis. J'essaye de dormir cinq ou six heures avant d'aller à l'hôpital. Réveillez-moi à temps.

Puis, comme je me dirigeais vers la porte, il ajouta sarcastiquement, tirant le drap jusqu'à son menton :

— Attention au pot de chambre en sortant.

Jerry ne fut pas dupe :

— Il n'est jamais allé à Londres. Vous le saviez ?

— Depuis hier seulement.

— Pourquoi ne pas l'avoir dit ?

— Pour le prendre en flagrant délit. C'est fait ; mais il est assez habile pour tourner la chose à son profit. Hier, je l'ai surpris dans son lit et en sortant, j'ai maladroitement buté dans son pot de chambre. Il a deviné que c'était moi et me fait son complice.

— Je crois que maintenant nous pouvons parler à Sharon.

— Oui, puisqu'il est là.

Sharon fut déconcertante de bonne humeur. Elle ne nous reprocha pas un instant nos cachotteries. Malade, bilieux, le foie rongé par les amibes, les globules rouges dévorés par les hématozoaires, Taubelman ne l'intéressait plus. Elle n'avait pas l'âme infirmière. En revanche, elle ne tenait plus en place à l'idée de connaître Anne et de pouvoir lui parler. Nous emmenâmes Sharon manger des huîtres dans un petit village de la baie de Galway. Il faisait si chaud cette semaine avant Noël, qu'on nous installa une table dehors, au bord d'une ria que la marée remontait. Les goélands passaient au-dessus de nous, happant avec voracité les boulettes de pain que nous leur lancions. Sur des galets, au bord de l'eau, des huîtriers pie au plumage noir et blanc, aux pattes roses, se nettoyaient les ailes et le ventre avec leur bec rouge.

— Je vous annonce une bonne nouvelle, dit Sharon. Dès que j'aurai rencontré Anne, je partirai. J'ai téléphoné ce matin à Frédéric-Charles. Il voudrait que je sois là pour Noël. Nous avons le dîner des fermiers, vous savez avec le vétérinaire, le vieux médecin de campagne et le notaire du bourg voisin. Et leurs dames en fourreau de soie ou en organdi. Il y a des révérences que je ne veux pas manquer... J'ai soif de révérences...

Elle était très belle ainsi, dans la lumière dorée de l'hiver, le visage brillant, son long buste serré dans un chandail à col roulé, une jambe enroulée comme un serpent autour de l'autre. Un peu trop gravure de mode peut-être, mais elle était américaine et ne cesserait jamais de l'être toute princesse qu'elle fût. Par un vicieux détour de l'imagination, je l'imaginai vieillissante. Eh bien, elle vieillirait sans graves altérations, produit achevé d'une civilisation propre et hygiénique. Évidemment, elle était un peu folle, mais sans folie elle eût été dépourvue de charme.

— Naturellement, dit-elle, j'ai demandé à Frédéric-Charles de venir. Il serait si heureux ici ! Il aime les choses simples. Il chasserait le matin avec vous. Il passerait les après-midi avec son cher et vieil ami Taubelman... Ils se raconteraient leurs campagnes. A propos, Frédéric-Charles m'a demandé si Taubelman était toujours marié à une pianiste, Maria... Maria... enfin je ne sais plus, un nom germano-italien, à ce qu'il me semble...

— Maria Schmitt del Tasso, dis-je.

— Oui, c'est ça ! Vous la connaissez ?

— Tout le monde la connaissait.

— Elle est morte ?

— Il y a trois ans. J'ai un disque d'elle. Elle joue une sonate de Schubert.

— Oh, je voudrais tellement l'entendre ! Apportez-le chez Jerry. Nous le ferons écouter à la pauvre Anne.

— Pourquoi « pauvre » ?

— Je ne sais pas... une impression... cette pianiste doit être sa mère.

Je ne répondis rien, répugnant d'instinct à tenter ce genre de confrontation sur Anne dont l'équilibre psychique n'était probablement pas tout à fait sain. Sharon le savait fort bien et, à une lueur joyeuse dans ses yeux, je vis le plaisir qu'elle se promettait aux réactions de Taubelman et de sa fille. Se pouvait-il qu'elle fût cruelle, réellement, au fond d'elle-même et pas comme une enfant gâtée ? Alors, elle devenait à la fois plus intéressante et plus dangereuse.

Une voiture s'arrêta au bord de la route. En descendirent deux couples français bruyants et gais. On leur installa une table voisine de la nôtre et nous apprîmes tout de suite qu'ils avaient chassé le faisan la veille dans le Kildare, qu'ils chasseraient le lendemain le canard dans le Connemara. Ils n'étaient ni désagréables ni réellement envahissants pour des Français. Leurs femmes étaient même jolies, entre trente et quarante ans, du genre à qui l'on refuse peu de choses et qui sait tirer des hommes un maximum en bijoux, en sacs, en plaisirs. Les hommes étaient très supportables, même presque sans vulgarité, ce qui est rare tant une classe de Français se force à un parler argotique et faubourien complètement artificiel. Sur la foi de Gault et Millau, ils venaient ici consommer les huîtres onctueuses de Galway bay, mais se refusaient à boire du stout. On leur trouva, par un de ces miracles inexplicables, deux bouteilles de mâcon blanc qui les remplirent de joie comme si l'apparition de ce vin sur une table ensoleillée, au bord de l'eau, reconstituait pour eux un peu de l'atmosphère dans laquelle ils s'épanouissaient d'ordinaire et qui leur manquait déjà au bout de trois jours. La béatitude fut à son comble quand un cormoran huppé, après un lourd vol plané, atterrit sur une pierre ronde de la rive opposée. Il resta là, ailes à demi déployées, allongeant et rentrant son long cou flexible, ressemblant d'une façon hallucinante à Dom Basile dans l'air de la calomnie. Ces dames se précipitèrent et l'appelèrent avec des cris qu'elles voulaient d'oiseau. Leur délire s'accrut lorsqu'il leur répondit par un croassement grinçant et sonore. Un moment, nous fûmes là, comme au milieu d'une volière, assourdis par les cris de ces dames et le kiaou-kiou des goélands argentés. Puis, le cormoran, sans doute agacé par ce vacarme, prit son envol et se posa une centaine de mètres plus loin pour achever sa toilette. Les Françaises regagnèrent leur table et se perdirent en commentaires sur la nature de cet oiseau en deuil :

— Ce doit être un borniol, dit un des maris.

Il y eut des rires jusqu'à ce que la tablée s'avisât de notre présence et découvrît réellement Sharon qui offrait au soleil son visage huilé. On chuchota. J'entendis : « Je suis sûre que si... » « C'est bien elle. » Il ne leur manquait que de me prendre pour Frédéric-Charles et Jerry pour son amant. Sharon fut très consciente d'avoir attiré leur attention et je glissai perfidement dans son oreille :

— Elles vous prennent pour la princesse Grace de Monaco.

Sans Jerry qui, m'ayant entendu, éclata de rire, elle l'eût peut-être mal pris, mais le rire de son frère sauva la mauvaise plaisanterie. C'était bien la première fois que je voyais s'éclairer le visage de mon ami comme si, tout d'un coup, se déchirait un voile. J'aimai son rire. Il était de son âge, de sa force. Il remontait du fond de son être où le tenait caché l'obscure peine que l'on sait. Il nous rapprocha aussi parce qu'à son âge j'avais aimé rire en jeune homme gai, passionné par tout ce que l'existence apportait. Sans doute, Jerry pouvait-il me reprocher de l'avoir, jusqu'à ces derniers temps — par discrétion autant que par égoïsme — laissé vivre dans l'affreux souvenir qu'il ressassait l'âme en peine, parce que personne ne lui tendait vraiment la perche. Et n'étais-je pas pareil en un sens ? Ne portais-je pas sur mon visage le reflet de ce qui me menaçait ? Oui, le rire de Jerry, avec tout ce qu'il avait d'enfantin, d'irrésistible, bientôt suivi de celui de Sharon, déchira d'un coup le rideau de convenances et de pudeurs qui nous masquait l'un à l'autre. Il saluait encore la résurrection d'Anne triomphant de sa chute, recouvrant la parole, et peut-être également la maladie opportune de Taubelman.

— C'est la première fois que je vous entends rire, Jerry, et comme je ne peux pas croire que c'est uniquement à cause de ma stupide plaisanterie, j'imagine que c'est parce que vous en avez éprouvé un besoin plus fort que vous-même, plus fort que tout ce qui pesait sur vous. Serrons-nous la main.

Il ne me la serra pas, il me la broya. Nous aurions dû, à cette minute-là, nous lever, nous bousculer, nous bourrer de coups de poing dans les côtes. Les Français nous regardaient avec inquiétude, se demandant si ce n'était pas d'eux que nous nous moquions. Je les rassurai en levant mon verre à leur intention.

— J'espère que vous nous pardonnerez notre gaieté un peu trop bruyante. Nous fêtons une résurrection.

Les tables se rapprochèrent et nous passâmes un moment heureux à échanger du vin blanc de Mâcon, du stout de Dublin, du sherry de Jerez de la Frontera et les inévitables Irish coffees que la tenancière du pub préparait avec un soin jaloux : verres à pied chaud, sucre brun bien fondu dans le whisky brûlant, café d'encre et faux col de crème glacée. Une jeune fille aux joues rosies, fraîche comme Mollie Malone, nous les apporta avec des grâces d'équilibriste, sans qu'une goutte de crème troublât le café.

Nous nous étions présentés et ils dirent des noms que j'ai oubliés aujourd'hui. Il se trouvait qu'une des femmes avait visité en Allemagne, l'année précédente, le château de Frédéric-Charles. Sharon fut sublime et se conduisit en vraie princesse. Elle invita ces inconnus pour un week-end chez elle et ne sembla pas prise de panique quand ils sautèrent sur l'invitation avec gourmandise. Jerry, cependant, cassa un peu ses effets en rappelant à sa sœur qu'elle ne passait jamais plus de huit jours d'affilée chez elle et que l'on avait donc fort peu de chances de l'y trouver.

— Oh, comment peux-tu dire ça, Jerry ? Et de toute façon, Frédéric-Charles n'en bouge pas. Il fera patienter nos amis le temps que j'arrive. Vous verrez : Frédéric-Charles est merveilleux. Vous ferez connaissance avec sa dernière manie. Je dis la dernière parce que je ne sais pas très bien celle qu'il cultive en ce moment. L'an dernier, c'était les papillons. Il sait tout sur les papillons. Il a échangé une correspondance passionnée avec Vladimir Nabokov sur les papillons du Honduras...

— Le Nabokov de *Lolita ?* demanda la dame qui voyageait peu mais lisait, certainement l'intellectuelle du groupe.

— Lui-même. Vous le connaissez aussi ?

— Oh non pas du tout ! D'ailleurs je ne sais pas si j'y tiendrais tellement... Vous savez, Catherine, ma fille, a treize ans... enfin, j'ai quand même lu *Lolita*. C'est un livre dangereux, d'autant plus dangereux qu'il est bien écrit, n'est-ce pas Jean ?

— Quoi ? dit Jean qui n'écoutait pas et pensait à cette minute-là que la princesse avait du charme, mais qu'elle était vraiment plate de poitrine.

— Oh, il fait l'innocent, reprit sa femme, mais après avoir lu *Lolita* il voulait tout le temps que Catherine invite ses petites amies à la maison...

Le second mari tint à paraître moins hypocrite que le dénommé Jean :

— Moi aussi j'ai lu *Lolita* et au fond ce Nabokov n'a jamais qu'exprimé clairement ce que nous ressentons tous. Tenez, à l'hôtel, il y a une petite Italienne de quatorze, quinze ans à qui je ne dirais pas non, surtout quand elle est en culotte de cheval. Ça fait deux fois que je la rencontre au bar du Clare Palace...

— Ah vous êtes au Clare Palace, dit Sharon, lui coupant la parole parce qu'elle avait horreur qu'on lui parle de femmes beaucoup plus jeunes qu'elle. Il paraît que c'est bien. Ma femme de chambre en est très contente.

— Vous y logez votre femme de chambre ? dit celle qui avait visité le château de Frédéric-Charles.

— Oh oui, elle est très difficile. C'est une Chinoise,

une vieille Cantonaise et elle a toujours vécu dans le luxe.

— Cette Chinoise qui dîne seule le soir au restaurant est votre femme de chambre ? Eh bien, cher Jean vous vous trompiez drôlement. Vous prétendiez que c'était une femme de mandarin.

— Je disais cela pour rire.

— Mais vous-même, princesse, dit la mère de Catherine, heureuse de pouvoir enfin placer un titre dans la conversation, vous-même où habitez-vous ?

— Dans notre maison de famille. Mon frère m'y a accueillie. C'est très joli et très simple. Deux pièces, ni l'eau, ni l'électricité. Mon arrière-grand-père, le vieux Kean, est parti de là à la conquête de l'Amérique. Il a mieux réussi là-bas que s'il était resté ici à garder les vaches de ses parents, n'est-ce pas, Jerry ?

— Oui, nous avons été élevés dans le culte de cette maison...

Il fallut les quitter sur ces belles paroles dont nous sentions combien elles allaient être méditées par nos nouveaux amis. Avant d'aller à Ennis, nous devions repasser par Dun Moïran pour y chercher Taubelman. A peine assise dans la voiture entre son frère et moi, Sharon poussa un soupir de satisfaction.

— J'ai été admirable de simplicité, n'est-ce pas ?

— Admirable ! convint Jerry.

— Le mot est encore faible ! ajoutai-je.

Vingt minutes après nous arrivions à Dun Moïran. Dans le rond, derrière les écuries, Sean faisait tourner à la longe la jument coupable. Il avait quitté son costume de tweed vert et retrouvé ses vieux vêtements rapiécés de lad, signe qu'une ère de cuites monumentales était passée et qu'il ne recommencerait pas avant un mois ou deux. Il nous cria que Taubelman n'était toujours pas descendu, que nous pourrions monter le chercher.

— Pouah, un malade, une chambre de malade, je n'ai pas envie de voir et de sentir ça ! dit Sharon.

Elle resta dans la cour en compagnie de Jerry pendant que je montais au premier étage du donjon. Réveillées par la chaleur de ce jour d'été en plein hiver, des centaines de mouches bleues se collaient aux vitres des meurtrières dans un bourdonnement harassant. La porte de la chambre était ouverte et le lit vide. J'allais appeler Taubelman lorsque sa forte voix embrumée retentit et que sur le palier s'ouvrit, d'une poussée brutale, les battants de ce que j'aurais plutôt pris pour un placard. Il était là, assis sur le siège des cabinets, en veste de pyjama rayé, pantalon baissé, le buste penché en avant, les yeux exorbités, la bouche distendue par une grimace.

— J'essaye encore une fois et j'arrive ! Attendez-moi ! dit-il en poussant à se rompre les veines du cou.

Lorsque son effort se relâcha, une satisfaction béate se peignit sur son visage en même temps qu'une odeur épouvantable se répandait sur le palier. J'aurais dû me détourner, mais je restai là, fasciné par ce spectacle immonde d'un homme en train de déféquer avec une impudeur totale. Il était vraiment hideux, à la fois jaune et congestionné, ses cheveux gras frisés en bataille, les genoux nus, osseux, luisants, montés sur ses jambes poilues, tel une figure de gargouille. J'y décelais à mon égard un mépris épais pour tout ce que je pouvais penser d'un spectacle pareil. Il se torcha bruyamment et relevant son pantalon, cria :

— Je suis prêt. J'arrive. Où sont les autres ?

— En bas dans la cour.

Il tenait à peine debout et s'accota un instant au chambranle avant de prendre son élan jusqu'à sa chambre. Je l'aidai à s'habiller.

— C'est la fin, dit-il. Je suis tiré d'affaire. Vous allez voir comme je récupère vite. Avez-vous téléphoné à l'hôpital ?

— Non, pourquoi ?

— Pour savoir si nous pouvons venir.

— Sœur Agnès vous a dit à six heures.

— C'est simple, je m'en fous : si on ne me laisse pas monter, je casse tout. Vous comprenez, Anne, c'est ma vie. Je n'ai qu'elle. Il y a longtemps que je me serais flingué si Anne n'était pas là. Il faut que je l'entende parler.

— Depuis combien de temps ne parlait-elle pas ?

— Depuis trois ans, mais cela ne vous regarde pas. Je n'aime pas qu'on se mêle de mes affaires.

J'avais sa veste à la main, prêt à l'aider pour qu'il l'endossât. Je la laissai tomber à terre et sortis.

— Qu'est-ce qui vous prend ? cria-t-il. Vous êtes bien susceptible. Attendez-moi...

En bas, je retrouvai Sharon et Jerry.

— Il ne vient pas ? demanda-t-elle.

— Si. Il irait même sur un brancard, mais il n'ira pas avec moi. Sa grossièreté me dépasse. Laissez-le se débrouiller. Il commandera un taxi puisqu'il ne sait même pas conduire la jeep de sa fille.

Nous montions dans la voiture quand une fenêtre du donjon se souleva. Taubelman cria d'une voix plaintive :

— Vous êtes des salauds ! Attendez-moi. Je vous fais mes excuses.

Sharon insista pour que nous l'emmenions et je laissai tourner le moteur au point mort. Taubelman apparut dans l'embrasure de la porte, s'arrêta un instant, puis traversa la cour en chancelant.

— J'arrive ! Vous ne voyez pas que je suis malade ?

Il se hissa sur la banquette arrière et je pris la route d'Ennis. Pendant que nous roulions, il ne cessa de grommeler je ne sais quoi d'incompréhensible qui ressemblait à une litanie dans laquelle revenait le nom d'Anne. A la vérité, je ne lui en voulais pas de sa grossièreté, et je m'étais fâché de propos délibéré beaucoup plus pour me débarrasser d'un personnage qui me répugnait que par réelle susceptibilité. Les rapports avec Taubelman relevaient d'un jeu sournois où on ne devait le laisser marquer aucun avantage. Je n'attaquais pas ce mythe qu'il essayait de broder devant nous d'un personnage fabuleux, mais il fallait lui faire sentir que je le pouvais, et surtout qu'il serait aisé de le confondre si je m'en donnais la peine. Dans une certaine mesure il m'intéressait comme héros de roman, avec ses outrances et ses ruses que le temps se chargerait de démasquer. Mais, plus encore, il était le père d'Anne — au fond de moi-même quelque chose me disait que ce n'était pas possible, qu'il nous trompait là aussi, mais peu importait, cette relation entre eux était commode et saine —, et en tant que père d'Anne, il avait droit à des ménagements, c'est-à-dire la monnaie de sa pièce, lui qui intriguait avec tant d'habileté. Un coup d'œil dans le rétroviseur me découvrit un visage ravagé par la fièvre et les souffrances de ces derniers jours. Il ne faudrait pas l'oublier quand, ayant recouvré son équilibre physique, il reviendrait nous narguer avec toute sa force et sa voix tonitruante.

A l'hôpital il nous demanda humblement de le laisser d'abord voir seul sa fille. Ensuite, nous pourrions monter si elle le désirait. Nous restâmes en bas, dans la salle d'attente, un quart d'heure qui nous parut interminable. Le jeune interne rougeaud passa et vint vers nous.

— Pourquoi ne montez-vous pas ?

— Son père est avec elle. Nous les laissons seuls un moment.

— J'aimerais bien le voir... il paraît qu'elle ne veut

plus entendre parler de sa jument. Il me dira si elle est à vendre.

Il paraissait très préoccupé par cette idée et je lui conseillai d'en parler à Anne plutôt qu'à son père. Enfin, Taubelman apparut, presque rayonnant, déjà transformé, et nous fit un grand signe du bras pour nous inviter à le suivre au premier étage.

Elle était seule dans une chambre bleue, assise dans un fauteuil, un bras reposant sur une attelle, vêtue du kimono que je lui avais apporté avec du linge et des affaires de toilette. Quelqu'un avait éteint le plafonnier et seule une lampe de chevet, placée derrière Anne, éclairait cette pièce, laissant le visage de la blessée dans une lumière douce qui n'altérait pas ses traits. Sharon eut un geste heureux en entrant, un de ces gestes pour lesquels on lui pardonnait d'être ce qu'elle était : elle se pencha et baisa la joue d'Anne qui leva vers elle un regard brillant de plaisir. Jerry l'imita, puis moi qui, en effleurant des lèvres la joue lisse et tiède, respirai l'odeur si douce de savon aux amandes dont le souvenir me restait vif depuis l'incursion dans la salle de bains. Un pansement cachait une partie du front et de l'arcade sourcilière d'Anne. Elle ne cessa d'y porter une main inquiète le temps que dura notre visite embarrassée parce que nous étions trop nombreux et que nous ne savions pas quoi lui dire.

— Eh bien, dit Sharon, je bénis cette chute sans laquelle je serais repartie sans vous avoir connue.

Anne sourit, toussa et dit d'une voix qui nous parut

terriblement rauque, détachant les mots avec une application enfantine :

— C'est, en effet, une consolation.

— Oui, une consolation ! répéta Taubelman derrière nous, la gorge nouée.

Je le regardai : ses yeux s'emplissaient de larmes qu'il ne put retenir, qu'il laissa couler en cambrant le torse, la tête bien droite, avec une indicible fierté :

— Je ne suis pas en forme... la moindre émotion me fait pleurer, dit-il pour s'excuser.

— C'est parce que je parle, n'est-ce pas ? demanda Anne.

— Mais non, mais non, je ne m'inquiétais pas, je savais bien que tu reparlerais...

Elle sourit et s'adressant à Sharon :

— Il n'est pas aussi mauvais qu'il en a l'air.

— Je m'en doutais, figurez-vous.

Jerry restait planté debout, les mains dans les poches, une mèche sur le front, les yeux fixés sur Anne qui s'en aperçut et lui sourit :

— Vous n'avez pas eu trop de peine à me porter avec votre ami ?

— Non. Nous avons eu seulement très peur.

— Oui, très peur, dis-je. La marée montait, les goélands tournaient au-dessus de vous.

Elle me regarda intensément. Que dirait-elle si elle apprenait que j'avais longuement tenu son sein dans ma main ?

— A un signe, j'ai compris que c'est vous qui aviez choisi mes affaires dans ma chambre.

— Oui, c'est moi.

— Vous avez pensé à tout, même à me donner un livre.

— C'est un intellectuel indécrottable, dit Sharon. Il faut lui pardonner.

— Je fais mieux que lui pardonner, je lui dis merci du fond du cœur...

Sœur Agnès apparut sur le pas de la porte.

— Ne la fatiguez pas trop aujourd'hui. Vous la reverrez demain. Nous la gardons encore quelques jours avant de vous la rendre.

Dans la voiture, comme pour nous faire oublier son unique moment de faiblesse et ses larmes, Taubelman entreprit de chanter des paillardises. Sa forte voix, bien timbrée, résonna dans la voiture, nous coupant le souffle. Il en savait, le diable, en français, en anglais, et en allemand, une quantité qui me parut incroyable. Il tint absolument à s'arrêter à *L'Éperon* où son entrée créa un certain brouhaha. La nouvelle de l'accident d'Anne avait déjà secoué le pays où, si personne ne lui avait jamais parlé, tout le monde l'avait rencontrée qui dans son champ, qui sur la route communale, qui dans un bois quand elle travaillait ses juments ou conduisait la jeep et son van. Même Willie Kox fut content de voir entrer son client abhorré. Billie et Teddy qui le craignaient à cause des plaisanteries graveleuses et ordurières qu'il leur décochait, eurent seuls un mouvement de recul, vite rattrapé lorsqu'ils s'aperçurent que Sharon accompagnait Jerry. Ils en restèrent la bouche ouverte, pétris d'admiration, prêts à se jeter aux pieds de cette nouvelle divinité dont ils avaient cru devoir se contenter de rêver. Mal préparés à l'idée que la Princesse entrerait dans le pub enfumé et puant la bière de Willie, ils ne surent pas dire un mot et ce fut Jerry qui sauva la situation en les appelant du doigt pour les présenter à sa sœur :

— Sharon, voilà Billie et Teddy dont je t'ai si souvent parlé, qui fabriquent ces admirables tweeds.

Il avait, bien entendu, oublié de lui signaler l'existence des deux artisans, mais Sharon, garce avec les uns, jouait à la bonté indulgente avec les autres. Elle les assura n'avoir jamais eu qu'une envie depuis son arrivée dans le Clare, les rencontrer et admirer leurs travaux. Billie et Teddy suffoquèrent de plaisir et Taubelman qui ne pouvait souffrir que l'attention se portât sur un autre que lui-même, passa derrière eux et dans ses mains puissantes attrapa leurs fesses dodues pour les malaxer si cruellement qu'ils hurlèrent de douleur :

— Tiens, dit-il, je vous croyais le cul plus tanné que cela.

— Taubelman, vous êtes un porc ! cria Sharon exaspérée. Laissez ces deux hommes en paix et épargnez-nous vos paillardises.

Mais la clientèle du pub, pour la plupart des

fermiers et des éleveurs des environs, secouée par le rire, trouvait la blague à sa portée.

— Ce n'est rien, princesse, dit Billie enhardi de ce soutien inespéré, M. Taubelman est persuadé d'être un fin plaisantin.

— Mon cher Billie, hurla Taubelman pour être entendu de tous, si tu te fous de moi, la prochaine fois je t'attrape le zizi et je te le rentre dans les ovaires.

— Assez ! dit Jerry avec suffisamment de calme pour que Taubelman comprît qu'il allait recevoir un coup de poing en pleine gueule et que tous les rieurs passeraient de l'autre côté.

La faculté de récupération de Taubelman me parut prodigieuse. Le matin, il vacillait sur ses jambes, l'après-midi il s'était tiré du lit avec une peine infinie, et ce soir, accroché au comptoir, il s'enfilait de grandes rasades de whisky irlandais avec lesquelles il se rinçait la bouche avant de l'avaler, hop d'un coup, sans aucun respect pour ses intestins délabrés, son foie rongé par les microbes. Même Willie Kox n'en revenait pas. A cette minute-là, Taubelman pariait dangereusement entre la mort ou la guérison. Il guérit, comme on s'en doute, et un fermier, son voisin, le ramena à Dun Moïran dans la herse d'un tracteur. Il fut impossible de monter cette grosse masse amorphe par l'escalier en colimaçon, et Sean le coucha dans une stalle des écuries, le couvrant de paille comme un Jésus. Il serait exagéré de prétendre que Taubelman se réveilla frais et rose, mais enfin il se leva, marcha, but et mangea. Il était guéri, ce qui lui permit de développer par la suite une audacieuse théorie sur l'utilisation de l'alcool comme antibiotique.

Nous avions quitté le pub bien avant que Taubelman s'effondrât et je laissai la voiture à Jerry. Après cette journée harassante, il me tardait d'être seul. Dans la cuisine, Mrs Colleen se cuisinait des œufs au bacon, assise sur un haut tabouret, un livre de jardinage à côté d'elle. Nous échangeâmes quelques mots sur la culture des zinnias, le temps qu'il avait fait, le temps qu'il ferait demain, puis je gagnai ma chambre avec ce sentiment nouveau que, désormais, ma solitude demandait vigilance et protection. La paix dont j'avais rêvé un moment de m'entourer craquait de toutes parts. L'ennemi entrait, envahissait le calme jardin où je cultivais ces fleurs précieuses qui ont nom : renoncement, détachement. Il fallait ou se défendre ou organiser ce désastre sinon bien des éléments de cette vie m'apparaîtraient sous leur vrai jour : écœurement des œufs au bacon de Mrs Colleen, horreur de l'édredon rouge de mon lit, insupportables chromos du petit salon où je lisais et écoutais de la musique, angoisse de l'hiver tardif qui dépouillait d'or les arbres et ne laissait sur pied que des troncs calcinés, fatigue de tout, de tout... Allongé dans mon lit, les yeux ouverts sur la nuit, il me vint un lancinant désespoir. Je n'en voulais pas à Jerry, ni même à Sharon, mais à Taubelman et plus encore à sa fille. Aux premiers, je pouvais échapper sans difficulté. Seuls les deux autres ruinaient le cours de mes pensées. Taubelman défaisait l'homme que je tentais de recréer avec les restes de mon vieux moi, le bousculait, l'inquiétait, le compromettait dans sa vie fiévreuse et mensongère. Quel courage moral me manquait pour l'écraser ? Et pourquoi ne l'avais-je pas confondu avec l'histoire de son faux voyage à Londres ? Il est vrai qu'en y songeant, je lui trouvais aussi une noble excuse : cet homme ne souffrait pas qu'on le sût malade, terrassé par la fièvre et d'humiliantes coliques. Toute forme d'orgueil inspire le respect. Quant à Anne, je n'avais pas besoin de clairvoyance pour comprendre en quoi elle ruinait la grande songerie commencée ces derniers mois lorsque j'étais venu m'enterrer vivant à Inishgate. Au fond, j'avais rarement été aussi heureux dans ma vie que pendant la demi-heure où je l'avais tenue évanouie dans mes bras. Et il me restait à retrouver au fil des heures toujours anxieuses de la nuit, la saveur, infiniment douce, de sa joue effleurée à l'hôpital. Épuisante songerie qui ne s'interrompit qu'à l'aube avec les cris d'un vol de corbeaux et le piétinement de souris de Mrs Colleen préparant sa première tasse de thé de la journée.

naient le cours de mes pensées. [illegible] de laisser l'homéopathique [illegible] je tenais de [illegible] avec les restes de mon vieux moi, le bonheur m'inquiétait : je compromettais dans sa vie l'ordre et [illegible]. Quel courage aurais-je manqué pour l'écraser ? Et pourquoi ne l'avais-je pas confondu avec l'histoire de ces deux voyages à Londres ? Il est vrai qu'en y songeant, je lui trouvais aussi une faible excuse : c'est pourquoi ne sentirait pas qu'on le fût menacé, écrasé par la fièvre et d'inquiétantes colonnes. Toute forme d'orgueil me para le repos. Quant à Anne, je n'avais pas besoin de [illegible] pour comprendre en quoi elle tenait la grande souffrance commencée ces derniers mois lorsque j'étais venu m'enterrer vivant à [illegible]. Au fond j'avais rarement été aussi heureux dans ma vie que pendant la demi-heure où la femme était évanouie dans mes bras. Et il me restait à retrouver au fil des heures toujours suivies de la nuit, le secret, infiniment doux, de sa voix étouffée au [illegible] sonore qui ne s'interrompait qu'à l'aube avec les cris d'un vol de corbeaux et le piétinement de [illegible] de Alex Colbert préparant sa première tasse de thé de la journée.

Mrs Colleen, en peignoir rose de nylon molletonné, les cheveux empapillotés, buvait du thé à sa manière habituelle, juchée sur un haut tabouret, à côté d'elle un livre posé sur le buffet. Ce n'était plus un traité de jardinage comme la veille, mais un opuscule sur les soins à donner aux chiens :

— Bonjour ! dit-elle. Jolie journée, n'est-ce pas ? Vous verrez des bécasses...

Le rideau soulevé découvrait le jardin, la campagne et les arbres givrés. Des corbeaux battaient frileusement des ailes sur les branches dénudées.

— Je ne sais pas si nous donnons assez de matières grasses à Grouse, dit Mrs Colleen. Par des temps pareils, elle a besoin de calories. Irez-vous dans le marais ?

— Non, plutôt dans les bois. Quand le sol durcit, les bécasses cherchent les endroits humides et abrités.

— Je n'ai pas vu votre voiture sous l'auvent.

— Jerry Kean me l'a empruntée pour ramener sa sœur chez lui...

Mrs Colleen but une gorgée de thé et alluma une cigarette dont elle tira des bouffées appliquées, signe qu'elle hésitait à proférer un jugement désobligeant :

— Cette princesse, elle a vraiment très peu l'air d'une princesse. Enfin, évidemment, il y a princesse et princesse. Elle fera mal oublier qu'elle est américaine.

— Sans doute ne souhaite-t-elle pas l'oublier elle-même.

— Oui, c'est possible.

J'allai chercher Grouse qui couchait au chenil derrière le cottage. Elle m'accompagna dans la cuisine et trouva tout de suite le bol de lait tiède et les morceaux de pain préparés par Mrs Colleen.

— Joe Mitchell qui est notre meilleur chasseur du Clare, dit-elle, assure qu'il faut toujours nourrir légèrement les chiens avant la chasse.

— Willie Kox est de votre avis sur Joe Mitchell, mais Taubelman qui se croit, lui, le meilleur chasseur du Clare, prétend le contraire.

— Je ne connais pas ce M. Taubelman. Il doit être bien prétentieux, mais sa fille est si belle... Quand quittera-t-elle l'hôpital ?

— Bientôt.

Mrs Colleen ne donnait pas l'impression de s'occuper de commérages, pourtant, par un biais, elle trouvait le moyen de vous assurer qu'elle savait tout. Ainsi, bien que j'eusse évité d'en parler, elle n'ignorait pas mes dîners au cottage et mes rencontres avec

Taubelman. Elle les blâmait, parce qu'elle m'aimait bien et souhaitait qu'un homme aussi discret que moi ne se laissât pas distraire par de mauvaises fréquentations.

— Vous ne faites plus de musique, dit-elle sur un ton de reproche.

— Je crains souvent de vous importuner.

— Vous savez que non. J'aime la musique. Dans ma jeunesse, je jouais de la harpe, instrument un peu trop encombrant pour un voyage en Thaïlande. Mr Colleen m'a refusé ce plaisir. J'ai dû me contenter d'un harmonium trouvé là-bas, mais je manque de pratique. Encore aujourd'hui, la malchance veut que ce soit Mrs Campbell qui tienne l'harmonium à l'église. Elle a beau avoir quatre-vingts ans, elle n'est jamais malade.

— C'est dommage !

— Oh non quand même pas...

— Je veux dire : c'est dommage que vous n'ayez pas plus souvent l'occasion de jouer...

— Regardez-la : elle a fini son écuelle et en voudrait encore.

— Je la nourrirai au retour.

— Vous avez sans doute raison.

Mrs Colleen écrasa sa cigarette dans le cendrier et descendit de son tabouret pour laver sa tasse et la théière. L'usage veut que je m'occupe de ma propre tasse et de l'écuelle de Grouse. Nous nous entendons bien parce que nous avons institué des rites qui nous évitent de peser l'un sur l'autre. Parfois, je me dis que

Mrs Colleen eut, sa vie durant, des rapports aussi formels avec Mr Colleen, et qu'ils n'échangèrent pas beaucoup plus de pensées secrètes que nous ne le faisons. Au fond, avec nos vingt ans de différence, nous formons un excellent ménage à citer en exemple à la messe du dimanche matin. Nulle inconvenante relation sexuelle ne vient jeter d'ombre malpropre sur notre amitié. J'ajoute qu'au petit déjeuner, Mrs Colleen n'est pas fardée et m'offre nu son frais visage de petite vieille. Malheureusement, dans la journée, elle croit bon de se poudrer de blanc et de rosir ses lèvres. Personne n'est parfait.

De retour dans ma chambre, je sortis l'électrophone. Depuis deux mois, je ne m'étais pas offert un instant de musique, même pas à l'heure de ma toilette, heure où, pendant des années, j'avais écouté des airs d'opéra. Peut-être la musique me quittait-elle sans que je m'en aperçusse, comme me quittaient tant d'autres goûts qui se lassaient de mon inattention. En fait je suis un mélomane tardif dont l'oreille a eu besoin d'éducation. A force de répétitions, j'ai découvert dans la musique l'écho de beaucoup de sentiments confus qui m'agitaient. Cet écho m'atteint parfois avec une violence inattendue. Il me blesse ou m'enthousiasme et j'éprouve une insatisfaction délicieuse à ne pouvoir le garder prisonnier en moi. Un peu plus d'oreille m'aurait permis de répéter dans ma tête certaines phrases qui me touchent jusqu'à me laisser les nerfs à vif. Cette incapacité à retenir la musique, à la laisser chanter en moi comme je laisse chanter des vers de Racine, de Nerval ou d'Apollinaire, me l'a toujours fait considérer comme un art insaisissable qui ne supporte que la liberté. Je ne parviens pas à la mettre en cage, je dois la laisser se diluer dans les airs, d'où, peut-être, cette impression d'angoisse devant l'infini ressentie une fois, jusqu'au vertige, au théâtre en plein ciel des jardins du Vittoriale à Gardone, une nuit pendant l'audition d'un concerto de Mozart que jouait l'orchestre de la Scala de Milan. Dans l'architecture compliquée d'une symphonie je distingue des détails qui captent souvent mon attention au détriment de l'ensemble, détails qui font dériver mon rêve parce qu'avec des notes isolées ils expriment des joies et des peines que les mots cerneraient d'un trait trop précis. Mon ignorance même me permet d'écouter avec un égal bonheur certaines méditations grandioses de Beethoven dans ses symphonies ou les plaintes charmantes de Schubert, sa mélancolie si nue, si fragile de cœur sans défense devant la vie. Là où les mélomanes goûtent la beauté d'un ensemble, je m'effraye de ne comprendre que des phrases. Ces phrases, je peux les entendre cent mille fois sans m'en lasser. Ainsi en a-t-il été de la *Sonate en la majeur*, opus 120, de Schubert dont je possède plusieurs interprétations, une d'une délicate pureté, détachée, aérienne par Vladimir Ashkenazy, une plus forte de Wilhelm Kempff, et enfin une autre, ma préférée, que je cherchai, ce matin-là, avec anxiété plusieurs minutes avant de mettre la main dessus, par

Maria Schmitt del Tasso. La pochette représente une jeune femme au piano, le buste penché en avant, la tête inclinée tandis que la main gauche plaque un accord. Son profil régulier exprime une concentration intense, un détachement total de tout ce qui n'est pas le morceau qu'elle exécute. Sans le ruban qui ceint son front, il n'est pas certain que je l'aurais identifiée à la photo contenue dans le cadre d'argent de la chambre d'Anne à Dun Moïran, mais il y avait aussi, maintenant que je la connaissais, une expression d'Anne, une volonté tendue vers la perfection, ce que nous avions apprécié un jour en l'épiant à l'orée d'un bois tandis qu'elle sautait et ressautait le même mur jusqu'à ce que sa jument eût mis de l'ordre dans son enthousiasme.

Je posai l'aiguille sur le disque et tout de suite la petite phrase me perça le cœur. Je me souvins des pages de Proust sur la sonate de Vinteuil, qui, lues à vingt ans, m'avaient laissé assez indifférent, mais relues trente ans plus tard s'étaient soudain éclairées d'un jour nouveau parce que des phrases musicales s'attachaient à des périodes de ma vie. Sans la sonate de Vinteuil, Proust n'aurait jamais pu expliquer l'amour de Swann pour Odette. Il a fallu quelque magie pour que le charmant et subtil Swann se prenne de passion pour une grue comme Odette de Crécy qu'il ne trouve même pas belle, dont il mesure le néant intellectuel et qui le trompe sans scrupule. Seul l'envoûtement explique que Swann ait été aveuglé à ce point-là. Dans la phrase de Schubert, répétée avec une insistance qui m'enivrait, je découvris ce jour-là un motif capable du même envoûtement, et je sus, à mon tour, que la phrase de Schubert resterait désormais liée au nom d'Anne, à la découverte de sa chambre de jeune fille, à sa silhouette en kimono bleu pâle rehaussé de dessins noirs, à ses cheveux dénoués, à son corps allongé sur le sable de Lahinch sous le vol en spirale des goélands argentés. Quelques notes frappées avec une justesse infinie suffiraient à l'évoquer pour toujours, quoi qu'il arrivât, quoi qu'elle devînt.

J'essuyai les vitres embuées pour contempler la campagne givrée que le soleil encore bas teintait de lueurs orangées, et j'eus envie de sortir tout de suite, sans attendre Jerry, d'aller seul à la rencontre des oiseaux, de marcher dans l'herbe craquante, poudrée de sucre, moment merveilleux où le gibier encore engourdi n'est plus aussi craintif. Mais Jerry arriva quand je m'habillai, accompagné de Sharon et après une hésitation, je leur fus reconnaissant de ne pas me laisser m'enfoncer plus avant dans la tentation de la solitude. Sharon me parut plus belle que jamais, bien qu'elle fût habillée des défroques déchirées et salies de son frère, et d'un bonnet de laine blanche à pompon comme en portent les pêcheurs d'Aran. Le froid avivait son fin visage aux teintes de pastel : le bleu noyé des yeux, le rose des joues, le rouge vif des lèvres. Elle ne portait pas de fusil, se refusant à tirer, mais elle aimait marcher avec nous, les mains au fond de ses larges poches que nous n'avions guère de scrupules à bourrer de gibier.

A trois miles de là, se trouvait une forêt de hêtres au cœur de laquelle achevait de tomber en ruine une lourde demeure géorgienne, reste d'une splendeur passée avec de vastes écuries aux toitures effondrées. Du gardien qui vivait en lisière, nous avions obtenu l'autorisation de chasser de temps à autre, sans abuser et nous n'abusions pas, ne venant qu'une fois par mois pour quelques faisans, et, cette fois-ci, des bécasses. Dès que nous fûmes à couvert, la forêt nous prit dans son odeur douceâtre de mousse trempée, de bois mort et de feuilles pourrissantes. Elle bruissait presque imperceptiblement, craquait dans ses hautes branches, secouait des gouttes invisibles qui nous tombaient sur le nez, le dos de la main, glacées. Des feuilles d'or tourbillonnaient autour de nous, avec une lenteur espiègle, aussitôt confondues dans le tapis épais qui étouffait nos pas. A notre approche, les ramiers s'envolaient d'un bruyant battement d'ailes répercuté par les arbres. Pack et Grouse fouillaient les abords de l'allée que nous remontions, à la fois attentifs aux arrêts et rêvant des bogheis et des victorias qui passaient au trot sous ses ombrages avec leurs conducteurs en tube et leurs passagères voilées de mousseline. Des jeunes femmes s'étaient assises sur ces bancs de pierre noircis de lichens, avaient écrit leurs noms à même l'écorce éléphantesque des hêtres, et maintenant tout était mort, le domaine retournait à l'abandon des premiers âges. Nous avancions dans un monde dont un mystère parfumait la vie furtive et feutrée. Jerry tira la première bécasse magnifiquement coulée et arrêtée par Grouse, sur notre gauche, et d'un buisson jaillirent devant nous un chevreuil deux cors et sa chevrette. Ils s'enfuirent par bonds, sautèrent un mur si rapidement que nous nous demandâmes si nous les avions réellement vus, s'ils n'appartenaient pas aux phantasmes de la forêt. La main nue de Sharon se posa sur la mienne.

— C'est terriblement beau, dit-elle. Nous ne devrions plus bouger.

Mais Pack revenait, la bécasse dans sa gueule, agitant la queue. Jerry le caressa et prit l'oiseau qui mourut dans sa main après quelques soubresauts. Sharon le glissa dans sa poche et nous marchâmes jusqu'à un étang bordé d'arbustes morts recouverts d'un champignon verdâtre phosphorescent dans la lumière glauque du sous-bois. Deux bécasses s'envolèrent que nous eûmes la chance de tuer net, la seule excuse de la chasse quand un oiseau tombe comme une pierre en tournoyant autour de ses ailes cassées. Les bécasses flottaient au centre de l'étang et Pack bondit pour les rapporter. Il revenait quand nous vîmes un remous incompréhensible à son flanc, une sorte de serpent noir aplati et tendu comme un arc, puis le serpent plongea et un dos noir et luisant surgit, un museau couronné de barbes dures. Pack lâcha la bécasse et hurla. La loutre disparut. Quelques secondes après, nous revîmes encore sa queue, puis, sur la rive opposée, son corps huileux qui se faufilait dans les herbes et les ronces. Pack reprit sa bécasse et la déposa au pied de Jerry. Mordu à la cuisse, il saignait à peine, mais refusa d'aller chercher le deuxième oiseau. Grouse plongea et le rapporta. L'apparition de l'animal hideux relevait du fantastique comme si la forêt retournée à l'état sauvage se vengeait soudain de notre intrusion. Je regardai Sharon : elle était livide, les lèvres pincées.

— Partons ! dit-elle. Je n'aime pas ça.

Nous revînmes vers l'allée envahie par les herbes et les feuilles mortes. Elle débouchait sur la clairière où se dressait la maison délabrée. Dans la belle lumière gaie du matin, ce spectacle qui aurait dû nous sembler désolant — le spectacle de l'abandon, de la démission d'une famille ruinée — nous frappa au contraire par son romantisme théâtral. Le portique, soutenu par de lourdes colonnes de grès, attendait les acteurs d'une pièce décadente, les jeux d'enfants sauvages, quelque chien hiératique tournant lentement la tête vers les nouveaux venus, le suicide d'un jeune homme pâle aux lèvres trop rouges et aux cheveux trop longs. Le soleil dégivrait la pelouse abandonnée et nous avançâmes dans un bain de rosée jusqu'au perron. Des planches clouées bouchaient les fenêtres. Jerry en arracha une, découvrant des vitres brisées. Une vive odeur de moisi nous sauta au nez. A l'intérieur, on distinguait une rangée de fauteuils recouverts de housses crevées, un billard au tapis déchiré, des cadres vides de leurs tableaux ou de leurs gravures. Sharon voulut entrer et Jerry, en brisant quelques petits bois qui tombèrent d'eux-mêmes en poussière, rongés par les termites, ménagea une ouverture par laquelle nous nous glissâmes dans cette tombe poussiéreuse.

— Je l'achète, dit Sharon. Venez, visitons...

— Très peu pour moi, dit Jerry. J'ai horreur des maisons de famille. Je continue les bécasses.

Il ressortit et je restai seul avec elle qui tournait sur les talons pour promener un regard circulaire dans cette pièce morte. Au-dessus de la cheminée, se dressait un grand miroir brisé à hauteur de visage. Sharon poussa une porte et nous nous trouvâmes dans le hall d'entrée où ne subsistaient qu'un miroir égale ment brisé à hauteur de visage et une grande botte en bois qui avait dû contenir autrefois les cannes de ces messieurs et les ombrelles de ces dames. De pièce en pièce, nous découvrîmes le même pesant mobilier en bois noir sculpté et surtout des miroirs brisés à hauteur du visage. En fait, tous les cadres étaient vides et les miroirs brisés de la même façon, un trou d'où rayonnaient les cassures. Avec un couteau, je sortis une balle d'un des miroirs. Ainsi, avait-on systématiquement tout cassé à coups de revolver et il ne pouvait s'agir de l'œuvre d'enfants malfaisants, les coups avaient été tirés de façon à ce que le miroir ne réfléchît plus un visage.

— J'aimerais tant connaître l'histoire de cette maison ! dit Sharon.

Elle retira son bonnet et le flot de ses cheveux dorés encadra son visage, tomba sur ses épaules. Oui, elle était vraiment belle, si belle qu'elle méritait une histoire, et comme à une enfant — moi qui n'inventais plus, qui vivais sur un futur dont la peau de chagrin rétrécissait tous les jours — je racontai la vie de la maison Templer. Nous étions au premier étage, dans une chambre dont le papier, gonflé d'humidité, se boursouflait par endroits et laissait apparaître dans le mur de longues fissures salpêtreuses. On distinguait encore — bien que pâlies, décolorées, comme lavées à grande eau, poncées par le temps, et tachées d'un suint brunâtre — les scènes champêtres qui avaient apporté une onde de gaieté à cette chambre : moutons dans un pré, bergers jouant de la flûte et couples romantiques se promenant dans la campagne. Une jeune femme habitait ici, trente ou quarante ans auparavant, rêvant d'elle-même assise devant cette coiffeuse dont la marqueterie gondolée encadrait un miroir encore brisé. Peut-être son regard s'était-il égaré sur la clairière que Jerry traversait maintenant suivi de Pack, en direction d'un massif de rhododendrons. Une bécasse que nous ne vîmes pas dut en surgir. Le coup de fusil assourdi, horriblement lointain, fit vibrer les carreaux des fenêtres et trembler les toiles d'araignées qui tamisaient la lumière...

Les Templer étaient des Anglais, de petite noblesse, originaires du Staffordshire où leur château est mainte nant une colonie de vacances. Mais ils n'aimaient que l'Irlande où ils s'étaient bâti, vers le milieu du siècle dernier, cette maison au cœur d'un domaine de trois mille acres. Ils y vivaient plus de six mois par an, occupés de chasse et de chevaux. Ce n'étaient pas de mauvaises gens, plutôt une famille d'innocents, affectant un rien de morgue en trop pour faire oublier que leur titre datait de peu. Les vrais aristocrates ne s'y méprenaient pas, mais le bon peuple admirait leur superbe, la grâce des femmes et de leurs filles, la santé des comtes et de leurs fils. Depuis plusieurs générations, sans que l'on sût exactement à qui cela remontait, une maladie héréditaire affligeait les comtes de Templer, maladie qui ne semblait d'ailleurs nullement les gêner, qu'ils acceptaient même comme un signe de race, une faveur insigne du Créateur pour les distinguer du commun des mortels. Curieusement, cette tare ne touchait que l'aîné des Templer, épargnant les cadets et les femmes. On ne la décelait pas dès l'enfance, mais vers la dixième année quand le premier héritier, quittant les mains des nurses, faisait enfin connaissance avec son père. L'enfant qui avait eu, jusque-là, un comportement normal attrapait la maladie du chef de famille : il aboyait en parlant. Bien sûr, il ne s'agissait pas tout à fait d'un aboiement, car dans les sons échappés de leur bouche — tous les Templer l'avaient fort large, avec une denture solide comme d'un pointer — une oreille exercée distinguait encore des mots. Leur entourage semblait les comprendre assez bien et les serviteurs eux-mêmes s'adaptaient à ce langage. De toute façon, les comtes de Templer ne parlant que de chasse à courre, on tenait déjà un fil qui permettait de démêler le sens des aboiements. Il s'agissait toujours d'une bonne ou d'une mauvaise chasse, d'un chien ou d'une chienne de meute qui n'accomplissait pas bien son travail, d'un renard plus rusé que les autres, d'un nouveau cheval qui s'était cassé une jambe ou refusait un obstacle naturel à moins qu'il ne sautât comme une bombe. Cette métamorphose vocale s'accompagnait d'une lente transformation physique, invisible pendant la jeunesse, mais soudain évidente à la maturité. Elle échappait aux yeux de ceux qui n'avaient pas vu un des comtes de Templer depuis dix ou vingt ans. Le remarquable est que cette mutation n'était pas la même de génération en génération. En effet, les Templer, tous beaux jusqu'à vingt ans, bien bâtis à chaux et à sable et non sans grâce, devenaient d'une laideur caractéristique. Les lobes des oreilles s'allongeaient et se couvraient de poils, les joues devenaient bajoues, les coins extérieurs des yeux s'affaissaient et sous l'effet de l'alourdissement des paupières, le blanc de l'œil disparaissait. On ne voyait plus que l'iris d'un marron terne et la pupille dilatée dès la tombée de la nuit. En un mot, les comtes de Templer se mettaient à ressembler à des chiens. Et chacun à un chien différent. Ils ne devaient guère s'en douter car tous, dès la quarantaine, convoquaient un portraitiste en renom qui demeurait plusieurs mois avec eux en Irlande et peignait chaque membre de la famille. Les héritiers du titre avaient droit à un tableau en pied, les autres au buste seulement. Cette collection extraordinaire qui fut visible jusqu'au suicide dément de Mary-Dorothy a été entièrement détruite par le notaire chargé d'exécuter la volonté de la dernière des Templer. Mais ce notaire avait pris soin de photographier pour sa documentation personnelle la galerie du château. Il m'avait montré huit générations de Templer parmi lesquels on pouvait reconnaître : un cocker spaniel, deux saint-bernard, un épagneul d'eau anglais, deux griffons d'arrêt à poil dur, un setter irlandais et un dogue de Bordeaux. Le reste de la famille conservait, au contraire, une apparence des plus humaines. Les cadets et les filles, s'ils ne disaient rien de remarquable, le disaient de façon intelligible, n'affectant que le bégaiement en usage à la sortie des collèges et des couvents. Tout ce monde vivait heureux ainsi. La terre tournait sans que depuis sept ou huit générations, les Templer s'en fussent aperçus. Les révolutions, les guerres, l'industrialisation ne les atteignaient pas. Pour s'occuper de ces choses, il y avait la police, les soldats et les ouvriers. Les Templer gardaient les mains propres et la chance voulait que l'aîné fût toujours un fils, un solide garçon aux jambes arquées dès la vingtaine, un peu ventru vers la quarantaine à cause d'un goût congénital pour la bière, goutteux à soixante, gâteux à quatre-vingts, mort vers quatre-vingt-dix ans, pleuré sinon par les siens, du moins par ses domestiques. C'est en 1914 que les choses se gâtèrent, lorsque la Grande-Bretagne découvrit la conscription. Tout un pan de voile se déchira, par lequel cette famille heureuse comme avant le Déluge, s'aperçut qu'elle vivait dans un monde d'horreurs où l'on traitait les hommes avec aussi peu de charité que les renards et les chevreuils. Le vieux comte de Templer en mourut avant l'âge, à quatre-vingts ans. Son fils, Edward, mobilisé à cinquante ans dans les gardes de voies de communication, est le seul mort de cette arme respectable, s'étant endormi, un soir de veille, sur les rails du Londres-Bristol. Enfin, le petit-fils, George-Andrew, dernier du nom, fut appelé dans l'infanterie britannique où son nom et son titre lui valurent d'entrer automatiquement dans une école d'officiers. Il n'aurait jamais pu passer le moindre examen si ses supérieurs n'avaient remarqué les étranges sonorités de sa voix. On ferma les yeux sur ses capacités intellectuelles pour le sacrer meneur d'hommes. Enterrées en Artois, les troupes britanniques avaient besoin de commandements rauques et répétés pour se décider à abandonner leurs tranchées qui fleuraient bon le thé et la marmelade d'orange. George-Andrew fit merveille. On venait de lui décerner le D.S.O. quand un schrapnell mit fin à la lignée des Templer. Sa grand-mère, sa mère et sa sœur, la belle Mary-Dorothy, apprirent la nouvelle dans le Staffordshire. Le château familial leur parut désormais si odieux qu'elles n'eurent plus qu'une pensée : regagner l'Irlande où elles avaient été heureuses. Elles s'installèrent dans la maison et tentèrent de revivre le passé. Dès la fin de la guerre, Mary-Dorothy se promut maître d'équipage et, de nouveau, la forêt et la lande retentirent des Taïaut ! Taïaut ! lancés d'une voix de plus en plus puissante par la frêle jeune fille en veste rouge, une des premières à ne plus monter en amazone. C'est alors que son entourage commença de noter la modification : elle devenait de plus en plus incompréhensible. La tare des Templer frappait enfin les femmes : Mary-Dorothy aboyait. L'effet fut saisissant, comme si on le remarquait bien plus dans une jolie bouche que dans la gueule carrée des comtes. Sa grand-mère, une charmante vieille dame au visage en pomme d'api, en mourut de chagrin. Sa mère s'enferma dans sa chambre pour n'en plus bouger. Mary-Dorothy fut elle-même quelque temps avant de s'apercevoir de la mue de sa voix. Quand elle n'eut plus de doutes, elle en conçut une extrême fierté, prit des manières hommasses qui juraient avec sa beauté délicate digne du pinceau d'un des innombrables disciples de Gainsborough. Vers 1930, sa mère étant morte, Mary-Dorothy fut seule maîtresse du domaine. Alors sa passion pour la chasse à courre ne connut plus de frein. Elle vivait à cheval sept à huit heures par jour toute l'année, entourée de sa meute, courant la lande et les bois jusqu'à épuisement de son équipage. Il n'était pas rare qu'elle terminât seule la chasse à vingt ou trente kilomètres du rendez-vous, obligée de téléphoner pour qu'on lui envoyât le van qui ramasserait ses chiens et sa monture au bord de la syncope. On disait que le cheval lui donnait des satisfactions que d'autres préféraient prendre avec un homme. Il y eut pourtant une éclaircie dans cette folie furieuse, lorsqu'un jeune Américain, d'origine irlandaise, vint s'installer dans le pays et demanda à faire partie de l'équipage. Harold, un grand garçon aux hanches minces de cow-boy, au beau visage viril, avait passé son enfance dans le Texas. Il montait un peu comme les champions de rodéo, les étriers longs, vissé sur son cheval, mais très vite il adapta son style à la nature du terrain, aux murs de pierraille, aux haies, aux banquettes et fut un des meilleurs cavaliers de l'équipage, encore qu'on lui reprochât de sauter d'un bond sur son cheval comme les Indiens dans les films du Far West. Mary-Dorothy en fit son premier piqueux bien qu'il eût grand mal à reconnaître par leur nom les trente chiens et les trente chiennes de la meute. Tout le monde s'attendait à l'inévitable : la chute (morale) de Mary-Dorothy. Elle ne tarda guère, mais Harold résista. La passion monta d'un seul côté tandis que le jeune homme convoquait ses amis pour l'admirer dans ses nouvelles fonctions. Un jour avec deux Texans, il se trouva derrière Mary-Dorothy qui, au comble de l'excitation et peut-être parce qu'Harold la regardait, lança son cheval sur une barrière en bois de six pieds de haut. Elle la sauta, mais à la réception, le cheval fit une faute et se brisa l'antérieur droit contre une pierre. La jeune fille fut catapultée dans un bain de boue et de pierres. Elle perdit connaissance un moment et ne se réveilla que pour entendre les sarcasmes d'un ami d'Harold :

— Elle est jolie, votre fiancée !

— Oh, dit Harold, on prétend qu'elle l'a été, mais il est évident que de semaine en semaine elle ressemble de plus en plus à un lévrier anglais. Je l'aurais bien épousée, mais la perspective d'avoir pour enfants des petits lévriers m'ennuie. A la vérité, je déteste les lévriers. Je n'aime que les sky-terriers.

Au retour chez elle, Mary-Dorothy se contempla dans un miroir et l'affreuse réalité lui apparut : son nez s'allongeait, son menton s'effaçait, et ses oreilles s'agrandissaient, toutes roses à l'intérieur comme si un catarrhe les travaillait. A la sortie suivante, elle fut si odieuse et méprisante avec Harold qui confondait sans cesse les noms des chiens, qu'il répondit en contrefaisant un aboiement. Elle lui cingla le visage de sa cravache. Deux fois en diagonale. Il hurla de douleur. Elle emboucha sa trompe et rameuta les chiens. Le soir même, à coups de revolver, elle brisait les miroirs de Templer House. Harold quitta l'Irlande, le visage marqué d'un X de chair boursouflée. Mary-Dorothy continua de chasser éperdument. Sa ressemblance avec un lévrier devint effrayante et elle ne prit même plus la peine d'articuler les mots. Son entourage vivait dans la terreur de sa cravache, qui, à la moindre contrariété, cinglait serviteurs, chevaux et chiens. Elle fut bientôt seule dans sa maison, avec une vieille bonne infirme réfugiée dans la cuisine du sous-sol où elle préparait dans des chaudrons de sorcière, une bouillie commune à Mary-Dorothy et aux chiens. Pour le service des écuries et du chenil, elle conserva un garçon du pays, Christopher, sourd et muet, une force de la nature dont tout le plaisir était de lutter avec de jeunes taureaux. Avec cela, un physique assez beau, des mains de tueur et l'intelligence d'un enfant de cinq ans. Mary-Dorothy conduisait seule son énorme van jusqu'aux rendez-vous de la chasse, Christopher assis à ses côtés, toujours attentif à ses moindres volontés. Quand, à mi-journée, le cheval de Miss Templer était fourbu, le lad apparaissait, où que ce fût, avec une nouvelle monture sellée et bridée, et l'équipage repartait. La haine de Mary-Dorothy pour les renards tournait à l'obsession. Plusieurs fois elle descendit de cheval au moment de la curée et l'équipage horrifié crut lorsqu'elle se jeta dans la meute qu'elle allait participer à la mise en pièces. On la vit revenir, les mains sanglantes, brandissant la queue ou la tête que des chiens lui disputaient en sautant autour d'elle. Jusqu'au matin où elle apprit le mariage d'Harold aux États-Unis, peu avant le début des hostilités de 1939. Elle resta enfermée deux jours sans manger ni boire, répondant par des aboiements aux coups discrets frappés à sa porte par la vieille bonne. Puis elle descendit dans la cour, ouvrit la porte des chenils et les deux meutes s'évadèrent en hurlant dans la campagne, dévorant les agneaux dans les prés, semant la panique dans les troupeaux de vaches et dévastant les basses-cours. Elle libéra ensuite ses six chevaux et rentra chez elle pour écrire son testament. Elle léguait le château du Staffordshire à sa vieille bonne et Templer House à son garçon d'écurie. Quand elle eut pris ses dispositions, elle appela Christopher dans sa chambre, se déshabilla devant lui et se fit prendre à quatre pattes par le simple d'esprit. Après qu'il eut joui, elle l'arma d'un revolver à barillet, lui montra par gestes comment il devait tirer dans son oreille, puis à quatre pattes de nouveau, elle commença de manger une carcasse de poulet. Christopher la tua comme elle avait elle-même tué ses chiens quand ils étaient trop vieux ou qu'une maladie incurable les frappait. Ceux qui virent son cadavre nu dans la chambre dirent que, le visage intact, elle avait recouvré sa beauté de jeune fille comme si le coup de feu avait tué le démon qui la tenait en sa possession. Christopher fut arrêté et enfermé dans un asile où il est encore. La maison lui appartient. On ne peut ni la vendre ni la réparer. De toute façon, personne ne l'achèterait, car elle est hantée. Les nuits anniversaires de la mort de Mary-Dorothy, la lande et les bois retentissent d'aboiements de chiens et de hennissements de chevaux. Je connais deux garçons qui avaient parié de passer une nuit dans cette chambre. A minuit, ils ont entendu des râles de plaisir d'une femme en rut qui s'interrompirent sur un sec coup de feu. Ils se sont enfuis. Le plus jeune s'est cassé une jambe en sautant par la fenêtre et son compagnon est mort peu après d'une maladie dont personne n'a su déceler les origines...

Sharon me regarda longuement avant de lever sa longue main froide vers mon visage. Ce fut une caresse très douce sur ma joue et mon front.

— Qu'avez-vous ? demanda-t-elle.

Je le lui dis et sa main continua de courir sur mon visage. Le revers de l'index s'attarda sur mes lèvres et je baisai ce doigt offert. Au-dehors, il y eut un coup de feu et Sharon, livide soudain, se pressa contre moi. Les vitres tremblèrent, un morceau de plâtras se détacha de la corniche pour se briser en gravats sur le plancher poussiéreux. Puis Jerry nous appela du rez-de-chaussée et nous descendîmes.

— Que faisiez-vous là-haut ?

— Tout compte fait, je n'achèterai pas cette maison, dit Sharon.

Jerry avait manqué trois bécasses comme cela arrive souvent après un brillant départ et il paraissait profondément dégoûté, accusant Pack et Grouse, le froid qui lui gelait les mains, quelques verres de trop bus avant de se coucher et Sharon qui avait encore parlé une longue partie de la nuit. Nous regagnâmes le cottage où Mme Li, abandonnant sa planche à repasser, et ses travaux d'aiguille, avait cuisiné un faisan. Nous couronnions ce déjeuner d'un irish coffee quand Taubelman apparut, avec une mine de déterré. Il repoussa d'une main molle le verre de cognac offert par Jerry. Affalé dans un fauteuil, le teint d'un jaune à hurler, sa laideur n'avait plus rien de caractériel : elle était simplement repoussante. Il revenait de l'hôpital où on refusait de libérer Anne avant une dernière radio. Le jeune interne lui avait proposé d'acheter la jument coupable et avec un culot formidable, il en offrait trois cents livres alors qu'elle en valait le quadruple. Sœur Agnès menaçait encore de prier pour Taubelman. C'était vraiment une personne impossible. Quand allait-on laïciser les hôpitaux où la présence de Dieu était une insulte à la souffrance humaine ? Anne n'avait pas mal, mais on lui maintenait le bras dans une attelle, chose absurde pour une simple clavicule cassée. Il était évident que les médecins de cet hôpital cherchaient à se donner de l'importance. Mais, lui, Taubelman qui avait passé deux ans dans une université italienne en savait plus qu'eux.

Je lui demandai à quelle université.

— A la Faculté de médecine de Bologne, monsieur ! dit-il comme si je l'offensais par mon souci de précision.

Après tout, c'était dans le domaine du possible, encore qu'invérifiable, et Taubelman pouvait posséder sur des sujets médicaux une de ces teintures que vous offrent les magazines parascientifiques. Il en profita pour nous raconter une histoire rocambolesque qui lui était arrivée à cette époque-là, alors qu'il escaladait le Gran Sasso dans les Abruzzes avec des étudiants de la Faculté. Comme ils traversaient un pâturage, ils avaient remarqué un troupeau de chèvres massées autour d'une bergerie en pierres plates. Des cris de femme en sortaient et ils s'étaient précipités pour découvrir, vautrée sur un lit d'herbes sèches, une jeune paysanne d'une vingtaine d'années, les mains crispées sur son ventre. Il avait diagnostiqué une crise foudroyante d'appendicite, et l'avait opérée sur-le-champ, dans la cabane à la lumière d'une bougie, avec pour seuls instruments, une lame de rasoir, une pince à épiler et du fil à coudre les boutons. Le plus difficile avait été de lui retirer sa culotte qu'elle défendait farouchement bien que ce chiffon des plus douteux ne découvrît, une fois enlevé, rien d'admirable. Ils étaient quatre pour la maintenir, pendant que les chèvres un moment effrayées, puis rassemblées de nouveau autour de la hutte, bêlaient à la mort. Tout s'était très bien passé et, à peine recousue, la petite bergère avait voulu se relever et sortir. On avait eu le plus grand mal à l'en empêcher, lui promettant de lui envoyer quelqu'un du village voisin. Alors, elle s'était mise à gratter des fromages de chèvre moisis sur une planche et à manger la mousse verdâtre des champignons, le seul remède, disait-elle, contre toutes les infections. Les paysans l'employaient dans la région depuis toujours. Oui, Taubelman l'assurait, les paysans des Abruzzes avaient découvert la pénicilline bien avant Sir Alexander Fleming... Quand ils étaient sortis de la hutte, au petit matin, le bouc les avait attaqués avec une violence et un acharnement inouïs et ils avaient dû lutter avec lui pendant près d'une heure avant de le terrasser et de s'enfuir. Mais en luttant corps à corps avec ce monstre poilu et suintant, ils s'étaient imprégnés de son odeur, et après plusieurs bains dans un torrent glacé, ils avaient dû se résigner à brûler leurs vêtements. Surpris, nus autour de leur autodafé, par les carabiniers, ils avaient été arrêtés, emmenés en prison à Sulmona où l'on pourrissait dans des geôles qui dataient d'avant Rome. Personne ne voulait croire à leur aventure et le chef des carabiniers, dans cette histoire de bouc et de paysanne opérée avec une lame de rasoir, suspectait une histoire de sorciers. L'opinion publique s'était emparée de la rumeur et, à la tombée du jour, des groupes formés devant la porte de la prison réclamaient la mort pour les sorciers qui dansaient nus autour d'un feu, empestant le bouc. Heureusement, un petit avocat, noir des pieds à la tête et le col couvert de pellicules, était parvenu jusqu'à eux, et ils l'avaient chargé de prévenir le recteur de la Faculté et de rechercher la paysanne. Elle était venue, tremblante, les mains agrippées à sa jupe, comme si on allait lui demander de la soulever pour montrer sa cicatrice. Elle jurait qu'ils lui avaient sauvé la vie et le télégramme du recteur les avait finalement disculpés. Mais les cinq étudiants avaient été obligés de sortir de prison la nuit, par une porte dérobée, pour échapper à la vindicte de la famille de Maria. Le père et quatre frères campaient à Sulmona et affirmaient bien haut leur volonté d'égorger les sorciers qui avaient déshabillé leur fille et sœur que, désormais, plus aucun homme des Abruzzes ne voudrait épouser...

J'insiste sur ce point : dans les histoires de Taubelman — celle-là comme celle de New York — il y a une part de vérité qui les rend plausibles. La pénicilline autour des fromages n'était pas une nouveauté. J'en avais déjà entendu parler en Grèce par un vieux paysan d'Andritsaina, et à Sulmona qui est une ville admirable et peu connue, plus ancienne que Rome, les prisons étaient, avant la guerre au moins, des oubliettes infectes. Taubelman inventait sans doute, mais avec un tel luxe de détails sur certains points, qu'une inquiétude se glissait en moi : tout était trop beau, la fin trop heureuse. Un *deus ex machina* se dépensait sans compter pour tirer notre héros de l'embarras. Et ce bouc ? On connaissait des bergers amoureux d'une brebis, mais un bouc amoureux de sa bergère et jaloux ? Enfin... pourquoi pas ?

Bref Taubelman était venu — grâce à la camionnette du laitier — pour dire qu'absolument dégoûté de la vie, il comptait sur nous pour tirer Anne des griffes des médecins et du clergé, sans quoi il monterait une affaire énorme, mondiale, porterait le différend sur la scène internationale et ferait voter un blâme à l'Irlande par le conseil de l'Europe, peut-être par l'O.N.U. A la vérité, il ne pouvait pas vivre sans Anne et maintenant qu'elle parlait, il brûlait d'être seul avec elle et de savoir de sa bouche à quel mur elle s'était heurtée pendant trois ans, mais de cette conversion brusque il ne parla pas, sujet trop dangereux pour les mythes dans lesquels il se drapait. Ses yeux s'emplirent soudain de larmes qui ne coulèrent pas et s'arrêtèrent dans ses cils, gouttes tremblotantes que la lumière irisa. Nous faillîmes être émus pour de bon et j'appelai Sœur Agnès dont la voix douce et calme rendit leur mesure aux sentiments que cet homme essayait d'agiter en nous. Elle voulut bien me dire la vérité : Anne ne désirait pas rentrer à Dun Moïran, mais il ne fallait pas que son père le sût. L'hôpital pouvait la garder deux ou trois jours encore. J'étais prié de l'expliquer avec ménagement et même de mentir sans qu'il s'inquiétât. Je remerciai Sœur Agnès et raccrochai pour retrouver le regard lourd et jaune de Taubelman.

— Alors ?

— Rien de grave, mais ils font les vérifications de routine. Anne a reçu un grand choc. Croyez-vous qu'on passe du silence où elle se murait à la parole sans que quelque chose se brise à l'intérieur d'un être ? On surveille son état général. Dans deux ou trois jours, vous la récupérerez. Cela dit, vous avez l'air bien plus mal en point qu'elle après votre cuite d'hier. Il serait prudent de rentrer vous coucher et de dormir. Demain, vous y verrez plus clair.

Il accepta et sa bonne volonté me donna quelques remords de le tromper aussi aisément. Il nous parut désarmé, comme un homme qui a peur d'une vérité et s'exalte pour ne pas la voir parce qu'elle le blesserait à mort. Il était possible que Taubelman méritât l'absolution au nom de l'amour qu'il portait à sa fille.

Enfin, il me demanda de le raccompagner à Dun Moïran. Dans la descente, alors qu'un bras passé sur mes épaules il s'appuyait sans grâce sur moi pour ne pas glisser dans la boue du sentier, Sharon nous rejoignit, un ciré jeté sur son dos, suivie de M$^{me}$ Li qui avait l'air de sautiller sur place, un gros sac à la main.

— Vous nous déposerez à Ennis, dit Sharon sur ce ton impérieux qu'on ne discutait pas.

Je laissai Taubelman à Dun Moïran où Sean prit livraison de lui et le conduisit jusqu'à sa chambre. Comme je me dirigeais vers Ennis, Sharon posa sa main sur mon bras :

— Non, après tout... je préfère aller dans le Connemara... vous savez cet endroit très beau... Leenden... il me semble que c'est le jour.

— Nous y arriverons peu avant la tombée de la nuit. Mieux vaudrait demain.

— Restons-y jusqu'à demain, après-demain...

— Donnez-moi deux minutes pour laisser Grouse et mon fusil chez Mrs Colleen.

— Deux minutes me paraissent amplement suffisantes.

Je pris quand même le temps de me changer, de serrer un rasoir, une brosse à dents et mon Swift dans une mallette. Le ciel se couvrit dès la sortie de Galway et nous entrâmes dans le Connemara comme dans un aquarium La pluie épaisse enveloppa la voiture, l'étreignit, roula par vagues sur les vitres des portières et le pare-brise. Le battement de métronome des essuie-glaces déchirait, à peine l'éclair d'une seconde, cette nappe ruisselante. Tout nous parut déformé, comme vu à travers le prisme d'un verre mal soufflé qui noyait et délayait les couleurs du paysage, le jaune des herbes et le noir de la tourbe, le vert des pinières et le bleu mouvant du lough Corrib. La route elle-même ne fut plus qu'un fleuve boueux dont nous remontions le cours sans savoir à quelle source il devait la vie. Les roues soulevaient de chaque côté des gerbes d'eau qui giflaient le dessous de la carrosserie ou retombaient en éclaboussures diaprées sur le capot fumant. Après Oughterard, nous ne rencontrâmes plus que des âmes encapuchonnées qui, au passage, nous adressaient des signes amicaux, pareilles à des nageurs sous-marins avant le coup de talon les ramenant à la surface. Une silhouette étrange se rapprocha, contorsionnée par la réfraction du pare-brise, un âne pie solitaire au milieu de la route, le poil trempé, les antérieurs entravés par un abot, insensible à l'avertisseur et que je dus pousser avec le pare-chocs pour passer. Il semblait que cette pluie, ou plutôt cette cataracte lâchée par les vannes ouvertes du ciel, ne s'arrêterait jamais, qu'un paysage de hauts fonds se substituait lentement à la vie du Connemara disparu. Enfin, comme nous approchions de l'Atlantique, dans une pénombre glacée de catastrophe, la pluie s'arrêta aussi soudainement qu'elle avait commencé et les nuages se déchirèrent pour découvrir un pan de ciel bleu dont la clarté raviva de couleurs pastel le dernier moment du jour. Nous longions une grève et la baie entière s'illumina d'une lueur rose qui dansa sur la houle dont, en baissant une vitre pour respirer l'air frais, nous entendîmes le ressac sur les galets d'un blanc cru taché par la rouille du varech. Au détour d'un chemin privé bordé de houx vernissés par la pluie, apparut le toit d'ardoises étincelantes de Leenden house, puis ses fenêtres miroitant comme des vitraux abstraits frappés de biais par les rayons du soleil qui se couchait à l'horizon là-bas, vers l'Amérique de Sharon.

A peine fûmes-nous entrés que l'odeur du bois et de la tourbe brûlant dans une grande cheminée, les profonds fauteuils de cuir, les boiseries de chêne et les gravures anciennes, une douceur feutrée de maison habitée et non d'hôtel, nous isolèrent du reste du monde.

Il n'est pas de plus grands fâcheux que ceux qui entreprennent de raconter leurs rêves. Si je m'y risque, ce n'est pas complaisance envers cet autre moi, détaché et prisonnier de l'instant, confronté tantôt jusqu'à l'angoisse, tantôt jusqu'au plaisir, avec la réalité onirique, mais parce que du séjour à Leenden avec Sharon et l'ombre chinoise de Mme Li, ce qui m'a le plus marqué ce sont les moments où je me trouvais en proie à des songes d'une netteté presque indélébile. Je me réveillais plusieurs fois la nuit avec, dans la bouche, la saveur de mon délire. Il suffisait de le transcrire en notes, même désordonnées, pour ne pas l'oublier. Et alors que d'ordinaire un rêve interrompu nous fuit à l'instant où, en ayant pris conscience, nous cherchons à le poursuivre, à Leenden j'eus la surprise de retrouver, chaque fois que j'éteignais la lumière après avoir pris ces notes, le fil interrompu. Ainsi ai-je vécu des rêves qui durèrent une nuit entière, qui s'ouvraient sur un incident fortuit, le plus souvent absurde, et se fermaient à la lumière du jour naissant sur un vœu achevé, comme si, avec des données disparates j'avais pu construire une vraie pièce de théâtre dont j'étais en même temps l'auteur, le spectateur et l'acteur.

J'ai gardé les notes prises aux moments éveillés. Elles sont là, sur ma table, et je ne parviens pas à y reconnaître mon écriture, celle que j'ai pour tracer ces lignes. Voici des *b*, des *h*, des *d*, entièrement différents des miens, une ponctuation dont le rythme m'est étranger, quelques mots que j'ai dû chercher dans le dictionnaire pour en découvrir le sens, au point que je me demande si mes rêves n'étaient pas la réalité et mes brefs éveils à la réalité des rêves infiniment trompeurs. Le plus curieux, en un sens, est le rôle joué par M^me^ Li. Cette personne qui savait se rendre invisible et se murer dans un silence sans soupir, qui apparaissait seulement quand on avait besoin d'elle, marchait à pas étouffés, disparaissait au moment où on aurait pu lui porter quelque attention, cette personne fut présente dans tous mes songes. Elle en était même parfois l'ordonnatrice muette à moins qu'elle se mît soudain à parler un anglais parfait comme pour se moquer d'elle-même et de notre crédulité. Tel fut le séjour à Leenden qui m'apparaît maintenant que j'en évoque le souvenir, comme une crise inattendue de somnambulisme, un heureux état d'inconscience après une longue tension. Tout concourait à nous isoler du monde que nous avions laissé derrière le rideau de pluie tiré sur le Connemara. Nous étions les uniques clients de cet hôtel feutré où les seuls bruits étaient ceux des plateaux de thé que l'on montait dans les chambres, des verres que l'on servait au bar, de l'Atlantique qui courait sur la grève et des goélands planant devant nos fenêtres.

Le premier soir où je m'endormis, ce fut pour trouver Mme Li sur une chaise trop haute. Ses petits pieds chaussés de ballerines se balançaient en un mouvement régulier qui devait battre la mesure d'une chanson qu'elle chantait dans sa tête. Plus que jamais, elle avait l'air d'un gros poussah, tout en formes rondes. Son visage lui-même, rond comme une pleine lune, semblait taillé dans une matière cireuse où de très minimes défauts marquaient l'emplacement des yeux, de la bouche et du nez. Un catogan tirait en arrière ses cheveux d'un noir-bleu avivé par quelques fils blancs à hauteur des tempes. Paupières baissées, elle ravaudait un caleçon long de grosse toile écrue, une de ces antiquités qu'on trouve dans les marchés de campagne. Ce caleçon appartenait d'évidence à Taubelman que mon regard découvrit, peu après, à l'autre angle de la pièce, debout dans l'encoignure, en chemise. Il parlait mais le micro n'avait sans doute pas été branché, car on voyait remuer ses lèvres sans qu'aucun son en sortît, et quelqu'un devait s'amuser de Taubelman en branchant et débranchant le micro, car j'entendis des phrases ni commencées, ni achevées qui trouèrent soudain le silence : « ... alors, je lui dis, moi, votre héros, la volonté... » puis, le sifflet coupé, il se contorsionna jusqu'à ce qu'on le laissât ajouter « ... c'est bien meilleur en sauce... » Mais le pauvre homme était surtout à plaindre parce qu'un courant d'air jouait avec les pans de sa chemise, et il était obligé de la maintenir, une main par-devant, une main par-derrière pour couvrir ses fesses et ses organes sexuels qu'il ne voulait absolument pas montrer à Mme Li. C'est alors que, me disant combien sa situation devait être désagréable, je découvris que j'étais moi-même nu et que si Mme Li baissait les paupières, c'était surtout pour ne pas me gêner, pour avoir l'air de m'ignorer. Cette situation me fut si désagréable que je m'éveillai et me trouvai, en effet, nu dans le lit réchauffé par une bouillotte en caoutchouc. Par la fente ouverte de la fenêtre à guillotine passait, chargé d'embruns et d'odeurs océanes, un vent froid et humide qui gonflait les rideaux et les soulevait presque jusqu'à mes pieds. Mme Li et Taubelman avaient disparu ou tout au moins je ne les voyais plus dans la noirceur épaisse de la chambre. Je me levai pour baisser la guillotine et revins frileusement dans le lit où le sommeil me rejoignit presque aussitôt comme je le désirais. Taubelman enfilait son sous-vêtement et se plaignait — cette fois, sa voix passait sans encombre — que taillé dans une toile aussi grossière, le caleçon le blessât à l'entrecuisse qu'il avait fragile et allergique à un autre tissu que la soie. Mme Li, toujours juchée sur sa chaise trop haute, le regardait avec haine et patience, attendant qu'il eût fini de grommeler, pour dire d'une voix claire, quelques mots qui se détachèrent syllabe par syllabe :

— Tu m'as assez fait souffrir, maintenant c'est ton tour. Tu seras puni par où tu as le plus péché. La mort serait trop belle pour un salaud de ton espèce. Rappelle-toi quand je te guettais la nuit à la porte des hôtels de passe où tu forniquais avec des putes. J'avais froid et faim, pas de quoi m'acheter un manteau ni manger, pendant que Monsieur sonnait le valet de chambre pour qu'on montât du champagne et du caviar. Et tu ne vidais même pas la bouteille, tu ne finissais même pas le caviar que le garçon d'étage mangeait avec le doigt, en redescendant le plateau.

Taubelman, mal à l'aise, se tortillait dans son caleçon sans savoir s'il allait y glisser sa chemise ou au contraire, la laisser battre dehors.

— Ne remue pas le passé, madame Li. Je t'en supplie. A quoi bon ? J'ai changé, je n'aime vraiment que toi, mais laisse-moi porter des slips à fleurs. Je ne t'ai pas trompée parce que je n'aimais pas ces créatures. Quant au champagne et au caviar, c'est très exagéré. Je n'ai jamais cherché qu'à m'étourdir pour oublier que je ne t'avais pas eue vierge.

M^me^ Li sursauta de colère et descendit de sa chaise. Je crus qu'elle allait se jeter sur lui et déchirer son visage de ses ongles acérés, mais elle m'aperçut soudain et s'arrêta net, un sourire aux lèvres, pour me dire :

— Ne croyez pas un mot de tout cela, nous jouons la comédie, une comédie qui dure depuis trente ans que nous sommes mariés. Tenez, regardez... je lui donne son slip à fleurs qui lui va si bien.

Taubelman rit aux éclats de la bonne farce qu'il venait de me jouer. Il ôta son caleçon et passa le slip à fleurs beaucoup trop grand pour lui :

— Ces émotions m'ont fait maigrir, dit-il pour s'excuser. Surtout n'en parlez pas à la Princesse. Elle goûte peu ce genre de plaisanterie et je tiens à ce qu'elle ignore mon mariage secret avec M^me^ Li.

Comme il achevait ces mots, il s'aperçut que Sharon se tenait dans l'ombre et ne perdait pas un mot de la scène. Il y eut un instant de confusion. M^me^ Li remonta sur sa chaise, Taubelman chercha son pantalon, le trouva sous une table et se trompa de jambe en le mettant :

— Dans un cirque tchèque, j'ai monté un numéro fantastique avec cette histoire de pantalon. Des salles entières se tordaient de rire et on était obligé de me retirer de la piste en me roulant dans un tapis...

— Très intéressant ! murmura la voix de Sharon, assourdie et si étouffée que je la crus mourante.

Je voulus prendre sa main et rencontrai le vide, un drap tiède et froissé où elle avait laissé de son parfum.

Plus tard dans la nuit, Taubelman assis sur le rebord de la fenêtre, jambes pendantes au-dehors, appelait les oiseaux qui venaient en piqué manger dans sa main et les nommait chaque fois avec son pédantisme habituel.

— Tiens, un goéland bourgmestre. Il a dû s'égarer. Sa place est dans l'Arctique. En revanche, ce goéland brun est d'ici. Remarquez ses pattes jaunes. Naturellement, il y a des imbéciles qui appellent tout ça des mouettes comme s'il n'y avait qu'une seule sorte d'oiseaux de mer. Mais il y en a des milliers, mes amis, des millions d'espèces... Ah, attention, voici un grand labbé... Un peu égaré ici, mais enfin ce n'est pas si rare... *Stercorarius skua,* disent les ornithologues, ce qui ne donne pas du tout une idée de sa férocité. Oui, mon cher, un rapace, un rapace de mer. Il fond sur ses congénères, les fait dégorger, avale gloutonnement la nourriture qu'il leur arrache du bec, et souvent tue les malheureux qu'il a dépouillés. Ça me rappelle une histoire, quand je vivais au Bengale...

— Ah non, assez ! cria Mme Li qui surgit derrière moi. Assez, assez !

Taubelman tourna vers moi un visage railleur.

— Elle l'a entendue dix fois, elle l'entendra bien une onzième.

— Non ! hurla Mme Li.

Et elle se rua sur lui pour le pousser et le précipiter dans le vide. Taubelman disparut sans un cri, et Mme Li se tourna vers Sharon qui bâillait à mon côté :

— Madame la Princesse n'a besoin de rien ?

— De rien. Absolument de rien. Je suis heureuse, très heureuse ainsi. Je demande seulement au monde de ne plus tourner, de ne plus bouger. Voudriez-vous faire en sorte qu'il en soit ainsi, madame Li ?

Sa voix s'était creusée et je mis un moment à trouver qu'elle ressemblait à la voix de Garbo, presque une voix d'homme qui jouait de sa sonorité harmonieuse comme d'un gong, ou mieux encore, comme d'une contrebasse, dont elle prolongeait les vibrations. Mme Li disparut en trottinant et je baissai la fenêtre pour empêcher les oiseaux d'entrer dans la chambre. Sharon, enveloppée d'une serviette éponge qu'elle retenait sous les aisselles, vernissait ses ongles de pied. Je lui dis qu'elle avait la voix de Garbo.

— Oui, je le sais. Étrange, n'est-ce pas ? Nous n'avons pourtant rien de commun, mais cette ressemblance a ruiné ma carrière au cinéma. On ne pouvait pas lancer une deuxième Garbo. Il n'en faut qu'une. Il n'y en aura jamais qu'une. Taubelman a été horriblement déçu. Il avait tout misé sur le film que je devais tourner avec lui. Du jour au lendemain, il s'est trouvé ruiné. Il a quitté Hollywood à pied, en espadrilles et il est revenu en Europe après avoir traversé à la nage le détroit de Béring. Quand il est arrivé en Allemagne, j'étais déjà mariée avec Frédéric-Charles. Il a feint le désespoir, tout en sachant bien que je ne l'aurais jamais épousé.

L'amour qu'avait pu éprouver Taubelman pour Sharon me fut si désagréable que je m'éveillai. La tempête se calmait bien que des rafales brusques secouassent encore la fenêtre. La nuit s'éclaircissait avec une discrétion extrême. Une diffuse tache bleu marine avançait dans la coupole du ciel. Je ressentis la fatigue de cette nuit tourmentée qui s'agitait encore en moi au point que j'ouvris la fenêtre pour être sûr que Taubelman ne gisait pas, écrasé, dans le jardin. Mais non, il n'était pas là et je me retrouvai dans ma solitude avec une angoisse qui se localisa vite dans la poitrine et la gorge, une main aux doigts de fer crochés en moi pour me broyer. Je connaissais trop cette douleur, je l'avais trop souvent analysée, décrite avec lucidité, pour la craindre, ce jour-là, du moins. Quand elle atteint cette intensité, il suffit de s'allonger, de prendre un calmant et de garder les yeux fermés jusqu'au retour à la paix. Je me couchai donc. Avec le calmant j'eus l'impression d'avoir dormi une épaisse nuit. Mme Li se tenait au pied du lit, à contre-jour, si bien qu'ébloui par la lumière qui envahissait la chambre, je ne vis qu'une silhouette sombre, dessinée à traits tremblés, qui me dit :

— Madame la Princesse serait heureuse que Monsieur prît le petit déjeuner avec elle.

La douleur avait disparu et j'étais encore gourd de sommeil, surpris de voir devant moi la Chinoise dont j'avais rêvé et qui tout d'un coup parlait comme une femme de chambre de grand style.

— Pardon ? dis-je.

— Madame Princesse heureuse Monsieur déjeuner avec elle...

Mme Li mima le geste de boire un thé et de croquer un toast et je compris, que, prolongeant la nuit, j'avais corrigé de moi-même la phrase qu'elle avait mâchouillée la première fois.

— Monsieur veut pas ?

— Si, si, tout de suite.

Elle avait repassé mon pantalon, préparé un chandail

et une chemise sur une chaise, soins auxquels je n'étais plus habitué. Je m'habillai, me rasai en un tournemain et passai dans la chambre de Sharon assise sur son lit, calée par des oreillers, un plateau sur les genoux, ses cheveux plus blonds que jamais dans la lumière dorée qui tirait un long trait soyeux jusqu'à la tête de son lit. Un éperdu sentiment de reconnaissance me saisit, que Sharon fût là, dans sa beauté que rien ne semblait jamais altérer, que la journée s'annonçât si lumineuse, que la douleur eût disparu dans ma poitrine. Mais quel danger aussi de reprendre goût à vivre et même, peut-être, à aimer ! J'en eus le vertige, je refusai cette tentation qui bousculait l'ordre rassurant dans lequel je m'installais. Sharon ne s'en aperçut pas et nous passâmes une journée heureuse, détendue, à nous promener sur la plage à marée basse.

La nuit, les rêves reprirent quand je fus seul, et Mme Li apparut de nouveau, habillée d'une longue robe de chambre en soie. Elle m'offrit des amuse-gueules dans de ravissantes soucoupes en procelaine : raisins secs, clous de girofle, graines de melon, puis me servit du thé au jasmin. Elle me parla de Jerry sur un ton de reproche parce que je l'abandonnais à Taubelman qui en ferait son esclave.

— C'est un enfant, il ne sait même pas s'habiller seul. Je m'occupe de lui depuis qu'il est bébé. C'est moi — et non pas cette Iranienne absurde — qui lui ai appris à fumer l'opium. Enfant, vers huit ou neuf ans, il en tirait des rêves exquis qu'il me racontait par le menu. Il m'appelait Maman Li et quand sa mère l'entendait, elle le grondait très fort. Il avait — et il a encore je suppose — un très joli et long sexe fermé par un phimosis et tout le temps qu'il a été enfant — jusque vers dix-huit ans — c'est moi, Maman Li, qui le décalottais et le lavais. Vous ne savez pas combien il était patient et résigné malgré la petite douleur que cela lui causait chaque fois. Mon mari en était très jaloux... Vous connaissez mon mari.

— Taubelman !

Elle rit doucement de ma gaffe.

— Que non ! Taubelman était le mari de Maria Schmitt del Tasso. Vous savez qui elle est, n'est-ce pas ?

Et elle se mit à fredonner la sonate de Schubert.

— Reprenez avec moi. Je vous l'apprendrai en entier. Il n'y a peut-être rien de plus beau au monde pour un cœur sensible. Imaginez une jeune fille qui entre sur la pointe des pieds dans un grand salon dont les vases croulent sous les fleurs. Imaginez un musicien seul à son piano devant une page inachevée...

Elle se tut et nous écoutâmes la sonate en entier.

— Je sais ce qu'elle signifie pour vous, dit M^me^ Li. Mieux vaudrait ne pas y penser. Anne ne sera jamais à vous. Elle est pour Jerry. Je me suis entendue avec Taubelman. C'est son désir... Vous avez la Princesse. Cela suffit...

Puis Jerry entra et s'assit pour prendre une tasse de thé avec nous. Je m'aperçus avec surprise qu'il connaissait à peine Mme Li. Elle ne parut néanmoins nullement gênée de m'avoir menti avec autant d'effronterie. Jerry attendait Anne qui devait le rejoindre. Plusieurs fois on frappa contre la porte d'entrée et il se leva pour ouvrir, mais personne ne se trouvait derrière le battant dans un couloir sombre éclairé par des torches fichées dans le mur.

— C'est une farce, dit Mme Li. D'ailleurs Anne ne viendra pas. Vous savez pourquoi.

Elle me jeta un regard entendu et se leva pour exécuter une danse apprise pendant son enfance, lorsqu'elle était une des cent favorites du dernier empereur de Chine. Jerry bâilla et me souffla dans l'oreille :

— C'est une emmerdeuse. Pourquoi ne passez-vous pas plutôt l'après-midi avec Taubelman ? Lui, au moins, il est amusant ! Mais vous préférez Sharon. Vous la trouvez plus belle encore que nature parce qu'elle est princesse. A-t-on idée d'un snobisme pareil ! Son vrai nom est Sharon Kean. Comme moi je suis Jerry Kean. Et notre arrière-grand-père était un aventurier sans le sou au revolver facile.

— Personne n'a jamais prétendu le contraire, dit Sharon derrière moi.

Elle apparut en robe de chambre et, à la transparence du tissu, on voyait qu'elle ne portait en dessous qu'une chaîne d'or à la hauteur des hanches. Elle s'assit à mon côté et but du thé dans ma tasse, puis, prenant ma main, se mit à parler sans prêter attention à son frère et à Mme Li :

— J'ai à vous entretenir de Marthe...

Le seul nom de Marthe secoua mon premier sommeil et, un instant, j'émergeai répétant « Marthe, Marthe » mais elle n'était pas là, dans cette chambre muette, dont la fenêtre plus pâle, avec des reflets argentés, se détachait de la nuit. Je dus me rendormir avec le nom de Marthe sur les lèvres et la voix de Sharon qui continuait sans se préoccuper de ma courte absence.

— ... elle sortait de l'eau. J'aime son goût de la sobriété : ses cheveux nets, coiffés court, son maillot noir, son regard paisible qui ne vous lâche pas quand vous parlez. Je suis tellement habituée à ces femmes fardées qui ne mangent que du camembert arrosé de whisky sec, que cette belle créature attablée devant un poisson grillé et une corbeille de fruits frais, buvant du vin blanc glacé, m'a paru le comble du bonheur. Naturellement, elle a parlé de vous et, pour la laisser plus libre, j'ai fait semblant de vous connaître à peine. Eh bien, mon cher, elle ne vous en veut pas. Elle est admirable de compréhension et après votre départ, elle ne s'est pas jetée dans la débauche ou l'alcool, je crois qu'elle a pris un livre — un très gros livre — et s'est mise à lire. Elle n'a pas fini ce livre parce qu'elle le lit lentement, avec cette application qu'elle donne à toute chose. Nous en avons parlé. C'est une grande œuvre. Malheureusement, j'ai oublié le titre, une phrase, une phrase tirée d'un poème me semble-t-il. Enfin, peu importe ! Le soir, elle s'est habillée d'une robe très simple et nous sommes restées sur la terrasse à écouter de la musique. Je lui ai fait entendre la sonate de Schubert que vous appréciez tant, mais elle n'aime pas la musique romantique, comme si elle craignait de s'attendrir inutilement. Elle m'a raconté votre voyage au Maroc et l'apparition de Taubelman à Taroudant... Allez-vous-en... je vous ai interdit de venir... Madame Li, je vous prie, baissez la fenêtre...

La tête de Taubelman venait d'apparaître. Il avait dû grimper au mur en s'aidant d'une gouttière et ses mains s'agrippaient au rebord. Il grimaçait sous l'effort. Mme Li baissa la guillotine, coinçant les doigts qui s'accrochèrent désespérément. Taubelman hurla un flot d'injures et Jerry nous surprit en se précipitant pour le dégager et l'aider à monter.

— On ne peut pas laisser le pauvre type se noyer, dit-il. S'il tombe, les vagues l'emporteront et Anne n'aura plus de père.

Sharon se leva et d'un geste, me pria de la suivre. Par le couloir glacé, nous allâmes jusqu'à sa chambre où je la pris dans mes bras. Ce fut une sensation inouïe, un élan de tendresse et de plaisir qui me réveilla.

J'avais très soif et dus boire l'eau fade du robinet dans un verre à dents qui gardait l'odeur du dentifrice. Une immense fatigue m'étreignait et il fallut me forcer pour noter sur une feuille blanche ce que je venais de vivre. Au lever du jour, je me rendormis et rouvris les yeux pour apercevoir M^me^ Li qui posait sur un cintre une chemise fraîchement repassée et se dirigeait vers la fenêtre pour la baisser. Un instant, je crus voir les mains de Taubelman agrippées et ne pouvant supporter de les voir à nouveau broyées par l'implacable Chinoise, je poussai un cri d'horreur. M^me^ Li se retourna :

— Monsieur malade ? Madame Princesse attend Monsieur.

Non, je n'étais pas malade. Simplement je n'étais plus sûr de rien et le fus encore moins lorsque, pénétrant dans la chambre de Sharon par la porte de communication, je la vis assise au bord de son lit, nue sous le même voile de soie transparente que dans mon songe. Elle avait dû se laver les cheveux et pour les sécher s'était noué sur la tête une serviette éponge en forme de madras qui, par son volume, amincissait encore son visage, creusait ses joues et dessinait un peu durement son nez qu'elle aurait, un jour, quand l'âge commencerait de la marquer, trop pincé et proéminent, le nez des Kean. Il ne manquait plus que d'entendre Sharon prononcer le nom de Marthe, mais elle ne le connaissait pas. Personne sur cette île, la dernière de l'Europe, ne l'avait entendu de ma bouche. Marthe faisait partie, avec le passé, de ces choses soigneusement rangées dans un tiroir condamné à rester fermé. Je regardai Sharon manger son œuf à la coque. Elle existait, elle n'était pas totalement une créature de rêve, elle mangeait un œuf à la coque avec une cuiller en ivoire, et encore qu'elle fût d'une maigreur ascétique, sa chair avait un goût fondant et délicieux quand on pressait les lèvres contre sa paume, son épaule ou son ventre.

Dehors, régnait un temps de chien : de brusques rafales mouillées secouaient les fenêtres, tordaient les houx, défrisaient les haies de buis du jardin. Sur la grève, de longues vagues éclataient comme des geysers, en heurtant les récifs avancés. Nous fûmes des enfants tristes et désemparés que l'on prive de jardin, leur front collé à la vitre froide, espérant n'importe quelle éclaircie du ciel qui permettra de courir dehors. Mais le ciel ne céda pas et nous restâmes la journée enfermés à jouer aux cartes, à fumer et à tenter d'épuiser la réserve de vodka polonaise du bar. A côté de nous, Mme Li, assise sur une chaise trop haute (encore comme dans mon rêve), brodait en silence une écharpe de gaze indienne avec des fils d'or. Dans le temps que Sharon brouillait les cartes ou hésitait sur la couleur à jouer, je regardais sournoisement la grosse Chinoise, tout entière à son ouvrage, les yeux baissés, les paupières tendues comme deux coquilles d'œuf. La nuit, mes rêves lui prêtaient une si stupéfiante vie parallèle que je ne parvenais pas à la dissocier de l'autoritaire Mme Li qui martyrisait Taubelman en l'obligeant à porter des caleçons longs de toile écrue. Derrière ce front tranquille, lisse, à peine jaune, il y avait, peut-être, une pensée cachée que nous ne connaîtrions jamais, un amour ou une haine refoulés qui nous touchaient de près et nous resteraient inconnus. La difficulté, en cet après-midi imbibé de vodka et somnolent où nous restâmes vautrés dans les fauteuils de cuir du bar, les pas autour de nous étouffés par la moquette, la difficulté était de ne pas confondre les deux Mme Li. Plusieurs fois, je fus tenté de lui demander de danser pour nous comme elle le faisait pour le dernier empereur de Chine ou de me parler de Jerry enfant bien que ce fût un évident mensonge. Je ne parvenais pas à croire que mon cerveau avait tout inventé. Il devait y avoir des moments où elle sortait de son silence, où elle révélait une affectivité quelconque, évoquait des souvenirs, à moins qu'elle fût simplement une ombre, l'ombre portée de Sharon, placée là pour cacher que Sharon avait vendu sa véritable ombre au diable. Pour remplir sa mission, Mme Li avait brûlé sa propre vie dans une cassolette parfumée, et je me demandais si en lui racontant mes rêves, je ne l'obligerais pas à les vivre. L'idée saugrenue de la marier à Taubelman était même peut-être plus banale que la réalité qu'elle avait décidé d'oublier pour être la suivante de Sharon. Il était tentant de confondre les deux Mme Li dont la vie rêvée paraissait plus vraie et combien plus séduisante que la vie apparente de gros poussah silencieux. Cette journée traîna, s'étira sans but, comme si Sharon et moi avions déjà trouvé la frontière au-delà de laquelle notre intérêt l'un pour l'autre ne mordait plus sur rien. Dans les temps morts, j'eus des pensées pour Marthe et même un regain du goût qu'elle avait eu dans ma bouche. Il était plaisant que, au cours du songe de la dernière nuit, Sharon l'eût si bien décrite, la cernant d'un trait superficiel mais d'une exactitude parfaite, mieux que je ne l'aurais fait moi-même bien que j'eusse en ma possession tous les éléments de ce portrait, y compris les plus intimes. De cette évocation nocturne, il me restait comme une fébrilité, une insatisfaction que, malgré moi, j'étais tenté de reprocher à Sharon avec une inconséquence parfaite et un illogisme presque féminin : je lui reprochais, en effet, à la fois de m'avoir parlé de Marthe et de ne plus m'en parler, je craignais d'être seul, livré sans armes à cette reviviscence et je souhaitais le départ de Sharon pour libérer les sentiments étouffés volontairement après tant d'années d'heureuse amitié amoureuse avec Marthe.

Sharon me trouva distrait et me le dit :

— Vous jouez n'importe comment ! A quoi pensez-vous ? Si je n'avais pas lu dans des livres qu'un homme peut être distrait, je ne saurais pas ce que c'est. Jamais un homme n'a été distrait auprès de moi. Non seulement, je ne le permets pas, mais c'est impossible.

Un moment, elle me toucha au cœur. Il y avait, dans cette affirmation péremptoire, un aveu assez déchirant. Mais je n'étais pas Jerry. On ne me secouait pas aussi facilement. Sharon en eut conscience, jeta les cartes et me raconta comment elle avait épousé Frédéric-Charles après avoir lu dans le *New York Times* qu'un prince allemand vendait son château. Elle avait pris l'avion avec son père, examiné et acheté le château dans la journée...

— ... vous comprenez : il aurait manqué une âme à ce hall de gare baroque. J'étais là quand Frédéric-Charles, dans son petit costume vert, avec son gentil chapeau orné d'une plume a dit adieu à tout avec sa dignité habituelle. Il allait partir pour Munich, y louer une chambre d'étudiant et vivre sa passion d'alors : une histoire complète de l'accouplement des chevreuils à travers les âges... ou enfin quelque chose comme ça, je ne vous le garantis pas. J'ai prié Frédéric-Charles de rester et comme il a des manières exquises, il m'a dit qu'il le pourrait à condition de m'épouser. Je l'ai épousé. N'est-ce pas d'un romantisme échevelé ? Car il y a dans la presse, tous les jours, mille annonces de châteaux à vendre, et je suis juste tombée sur celui-là qui avait aussi un petit prince à vendre, je veux dire à louer, par-dessus le marché...

Quand le jour tomba, nous restâmes dans la demi-obscurité du bar. M^me^ Li s'absenta pour de mystérieux devoirs à remplir avant le dîner. Sharon ayant retrouvé, après le campement au cottage, une chambre digne de ce nom et une salle de bains, M^me^ Li triomphait de cette victoire qui aurait été beaucoup plus complète encore si nous avions apporté une malle-cabine et une douzaine de valises, mais le sac, fort lourd d'ailleurs, dont elle avait dû se satisfaire, contenait l'essentiel de ce qu'il faut pour le bain, le lever et le coucher d'une princesse et suffisait à l'occuper dès l'apparition de la nuit. Nous avions abandonné les cartes, envahis par une sorte de paresse indicible, presque de la somnolence que secouait la voix grave de Sharon que j'entendis encore me parler de Moïra, sa sœur :

— ... le dépit personnifié. Possédée par le désir de ce qu'elle n'a pas, mais comme elle a tout — enfin presque tout — elle se ronge à chercher ce qui lui manque. Vous la verrez. Elle viendra ici après moi. Elle vient toujours après moi, toujours en retard d'un voyage, d'un film, d'un livre, d'un homme... Un soir où j'étais à Rome, elle a débarqué chez Frédéric-Charles... vous voyez pourquoi... Mais Frédéric-Charles n'a pas compris ou pas voulu comprendre. La soirée entière, il lui a parlé de papillons. Elle l'a giflé. Il l'a mise à la porte. Depuis, nous nous évitons, Moïra et moi... une bêtise d'ailleurs, car, mon Dieu, que voulez-vous que cela me fît ? Au fond, Frédéric-Charles partage les torts avec elle...

Paddy, le barman, revint éclairer le bar où les bouteilles scintillèrent soudain, jetant des éclats aussi vifs que des pierres précieuses : l'ambre du whisky, le diamant de la vodka et de l'acquavit, le vert et le jaune verni des chartreuses, le jaune éteint des pastis, le velours des vermouths. Pourquoi ne demandait-on jamais une couleur au lieu d'une marque ? Je le dis à Sharon qui approuva hautement une idée apportant de la variété à l'effarante monotonie des stations dans les bars et nous appelâmes Paddy qui vint en boitant jusqu'à notre table. Naturellement, il ne comprit pas ce que nous désirions et son visage refléta une intense stupéfaction, mais aucun désarroi, car ce qui dépassait son entendement n'existait pas. Il nous apporta donc n'importe quoi, qui n'était pas pire que ce que nous souhaitions. Je l'en remerciai et il demanda la permission de décorer le bar, idée qui nous parut saugrenue, absurde et flatteuse car nous étions, d'évidence, les seuls clients de l'hôtel, et nous nous trouvions bien dans ce décor dickensien sans autre ambition que d'y couler encore quelques heures engourdies. Mais nous avions oublié de consulter le calendrier qui nous aurait appris que nous étions à l'avant-veille de Noël, fête qui se commémore dans les endroits publics par des banderoles en papier, des lanternes en accordéon, des étoiles d'argent et d'or, un flot de paillettes et de falbalas. En un instant, nous fûmes environnés de serpentins tressés qui s'entrecroisèrent dans le bar pendant que Paddy écrivait avec une bombe sur le miroir du fond et les portes vitrées : *Merry Xmas !* en énormes lettres de cristaux blancs qui collaient au verre et séchaient sur-le-champ.

— Après, dis-je, il faudra nettoyer cela, balayer, gratter pendant des heures et encore laissera-t-on toute l'année qui vient, quelque signe de cette décoration absurde. C'est fou ce que les hommes ont le goût du travail inutile, du plaisir imbécile, comme ils aiment s'entourer de signes qui prolongent leur enfance, peut-être la seule période rassurante de leur vie. Il n'y a pas d'adultes. Je vais prendre un bain...

On nous annonça que des gens arrivaient le soir même et comme nous n'avions pour tout vêtement que des pantalons de velours et des chandails, que la seule idée d'affronter des regards inconnus et curieux après ces journées de solitude nous paraissait impossible, Sharon demanda le dîner dans sa chambre. Mme Li s'empara de la table roulante et renvoya le domestique. Elle ne tolérait visiblement pas qu'un tiers s'immisçât dans ses fonctions et lui retirât de son emprise sur Sharon. Je m'attendais presque à la voir goûter les plats avant que sa maîtresse se servît pour s'assurer qu'ils n'étaient pas empoisonnés, et si elle ne le fit pas, ce fut sans doute à cause de ma présence. Quand elle eut repoussé la table roulante dans le couloir et dit bonsoir à Sharon (pas à moi, qui n'existais pas) j'aurais voulu la garder encore, tant les rêves m'avaient appris sur elle, familiarisé avec ses silences et ses attitudes. Enfin, il était agréable d'imaginer que, même si elle s'éclipsait en trottinant, elle reviendrait cette même nuit s'installer dans ma tête.

Je restai un long moment avec Sharon, presque tout en silence. Le vent s'arrêta et la pluie ne crépita plus sur les vitres, dans la nuit opaque. Nous fûmes très bien ainsi, laissant tomber, de temps à autre, un mot qui exprimait avec avarice et retenue, une gamme de sentiments, l'écho sourd d'un plaisir confus, peut-être une vague tendresse venue d'on ne sait où car nous n'en avions plus ni l'un ni l'autre. Je ne parlerai pas plus de Sharon. Comment parler d'un être qu'on n'approche pas et qui ne vous approche pas, dont les rares élans du cœur entrent dans un jeu appris depuis longtemps, répété, et à la longue monotone pour ses spectateurs ? Si forte que soit la grâce en Sharon, elle sait l'étouffer, et peut-être y a-t-il du courage à se conduire ainsi, ou de la lâcheté, ou de l'inconscience. En la quittant ce soir-là, j'emportai le poids d'une certaine tristesse qui ne m'atteignait pas profondément — en tout cas pas plus que la tristesse de quitter un jour, bientôt, la vie — mais qui voilait d'un peu de brume la belle rémission de ces trois jours sans tache. Je fus long à m'endormir, trop d'images fraîches et de pensées graves m'assaillaient et la beauté de Sharon se tenait là devant moi, comme un spectre dans la nuit de la chambre. Comme j'aurais pu être malheureux autrefois d'une pareille rencontre, comme elle m'aurait torturé, envahi, laissé pantelant ! La certitude qu'il n'en serait rien, que, Sharon envolée, je ne penserai plus à elle, était assez désespérante. Les couleurs de la vie s'effaçaient. J'avançais dans une pénombre grisâtre qui étranglait les voix, séchait les pleurs. Enfin, un premier sommeil m'atteignit et je revis soudain un beau paysage que j'avais aimé il y a fort longtemps du haut du parador de Medinaceli en Espagne. J'étais là, accoudé au parapet dominant les montagnes nues d'un brun rougeâtre et les vallées convergeant vers une cuvette où reposait un village blanc aux toits de tuile.

Marthe était à côté de moi, ce qui me surprit beaucoup car j'avais en même temps le souvenir exact qu'elle ne m'accompagnait pas durant ce voyage pour la bonne raison que nous ne nous connaissions pas encore. Elle était là et pointait du doigt vers une maison en me répétant :

— C'est là qu'elle est ! C'est là qu'elle est !

D'un bond, je m'envolai, attentif aux vents qui me portaient, aux trous d'air que j'évitais pour ne pas aller m'embrocher sur les aiguilles rocheuses d'une montagne volcanique. La voix lointaine de Marthe me criait de prendre garde, de descendre en spirales vers le village et la maison, mais je me grisais de cette maîtrise qui n'était pas nouvelle, que j'avais déjà expérimentée plusieurs fois d'autres nuits dans des circonstances dont je me souvenais mal. Je savais voler. Rien ne m'arrêterait et, peu pressé de me rendre à l'adresse indiquée par Marthe, je goûtai pleinement cette félicité, jouant avec les courants ascendants et descendants, rasant les sommets ou reprenant de l'altitude bien que sujet au vertige. J'atterris enfin dans une ruelle boueuse, creusée de fondrières, bordée de pauvres maisons chaulées. Sur le seuil de chaque maison, se tenait une petite vieille habillée et encapuchonnée de noir, occupée à filer de la laine. Du balcon du parador, Marthe qui n'était plus qu'un point minuscule sur un fond de cumulus rosis par le soleil couchant, mais dont la voix était répercutée, amplifiée successivement par l'écho de chaque vallée et me parvenait nette, métallique, suivie d'une doublure comme pour me répéter ce que je n'aurais pas compris, Marthe me dit de remonter la rue et que je trouverai très vite la maison indiquée par elle. Je remontai la rue au milieu d'un murmure de vieilles voix cassées, car toutes les femmes assises sur des pliants parlaient à leurs vis-à-vis sans élever le ton ni même redresser la tête, comme font les poinçonneuses du métro d'un quai à l'autre. Marthe avait raison, la maison se trouvait plus haut et sur la droite. Elle se différenciait des autres par sa propreté et des géraniums roses derrière le grillage bombé de son unique fenêtre. Aucune femme ne filait sur le seuil, mais quand je m'arrêtai, apparut dans l'encadrement de la porte une silhouette trop connue : Mme Li en costume de castillane, un peigne d'écaille dans les cheveux, un œillet rouge entre les dents. Dans un espagnol parfait, elle me dit avec une joie mal maîtrisée :

— Vous auriez dû vous presser un peu plus au lieu de vous livrer à des vols planés au-dessus de nous. Anne vient juste de partir avec Taubelman. Ils n'ont pas pu vous attendre plus longtemps. Les chevaux étaient sellés depuis ce matin.

— Pour où ?

— Oh, là-bas... Vous voyez ce chemin qui s'enfonce dans la vallée, entre deux haies d'aubépines...

— Oui.

— Vous trouverez aisément leur trace. Il a plu hier soir. La terre est meuble. Un des fers du hongre que monte Taubelman est branlant. Il va sûrement le perdre en route et son cheval boitera. Vous savez comment il est… il s'en fout. D'ailleurs, il monte comme un sac de pommes de terre.

M$^{me}$ Li jouissait de ma déconvenue. Un mauvais sourire déformait sa bouche. Elle cracha sa fleur, l'écrasa du pied sur la dalle d'entrée et ajouta :

— Allez-y… Vous les rejoindrez puisque vous volez si bien…

J'essayai en vain. Mon corps pesait un poids formidable, une tonne peut-être et je ne pouvais même plus lever un pied malgré un effort dément qui m'éveilla la sueur au front. M$^{me}$ Li ricanait encore dans mes oreilles et j'eus du mal à me rappeler où j'étais, à retrouver les contours de la chambre tandis que dansaient encore dans ma tête les cruelles paroles de la Chinoise. Mon corps pesait toujours ce poids intolérable et il me sembla que je ne pourrais plus jamais le bouger de ce lit, que la force me manquerait. Était-ce donc ainsi que cela se passerait ? Voilà que je n'avais aucune envie de le savoir, que tout cela me répugnait profondément, l'idée d'être une nuit un cadavre froid dans un lit encore tiède, quelque chose d'encombrant pour un hôtel, de préoccupant pour Mrs Colleen. Enfin, je remuai un bras, puis l'autre, une jambe puis l'autre et l'oppression disparut. Je retrouvai le goût de ma soirée avec Sharon et les bribes du songe allaient déjà s'effaçant quand je me levai pour les noter. A cette heure-là, je me sentis d'une lucidité parfaite qui effaça vite les pénibles relents du rêve, cette poursuite impossible d'Anne que j'eus terriblement envie de retrouver pour de bon. Quelle folie avais-je fait de m'éloigner d'elle au moment où elle avait peut-être besoin de moi ! Ainsi manquons-nous les beaux rendez-vous de la vie, et pour moi c'était sans doute le dernier. Ou bien devais-je considérer qu'en partant avec Sharon, j'avais évité de tomber dans des liens qui m'auraient conduit à me révolter contre le sort attendu depuis des mois. Le sommeil ne revint pas avant l'aube au moment où je me sentis au bout de ma fatigue. Des images montèrent de l'inconscient, une musique grave les accompagnait et un chant lointain que je mis longtemps à identifier. Cela se passait dans un monde inconnu de moi, au milieu d'une foule que je remontais à contre-courant, non sans peine, les mains en avant comme un aveugle pour forcer un chemin dans cette masse compacte qui défilait en silence portant des drapeaux rouges à l'étoile jaune et des drapeaux blancs frappés de fleurs de lys. Un moment, dans la foule, j'aperçus Willie Kox qui cligna de l'œil, puis Teddy et Billie sanglés dans leurs vestons de tweed, riant sous cape, probablement parce que quelqu'un leur pinçait les fesses. Plus loin encore, je reconnus R.P..., mon meilleur ami, que je croyais mort, qui effectivement était un peu pâle avec un visage plus émacié que celui dont je me souvenais. Je le hélai, mais il me fit signe de me taire et je le suivis des yeux avec une tristesse infinie, sachant que je n'aurais plus une occasion de le revoir, qu'avec sa disparition dans la foule je perdais pour toujours ma jeunesse. Quelques femmes apparurent au milieu de ces hommes. Deux d'entre elles m'avaient touché de près mais nous étions brouillés et elles feignirent de ne pas me voir, ce qui me fut désagréable. Mme Li passa près de moi et me tira la langue. Je cherchai Marthe, la seule capable de m'expliquer d'où venait cette musique grave et le chant lointain. Elle n'apparut pas et je ressentis ma solitude avec angoisse quand la masse des pèlerins (quel autre mot employer ?) s'éclaircit soudain pour laisser passage au taxi fou, au taxi mauve conduit par le petit homme en chapeau de tweed, qui tournait d'une main son volant et de l'autre main pressait frénétiquement la poire de son avertisseur. Après, il n'y eut plus que des retardataires qui couraient pour rattraper les autres : Jerry avec son fusil à la main, puis Taubelman qui me demanda, essoufflé, si j'avais vu Anne et repartit sans attendre ma réponse. Enfin, je me retrouvai seul dans une prairie jaune semée de flaques où mes pas levèrent des bécassines. Je marchai encore et sur un mur de pierres entassées, j'aperçus Sharon assise, vêtue d'un ciré vert, coiffée de son drôle de petit chapeau de laine. Elle m'attendait en tambourinant des pieds contre le mur. Je l'approchai assez pour voir qu'elle me regardait d'un air grave et quand je fus près d'elle, sa main caressa ma joue, ce qui me réveilla dans la chambre où le jour gris découpait la fenêtre. La main était bien sur mon visage et Sharon assise au bord du lit m'apparut dans un halo.

— Cela vous ennuierait-il de me conduire à Shannon ? dit-elle. J'ai un avion à midi pour Londres et à Heathrow une correspondance pour Francfort à trois heures. Je serai chez moi ce soir pour la veille de Noël. Il me semble que je dois cela à Frédéric-Charles.

— Partons !

Une demi-heure après nous roulions en voiture sous un ciel plombé qui creva au moment où nous arrivions à Maam Cross. D'énormes gouttes de pluie s'écrasèrent sur le pare-brise, prélude à un déluge. De nouveau, j'eus l'impression de conduire un sous-marin dans un paysage d'algues ondoyantes, de rochers fantastiques qui tremblotaient à travers la vitre.

— Nous passons la frontière, dit Sharon. Oh, je me souviendrai toujours que du bonheur est caché derrière ce rideau de pluie. Peut-être ne vieillit-on pas là-bas.

A Oughterard, l'orage s'arrêta aussi soudainement qu'il avait commencé et tout redevint d'un vert étincelant. Les journées à Leenden resteraient isolées du reste du monde. Personne ne nous les volerait.

Nous passâmes chez Jerry. Il n'était pas là. A l'hôtel de M$^{me}$ Li, nous récupérâmes quelques valises, puis je gagnai Shannon avec mélancolie, me souvenant du jour où nous attendions Sharon, des grands squales qui tournaient dans les airs et de l'avion d'où elle était sortie, cheveux au vent, suivie de la trottinante M$^{me}$ Li. Les adieux furent brefs. Il me semble que je lui ai dit « merci », ce qui la laissa quelques instants songeuse comme si je venais de la troubler. Ses lèvres effleurèrent ma joue sans que je puisse lui répondre de même. Elle s'éloigna de quelques pas et s'arrêta :

— Prenez bien soin de mon petit Jerry en attendant mon retour.

Du premier étage vitré, je la vis traverser l'aire suivie de M^me^ Li et monter dans l'avion qui gagna la piste principale et s'envola vers le ciel blanc.

Au retour de Shannon, je m'arrêtai de nouveau au cottage. Jerry n'y était pas et comme il n'avait même pas pris soin de fermer la porte à clef, j'entrai. On n'avait pas allumé de feu depuis deux ou trois jours. Les cendres de l'âtre étaient froides, le lit de Jerry défait et, à côté de la cuisinière, traînaient une casserole et deux assiettes sales. Toute la vie apportée par Sharon dans cet intérieur sans âme s'était évanouie comme son parfum dont il ne restait plus trace. Je contemplai sa photo sur le mur au bas de l'arbre généalogique. Elle ne ressemblait guère à ce que je connaissais désormais d'elle, à la fois plus dure et moins naturelle, comme si pour répondre à l'indiscrétion de l'objectif, elle avait, pendant un centième de seconde, accentué volontairement ce que l'on attendait de son caractère.

J'allais sortir quand le téléphone sonna. La standardiste me dit d'attendre. On demandait Mr Kean, de New York. Je faillis dire qu'il n'était pas là et me ravisai à temps, pensant aux contrôles que ses parents exerçaient sur lui de temps à autre, aux moments les plus imprévus. On me passa, en effet, une voix nasillarde et autoritaire qu'*a priori* j'attribuai à son père :

— Allô Jerry ?

— Ce n'est pas Jerry.

Il ne dut pas m'entendre — ou peut-être était-il de ceux qui n'écoutent jamais ce qu'on leur dit — et continua avec irritation :

— Que se passe-t-il ? Ça fait deux soirs que nous t'appelons et tu ne réponds pas. Tu sais très bien que je veux te joindre à tout moment. Sharon est-elle avec toi ?

— Vous êtes Mr Kean ?

— Quoi ? rugit-il. Tu te fous de moi ?

— Je vous ai dit que je ne suis pas votre fils, mais un de ses amis !

— Ah !

Suivit une phrase incompréhensible à demi étouffée par les doigts posés sur l'appareil, parce qu'il s'adressait à quelqu'un à côté de lui. Puis à moi, de nouveau, avec un rien de grossièreté, comme si j'étais un domestique :

— Pourquoi Jerry ne répond-il pas ? Où est-il ?

— Il est là, mais malade, couché. Une laryngite. Depuis deux jours, il ne peut pas parler.

— Même pas un mot ?

— Même pas un mot. Peut-être demain ou après-demain.

Il y eut un brouhaha dans le téléphone et une voix féminine assez aiguë appela plusieurs fois :

— Allô ! Allô !

— Oui, je vous écoute.

— Je suis sa mère et je m'inquiète.

— Il n'y a pas de quoi ! Encore un ou deux jours, et il parlera comme tout le monde. Le climat est humide.

— Mais la Princesse est près de lui, j'espère ?

— Elle s'est envolée ce matin pour l'Allemagne.

— Comment l'a-t-elle abandonné ainsi ? Ce n'est pas bien.

— C'est Noël là-bas aussi. Elle a des obligations.

— Évidemment.

Elle parut réfléchir un moment, ou hésiter et je ne fis rien pour l'aider ou dire qui j'étais, ce qu'elle n'osait demander.

— Nous voulions lui annoncer une bonne nouvelle...

Elle se tut de nouveau, chuchota avec son mari, puis ne me trouvant d'aucun secours, elle ajouta :

— Oh, cela peut attendre jusqu'à demain. C'est son cadeau de Noël, dites-le-lui s'il vous plaît, monsieur. Et aussi que sa sœur, Moïra, est à Londres en ce moment pour la première représentation de son film. Tout de suite après, elle se rendra en Irlande pour passer quelques jours avec lui. Et il y a encore autre chose...

Nouveaux chuchotis dans l'appareil. Mrs Kean ne semblait pas d'accord avec son mari. Elle finit par l'emporter après un temps qui me parut interminable :

— Allô, allô... vous m'entendez... ah bien, voilà, pour l'autre chose... il faudrait qu'il regarde la télévision à partir du 6 janvier à minuit, ça l'intéressera beaucoup... Une devinette, une vraie devinette...

— Jerry n'a pas de télévision, dis-je.

— Comment ? Que se passe-t-il ?

— Je crois que ça ne l'intéresse pas d'une part, et d'autre part vous n'avez pas voulu qu'il ait l'électricité dans le sanctuaire des Kean. Enfin, je le lui dirai quand même...

— Oh, oui, s'il vous plaît ! Tout doit pouvoir s'arranger, j'en suis certaine. Et Monsieur Qui-que-vous-soyez, veillez bien sur lui s'il vous plaît. Vous savez : les garçons ont beau grandir, une maman s'inquiète toujours.

Rien qu'à son ton, je n'en crus pas un mot. Elle raccrocha, semble-t-il, à regret, comme si cette conversation avec un individu peu prolixe lui convenait tout à fait. Je regardai sa photo sur l'arbre généalogique : une belle femme mûre, au regard sans expression, à la bouche gourmande. Émanait d'elle une impression vertigineuse de vacuité intellectuelle, dans laquelle il aurait été presque intéressant de plonger comme dans un bain de jouvence. Rien qui ne fût en ordre dans ce visage, les cheveux, les sourcils, les cils et surtout les lèvres que la retouche, quand on regardait de près, avait légèrement empâtées. Tout autre était Moïra, juste en dessous d'elle, à côté de Sharon, une Moïra d'avant Hollywood, encore vierge des maquilleurs, à dix-sept ou dix-huit ans, après une partie de hockey sur gazon, sa batte à la main, les pieds tournés en dedans, riant seule au centre d'un terrain de jeu. A cette brune aux yeux verts, au teint clair, irlandaise à mille pour cent — du moins physiquement, sinon de caractère — avec le joli côté pulpeux et frais des filles de l'Ouest, il fallait maintenant substituer en surimpression une autre Moïra, plus grave, avec un visage aux arêtes plus aiguës, un regard moins pétillant mais profond et ouvert sur la démence d'Ophélie, le rêve d'Emily Brontë et surtout, surtout sur l'angoisse obsessionnelle d'Augusta Brandebourg dans l'admirable film de Losey. Ainsi chaque metteur en scène, chaque dialoguiste avait contribué à dégager une personnalité composite qui, finalement, ne devait rien à personne, qui était Moïra elle-même telle qu'on la voyait dans son dernier film, *La Race*, inspiré de sa propre vie et dont on disait qu'elle avait choisi le thème, le metteur en scène, ses partenaires, le compositeur, le cameraman et jusqu'aux moindres détails. Je n'avais pas vu encore ce film, puisque c'était celui-là même qu'elle présentait, en première mondiale à Londres, mais, au hasard des journaux, des photos publiées de-ci de-là, j'avais été impressionné par la nouvelle expression de cette actrice et par l'intelligence précise et méprisante de ses réponses aux interviews des grands magazines.

Elle arrivait, elle troublerait de nouveau — après Sharon et comme l'avait prévu Sharon — la vie de Jerry qui n'en avait nul besoin, qui désirait, bien au contraire, être abandonné à lui-même comme si seulement dans la solitude, il pouvait mesurer ses ressources, ses richesses vraies. Comment Moïra prendrait-elle l'installation dans le cottage ? Il était peu probable qu'elle sacrifierait à la vie rustique. Encore fallait-il que Jerry fût de retour. L'abandon dans lequel il avait laissé tout — cendres dans l'âtre, vaisselle, lit ouvert — témoignait d'une décision rapide ou d'une absence qui se prolongeait malgré lui, situation qui me laissait à la fois décontenancé — sa compagnie inoffensive m'était devenue une habitude — et soulagé parce que, selon toute probabilité, l'escapade avec Sharon avait dû lui déplaire et que même s'il ne me la marquait pas, il en subsisterait une certaine gêne entre nous. Alors, brusquement — et sans doute parce que j'avais rêvé d'elle la dernière nuit et que son absence dans le long défilé des pèlerins m'avait cruellement blessé — brusquement j'eus envie d'appeler Marthe, d'entendre sa voix dans ce téléphone noir posé comme un crapaud sur la table de cuisine, inoffensif, mort et pourtant relié par un fil invisible à qui, dans le monde, possédait un identique crapaud noir en sommeil dans le coin d'une pièce. J'appelai Paris que j'eus presque aussitôt. Une sonnerie grésilla dans le lointain et je sus que c'était chez Marthe qu'elle retentissait, au fond du couloir sur une table d'acajou. L'envie me vint de raccrocher au moment où la voix essoufflée de Marthe répondit enfin : « Allô ! allô ! » avec une inquiétude qui n'était pas d'ordinaire la sienne. « Allô ! Allô ! » peut-être aurait-il suffi de ces quatre syllabes pour retrouver Marthe. Une bonne gestion de ma paix intérieure exigeait de ne pas donner prise. Je la laissai encore une fois répéter « Allô ! Allô ! » et dis enfin d'une voix qui me parut à moi-même sépulcrale.

— C'est moi.

— Oh mon Dieu ! dit-elle la gorge serrée. Qu'est-ce qui ne va pas ? Tu es mal ?

— Non, je vais bien. Aussi bien que possible. Simplement j'ai rêvé de toi la nuit dernière et j'ai eu envie d'entendre ta voix.

— Il n'y a vraiment rien d'autre ?

— Rien.

— Tu m'as fait peur !

— Je t'en demande pardon. Je n'aurais pas dû, je n'ai pensé qu'à moi, à cette envie de vérifier que tu n'étais pas un rêve.

— Je ne suis pas un rêve : je mange, je dors, je m'habille, je sors dans la rue, je conduis ma voiture et tout à l'heure je pars pour Megève. Non, non je ne suis pas un ectoplasme et je pense à toi.

— Il vaudrait mieux pas.

— Ça, tu ne m'en empêcheras jamais.

Elle appuya sur le « jamais » et je restai muet,

indécis. Cela se passait si loin de moi que je me demandais déjà pourquoi je demeurais là, un écouteur à l'oreille, platement occupé de deviner si Marthe m'aimait encore.

— Es-tu seul pour Noël ? dit-elle.

— Oui.

— Veux-tu que je vienne ?

— Et Megève ?

— Vraiment, ça ne me privera pas. Megève est là pour pallier ton absence.

— Je crois qu'il est préférable que nous ne nous revoyions pas. C'était dans nos conventions, n'est-ce pas ?

— Oui... enfin, comme tu voudras.

Elle acceptait avec une facilité qui m'avait toujours déconcerté. Comme si ses propres sentiments ne comptaient pas. Je voulus la retenir encore un instant :

— Te rappelles-tu notre voyage au Maroc ?

— Pourquoi l'aurais-je oublié ?

— Notre arrêt à Taroudant et les deux types qui nous ont tiré de l'oued avec leur Land Rover ?

— Oui, très bien.

— J'ai retrouvé un de ces deux types ici.

— Ça m'étonnerait : l'un est mort peu après, l'autre habite à côté de chez moi. Je le rencontre chaque matin dans la rue.

— Es-tu sûre ?

— Absolument sûre.

— Alors comment le type qui est ici prétend-il être un de ces deux hommes ?

— Je ne sais pas moi... un imposteur...

— Mais il m'a raconté des choses que j'avais oubliées sur notre rencontre.

— Il a dû lire le reportage que tu as publié après notre retour dans le *National Geographic magazine.*

Avec Marthe, tout était clair et simple. Il suffisait d'y penser. Comme je restais silencieux, elle ajouta :

— Cela te trouble ? Oui, je comprends. Ce type est-il en train d'essayer de t'escroquer ?

— Non, non, pas du tout. Je t'expliquerai... cela fait partie d'un ensemble. Une rencontre très curieuse... Je te souhaite un bon Noël...

— Vraiment, tu n'as pas besoin que je vienne ?

— Pas le moins du monde. Je suis très bien.

Nous nous embrassâmes au figuré.

En descendant le sentier conduisant à la route, je pensai aux fantaisies de la mémoire. Ce que j'avais décrit et raconté dans ma vie m'était sorti de la tête, comme on se débarrasse de l'inutile, de ce qui encombre et alourdit. En revanche, ce que j'avais tu ou gardé secret, — mes relations avec ma mère, mon père — ou même simplement renoncé à écrire, par pure paresse, était là, présent, indélébile dans ma mémoire et je pouvais revivre avec une effarante précision, sans oublier la couleur d'un rideau, la composition d'un vase de fleurs, une séance de lanterne magique avec un drap tendu sur une armoire dans la maison de Châtenay alors que j'avais à peine trois ans, ou une scène absurde au cours de laquelle j'avais bêtement heurté ma mère sans avoir le courage de lui donner la véritable raison de ma mauvaise humeur. Lors du voyage au Maroc, j'avais pris des notes à chaque instant dans un carnet, et, à peine de retour, j'avais écrit l'article en deux jours sans discontinuer, poussé, une épée dans les reins, par l'idée de la somme (assez fabuleuse à l'époque) qu'on m'offrait pour cette vingtaine de feuillets. Tout mon voyage engouffré dans cet article, je m'en étais libéré comme on se libère d'un péché par une confession, repartant l'âme pure, le cœur allègre pour d'autres péchés ou un autre voyage. Sans aucun doute, Taubelman avait lu mon article — il possédait, en effet, dans son antichambre, une collection complète des vingt dernières années du *National Geographic* — et il s'était identifié à l'un de nos deux sauveurs de Taroudant. Il devait en être de même avec les célèbres épreuves gagnées par Willie Kox montant King Lear. Taubelman n'avait peut-être assisté à aucune d'entre elles et en donnait le récit grâce aux journaux qui avaient abondamment détaillé les courses et les victoires de Willie Kox, à l'époque où on le considérait sinon comme le premier du moins comme un des premiers jockeys du monde. Excellente Marthe qui ne se laissait jamais bluffer par rien ! Grâce à elle, je commençais à tenir un fil. Pour le reste des impostures de Taubelman, il fallait patienter. Tout finirait par s'éclairer, et même — on devait s'y attendre — il y aurait de fausses impostures, c'est-à-dire des moments où il dirait la vérité et nous confondrait joyeusement, jetant le doute sur nos suspicions...

Je laissai un mot pour Jerry sur la table de cuisine, indiquant que j'étais rentré et que j'avais reçu par hasard un coup de téléphone de son père et de sa mère, et qu'il était censé avoir une laryngite.

Mrs Colleen se cuisait un rien de bacon pour accompagner ses œufs pochés, quand j'entrai dans sa cuisine.

— Vous devez avoir faim ! dit-elle.

— Oui, un peu en entrant ici. L'odeur du bacon est irrésistible.

Elle ajouta deux tranches dans la poêle et deux œufs dans la casserole. Ce n'était pas difficile de voir qu'elle me jugeait, qu'elle savait déjà tout, qu'elle en savait déjà même plus que moi puisqu'elle m'apprit presque aussitôt que Jerry Kean habitait Dun Moïran depuis deux jours. Taubelman avait réussi à arracher sa fille à l'hôpital pour la ramener au donjon dans la jeep conduite par Jerry. A *L'Éperon,* Sean Coen avait fêté magistralement ce retour. En se battant à coups de bouteille avec Joe Mitchell, le chasseur, il s'était gentiment ouvert le front et coupé profondément la main. Il était à l'hôpital en observation, absolument hilare, paraît-il, assis dans un lit blanc, interpellant la salle pour raconter le retour de Miss Anne. Jerry faisait les courses au village, la cuisine, le ménage, nettoyait les écuries, pansait les chevaux, les avoinait et les sortait deux heures chaque matin. Mrs Colleen ne me cacha pas qu'elle réprouvait cette mise en esclavage et que le « petit » Kean méritait mieux que de tomber dans les rets d'un homme aussi dangereux et douteux que Taubelman. Oui, douteux, elle l'affirmait bien haut. Dernièrement était passée dans la région une équipe de ces Israéliens qui recherchent les criminels de guerre allemands dans le monde entier. On disait qu'ils s'intéressaient à Taubelman et le soupçonnaient d'être l'ancien Gunther Horchitz, le bourreau des Pays-Bas. Ils le guettaient et à la moindre défaillance s'apprêtaient à le kidnapper pour l'emmener à Tel Aviv où l'attendaient les juges instruits de ses forfaits. Mrs Colleen était sérieuse. Elle rapportait des bruits insistants qui couraient les environs. Oh, certes, elle ne les prenait pas à son compte, elle n'était pas mauvaise langue, mais elle jugeait bon de me prévenir au cas où il y aurait une part de vérité dans ces on-dit. Je la remerciai de bon cœur, songeant tristement aux ravages qu'exerce la bêtise quand elle s'aide de l'imagination. Taubelman avait peu de chances d'être un criminel de guerre nazi pour la bonne raison qu'il était probablement d'origine juive, sinon tout à fait, du moins à cinquante pour cent.

Retrouver ma chambre, la vue étroite de la fenêtre qui donne sur le jardin désolé de Mrs Colleen, les livres qui, accotés à un mur humide, se chargent d'une odeur saumâtre, les disques dont un seul m'intéressait alors que je voulais précisément ne pas l'entendre, tout cela était intolérable. Grouse n'est pas un animal de compagnie. Elle n'aime que les bois et les marais, les rocailles hérissées de fougères où son poil roux la rend invisible, les endroits où l'instinct éveille en elle une intelligence cruelle du gibier. De retour à la maison, c'est une bête amorphe qui se cache sous le lit et dort secouée de hennissements jusqu'à ce que je la pousse dehors pour qu'elle achève sa nuit dans le chenil. Rien de ces présences muettes et tièdes avec lesquelles on échange une caresse, un regard, une pensée affectueuse dans le silence d'une pièce où cliquette la pendule de chevet. Si le temps n'était pas mesuré, j'écrirais un livre sur les hommes et les chiens, leurs rapports parfaits dans l'aventure ou les épreuves de force, et qui se gâtent dans les faiblesses de la vie quotidienne, s'emplissent de suspicion et d'acrimonie quand ils ne sombrent pas dans la niaiserie infantile. Mais je n'écrirai pas ce livre, ni beaucoup d'autres dont les projets dorment dans des chemises roses sur une étagère empoussiérée, rêveries évoquées en quelques notes rapides, parfois même avec un plan, dont, sur le coup, je me suis enthousiasmé et qui, maintenant, me laissent froid parce que je n'ai plus guère de goût que pour une vie de grand air. Le vent dans les arbres, le spectacle du flux et du reflux des marées atlantiques sur les plages de Lahinch ou du Kerry, le crissement du sable sous les pas, la pierre froide qu'on étreint pour sauter les murs, la pluie qui cingle les joues et, glacée, coupe la peau en lanières comme le feraient de longues lames de rasoir, s'accordaient mieux, alors, à l'envie tellurique que j'éprouvais de me fondre dans cette terre qui me portait et attendait mon retour après m'avoir inventé il y a quelques millions d'années. Je dois raconter comment cette envie tellurique me passa la veille de Noël, comment je garde encore de ce qui m'arriva un frisson de révolte.

Cet après-midi-là, plutôt que de rester à écouter de la musique ou à lire distraitement un livre (depuis des mois j'ouvre rarement mon cher Swift et n'en ai pas lu cinquante pages en tout), je pris mon fusil et sifflai Grouse. C'était encore une façon d'effacer la voix de Marthe et surtout de fuir Sharon, d'oublier le parfum qui la suit comme une traîne de mariée que de petits pages doivent se contenter de respirer avec extase, en levant les yeux au ciel, et que j'avais moi-même goûté tel un alcool fort transfigurant en irréalité totale les trois jours à Leenden, et ne laissant de vraies que les fantasmagories nocturnes.

Le bois frais et humide que je traversai débouche après un kilomètre de lande rocailleuse sur un long étang marécageux serpentant entre deux collines. Je l'appelle ma récompense et ne m'y rends qu'une fois par mois pour ne pas en troubler le gibier. Je n'y ai jamais rencontré un chasseur, ni amené personne, pas même Jerry. C'est ma réserve, mon val des miracles, un paysage nu d'éboulis, de longues herbes rouillées et couchées alourdies par la pluie, de roseaux effilés plantés dans un lac de sable. Les deux collines qui enserrent l'étang, le pressent ou le laissent vagabonder au-delà de ses rives, sont un seul et même alignement de pierres grises en forme de dolmens dressés sur de grandes dalles craquelées, autre chaussée des géants. A chaque incursion dans ce paysage d'avant le monde, j'ai toujours eu l'impression d'avancer en précurseur, prêt à voir surgir des eaux quelque monstre préhistorique. Les monstres n'apparaissent pas, mais si je remonte les bords de l'étang, vent debout, les bécassines se lèvent sous mes pieds, offrant, le temps d'un éclair, la vision fugitive de leur ventre de neige et de leur long bec, météores surgis d'une trappe qui, après un zigzag, montent en flèche dans le ciel en répétant leur cri, « tick-up... tick-up... », et s'évanouissent dans l'ouate blanche de l'air. Je ne connais pas d'oiseau plus passionnant à tirer, plus difficile aussi par sa vitesse et son intelligence défensive. Tout est imprévu dans la bécassine, sa peur qui la fait lever à cent mètres, ou son courage qui lui permet d'attendre le passage du chasseur pour ne partir que dans son dos, « tick-up... tick-up... ». On peut s'impatienter, tirer comme un fou et tout manquer, comme on peut garder son calme et ses réflexes et tout manquer aussi. Souvent la rage est une saine réaction. Après avoir raté dix oiseaux à bout portant, on désespère et on tire à cinquante mètres une bécassine qui poursuit son vol plané et tombe doucement dans l'eau. Qui n'a pas tenu dans sa main le corps tiède et velouté d'une bécassine à peine blessée, ne connaît rien de cet oiseau singulier qui montre alors une extraordinaire confiance. J'ai passé des heures au bord de ce marais, parfois simplement assis sur une pierre, le fusil à mes pieds, fumant une cigarette, à me demander, devant ce calme et cette prenante tristesse, si tout n'était pas qu'illusion, si je n'inventais pas là une vie inexistante, comme un enfant qui se raconte des histoires d'Indiens et de cow-boys au fond d'un jardin paisible, mais il suffisait d'envoyer Grouse et d'entre les roseaux s'élevaient les bécassines, les colverts, les sarcelles, les plongeurs, les râles et les stupides poules d'eau, un monde animal plein de couleurs, de grâce, de force.

Ma promenade en cette veille de Noël fut très heureuse jusqu'au moment où, pour repêcher une bécassine que Grouse se refusait avec entêtement à rapporter, je mis le pied dans une mare qui cachait des sables mouvants. Ce fut si rapide qu'avant d'avoir réalisé ce qui m'arrivait, une jambe enfonça jusqu'à mi-cuisse et l'autre jusqu'au genou. Je restai là un moment sans bouger, glissant lentement, attiré par une force invisible, une bête ignoble tapie dans le marais, la bête préhistorique dont je rêvais un instant auparavant, une bouche gluante qui suçait mes jambes en aspirant. Des bulles d'air vitreuses montaient à la surface de la mare, éclataient, répandant un gaz infect, une odeur de pourriture venue du tréfonds de la terre. Si peu de secondes que dura mon immobilité passive, j'eus le temps d'entrevoir clairement une mort imprévue et elle n'était pas belle, elle n'avait rien de propre, elle serait même atroce et la peur me saisit, une peur dont j'avais écarté l'idée. Peut-être est-ce l'idée de la peur de ces derniers instants qui me révolta le plus. Je jetai ma casquette et mon fusil sur le rivage, signes qui resteraient près de Grouse pour qu'on vînt un jour me déterrer, m'arracher à ce tombeau de vase. Ces deux gestes, bien que mesurés, suffirent à m'enfoncer un peu plus vite. L'eau glacée, le sable pénétraient dans mes bottes, les alourdissant encore. Deux touffes de roseaux me restèrent dans les mains. Encore une minute ou deux et j'étais pris jusqu'à la ceinture. Une indignation naïve me saisit contre la bêtise de ce destin, comme si toutes les morts, en définitive, ne se ressemblaient pas, comme si l'on pouvait choisir entre elles, écarter par une décision personnelle les accidents d'avion, d'automobile, les souffrances du cancer, et se choisir une mort nocturne en plein sommeil, propre, nette, après laquelle des inconnus n'ont plus qu'à attendre que vous soyez raide pour vous saisir par les pieds et la tête et vous encastrer dans un cercueil capitonné. Un instant, je vis l'équipe de terrassiers occupés de me déterrer, comme j'avais, moi-même, retrouvé un skieur enseveli sous une avalanche à cette différence près que le skieur était simplement cireux avec des lèvres violettes tandis que je risquais d'être gris et la bouche pleine de vers de vase. Puis je me souvins d'un récit dans je ne sais plus quel roman dont l'action se déroulait autour du Mont-Saint-Michel. Un homme se sauvait des sables en rampant sur son manteau. Je jetai mon ciré à plat, me couchai dessus et réussis à saisir une pierre pointue qui arrêta mon enlisement. Grouse me regardait de ses yeux jaunes et compréhensifs. Elle avait su qu'il ne fallait pas s'aventurer là et, en son langage à elle, me l'avait signifié. Je l'appelai et lui saisis la queue de ma main libre. Lentement, arc-boutée, elle tira, je dégageai une jambe puis l'autre et atteignis le rivage. Transi, grelottant, secoué par une peur rétrospective, je restai là, couché dans l'herbe, sans force, jusqu'à ce que mes battements de cœur eussent repris un rythme normal. Un vol de canards passa au-dessus de moi, très bas, à une vitesse vertigineuse, troublant le silence de leur grotesque « coin... coin... » qui me rendit l'envie de rire. J'étais trempé jusqu'aux os, les pieds gelés, épuisé, tremblant. Pourtant le retour, si long qu'il parut, sembla une fête. Jamais je n'ai goûté avec un tel délice, la pureté de l'air respiré, la grâce élancée des arbres dénudés, l'odeur médicamenteuse des tapis de feuilles mortes. Le monde entier revivait parce que je venais d'échapper à une mort aussi ignoble qu'imbécile, mais dans mon esprit cela signifiait aussi autre chose : la résignation, la sérénité n'étaient peut-être que forfanterie devant le destin, découverte vivifiante qui faisait chanceler mon édifice. Une terrible envie de survivre m'avait saisi et, parfois, il suffisait de vouloir.

Quand j'entrai dans le cottage, Mrs Colleen poussa un cri d'horreur. Je puais la vase et les roseaux m'avaient lacéré le visage.

— Voyons, dit-elle, croyez-vous que ce soit raisonnable ?

Fort heureusement, elle n'ajouta pas : « A votre âge ! »

Un bain chaud me rendit un corps, chassa le frisson que je traînais depuis mon contact avec la mare. Je finissais de me rhabiller quand, par la fenêtre, j'aperçus Anne poussant la barrière du jardin. Pour la première fois, je la voyais en jupe, avec un court manteau de cuir, coiffée d'un béret de laine bleue. Ses cheveux libérés ruisselaient dans son dos. On pouvait enfin lui donner un âge, à peine plus de vingt ans. Le manteau de cuir était simplement jeté sur ses épaules, et quand elle se retourna après avoir refermé la barrière, elle dévoila son bras tenu à l'équerre par un foulard de soie noué autour du cou. Déjà Mrs Colleen, aux aguets, ouvrait la porte et l'accueillait de sa voix pointue. Anne répondit par quelques mots que je ne compris pas, mais quand j'ouvris ma porte donnant sur le vestibule, elle sourit sans timidité, avec soulagement :

— Voulez-vous dîner avec nous ce soir ?

Elle articulait avec une certaine difficulté à laquelle on était surtout sensible si l'on se rappelait que quelques jours auparavant, elle était muette ou, en tout cas, se refusait à parler. Mais une personne non avertie eût peut-être pris sa voix basse et cette intonation particulière pour de la réserve ou une extrême correction. Elle ajouta :

— Jerry sera là. Il conduit la jeep.

Elle pivota sur elle-même et montra de son bras libre la jeep qui attendait sur la route, derrière la haie de buis. Pourquoi n'était-il pas venu lui-même ? Mrs Colleen, petite poupée chiffonnée au visage ridé, rendue encore plus menue par comparaison avec Anne, tendit le cou pour apercevoir Jerry.

— Je ne le vois pas ! dit-elle.

Anne esquissa un vague geste de la main en direction de la voiture et se tourna vers moi :

— Oui ?

— Oui.

— A neuf heures ?

— Neuf heures.

Elle inclina la tête vers Mrs Colleen qui eut la réaction inverse et dit au revoir en levant son menton en galoche. Anne à peine sortie, Mrs Colleen me regarda d'un air sévère et me dit exactement la chose qu'aurait trouvée ma mère si elle avait été là :

— Vous n'auriez pas dû accepter, vous êtes beaucoup trop fatigué après une aventure pareille.

— Je ne suis pas fatigué, et j'ai très envie de vivre, de vivre comme dit Sharon.

— La Princesse ?

Elle eut une moue de dédain si naïve que je ne pus m'empêcher de sourire.

— Oui, la Princesse.

— Je ne m'étonne pas qu'elle dise des choses aussi vulgaires.

— Oh, elle n'est pas vulgaire, elle est seulement un peu extravagante, et parfois ces extravagances ont un bon côté.

— Je crains qu'elle ne soit jamais comme il faut.

— Moi, je ne le crains pas, je le souhaite.

Nous entendîmes démarrer la jeep et Mrs Colleen retraita dans sa chambre pour lire sa partition car, ce soir, Mrs Campbell, enfin enrhumée pour la première fois de sa vie, à quatre-vingts ans, ne pouvait pas tenir l'harmonium à la messe de minuit. Sans doute ma logeuse, si mécréant qu'elle me sût, avait-elle espéré que j'assisterais à cette promotion tant désirée. Sincèrement désolé de la décevoir, j'aurais voulu lui expliquer en quoi j'avais besoin de retrouver Jerry, de voir Anne et même de supporter l'insupportable Taubelman. Ils m'intéressaient, m'apportaient de la chaleur humaine, et en chacun d'eux se cachait une part de ce qui donnait à l'existence sa véritable saveur. Il importait aussi que je ne me sentisse pas seul après le départ de Sharon et après la scène de l'après-midi dans le marais.

Sans scrupule pour Mrs Colleen qui se gargarisait d'hymnes dans l'aile droite de la maison, je branchai l'électrophone et fis jouer la sonate de Schubert par Maria del Tasso. De nouveau, Anne fut là, traversant le jardin, s'arrêtant à la porte, et ce n'est pas en moi, mais dans son âme que la petite phrase joua, s'insinua avec une douceur exquise jusqu'à ce que, sûre d'elle-même, elle éclatât en un allégro éblouissant de superbe et de fierté, instant d'audace dont la petite phrase sembla s'effrayer elle-même et s'excuser en quelques mots humbles et néanmoins joyeux qui coururent sur le clavier en notes si claires, si limpides qu'elles semblèrent frappées par un enfant, un enfant que, tout de suite après, saisit la mélancolie, une tristesse blessée à vous mordre le cœur. Des larmes tombèrent une à une, graves et lentes jusqu'à ce que l'enfant aperçût par la fenêtre une chose indéfinie — un arc-en-ciel, la lune en plein jour, un vol d'oiseau — qui lui fit oublier son chagrin. L'électrophone s'arrêta et Anne disparut lentement, présence immatérielle qui s'évanouissait dès que la magie s'interrompait. Tenté de remettre le disque, je renonçai pour ne pas abuser de cette résurrection qui mettait Anne à ma merci. Il était bien qu'elle apparût ainsi à certains moments juste après son départ ou quand elle me manquerait...

Et puisque c'était Noël, je jouerai le jeu, je n'arriverai pas les mains vides. Dans la malle aux reliques, je pris un foulard de gaze peinte à la main, souvenir de mon séjour au Népal en 1951 quand le roi Tribhuvan reprit le pouvoir aux puissants Rana qui le séquestraient avec son fils. Quatre ans après, son fils, Mahendra Bir Bikhram Shah Deva, lui avait succédé sur le trône et m'avait invité pour le couronnement, me faisant cadeau d'un Purdey fabriqué spécialement pour lui en Angleterre avec une crosse incrustée d'or et de nacre. Ce deuxième cadeau serait pour Jerry. A Taubelman irait l'édition princeps du livre de Delamain sur les oiseaux, un souvenir — peut-être le dernier qui me restât — de mon père. Quel vent de générosité ! Je ne me reconnaissais pas.

A Dun Moïran, les fenêtres s'illuminèrent à mon arrivée dans la cour. Au milieu de la pièce ronde qui sentait bon le feu de bois, se dressait un arbre de Noël orné de rubans argentés dont les paillettes tremblaient au moindre souffle et de petites ampoules multicolores qui clignotaient. Jerry, à genoux, achevait de fixer aux basses branches des boules de verre miroitantes et des personnages en coton pressé, peints à la main : pères Noël, angelots, soldats, bergères avec un mouton confectionnés par Anne. Il se redressa et me dit bonsoir sans que je pusse discerner dans son attitude ou sa voix, un changement d'attitude à mon égard. Il était le même avec son regard timide, la gaucherie de sa belle taille. J'avais eu bien tort d'imaginer qu'il m'en voudrait de quoi que ce fût.

— Êtes-vous passé chez vous ce matin ? demandai-je.

— Non. Pourquoi ?

— Je vous ai laissé un message.

Il ne parut pas ennuyé d'avoir manqué son père et trouva l'excuse de la laryngite d'autant plus plausible qu'il en avait eu de nombreuses dans son enfance. L'idée de voir apparaître Moïra le laissa indifférent ; quant à la surprise de Noël, il fit la moue :

— Je me doute de ce que ce doit être : je suis absous. Mon père qui m'aime bien est beaucoup plus puni que moi. Ils me rappelleront aux États-Unis. Malheureusement, je n'ai aucune envie de retourner là-bas et si je ne reviens pas, ils me couperont les vivres. Je dois trouver du travail. Et qu'est-ce que c'est que cette idée de regarder la télévision le 6 janvier ! Je n'ai même pas de récepteur et les programmes d'ici m'assomment. Mes parents sont fous. Ils croient que le monde tourne autour de l'Amérique...

Mais non, ils n'étaient pas fous, et nous devions quelques jours plus tard voir que le monde tournait parfois autour de l'Amérique ou, tout au moins, de quelques-uns de ses hommes. Jerry oubliait son frère Terence.

Des cadeaux étaient disposés sous l'arbre, enrobés de joli papier multicolore et ficelés de rubans rouges. Je lus trois fois mon nom et fus heureux d'avoir aussi pensé à eux, en puisant dans la malle aux reliques. Jerry m'aida à confectionner des paquets décents.

— Où sont-ils ? demandai-je.

— Taubelman est à la cuisine. Il s'est mis un tablier et prépare le dîner, un dîner russe je crois. Anne est dans sa chambre. Elle repose.

— Je me demande qui a illuminé le donjon quand je suis arrivé.

— Anne sans doute. Il y a un compteur en haut.

— Allez-vous rester longtemps chez eux ?

— Je ne sais pas. Sean Coen est à l'hôpital pour quelques jours. Anne est incapable de panser les chevaux et de nettoyer les écuries tant qu'elle aura l'épaule douloureuse. Elle ne conduit même pas sa jeep. Je suis utile à quelque chose. Un sentiment très agréable après ces derniers mois...

— Il faudra prévenir la poste que vous êtes ici, au cas où votre père rappellerait.

— Ah oui, c'est vrai... j'oubliais.

Il s'en foutait complètement. Il avait retrouvé un alvéole où loger son grand corps dégingandé. Il y avait chaud et on se servait de ses maigres talents. Le reste n'existait pas. Quand il me quitta pour rejoindre Taubelman dans la cuisine, je restai seul dans la grande pièce nue et ronde. C'était la deuxième fois que je m'y trouvais. Elle aurait été très agréable si la décoration et les meubles en avaient été mieux choisis, mais ce mélange de bon et de mauvais goût, la comparaison entre les médiocres coquillages récoltés par un enfant sur n'importe quelle plage atlantique et la belle collection de sulfures présentée sur un coussin de velours cramoisi brodé d'or, les gravures anglaises et les images sous verre découpées dans les magazines hippiques, l'acajou léger d'un secrétaire, d'une table et de quatre chaises Chippendale écrasés par deux fauteuils à bascule victoriens et un monstrueux canapé recouvert d'une fausse tapisserie, créaient un déséquilibre irritant comme si l'on entrait par surprise dans une maison inachevée où les déménageurs venaient d'apporter les meubles et les avaient laissés en vrac pour aller boire un verre de vin à la cuisine.

Des étagères basses épousaient les murs, portant de

gros volumes reliés en toile ou en cuir, des classeurs pour revues. Je me penchai pour lire les titres. Taubelman collectionnait les dictionnaires et les périodiques. Sa richesse en dictionnaires étonnait dans cet endroit perdu et pour un homme qui semblait ne se livrer à aucun travail intellectuel. En dehors des classiques et des lexiques en une douzaine de langues, on trouvait de singulières curiosités comme un manuel de conversation en Amazonie, des dictionnaires religieux, sexuels, physiognomoniques, musicaux (il y en avait quatre), géographiques, historiques, biographiques, et quantité d'autres que j'ai oubliés qui me parurent d'autant plus passionnants que j'avais toujours rêvé de posséder pareille bibliothèque et que ma vie errante n'avait jamais pu s'en encombrer. Les magazines n'étaient pas moins intéressants car on y trouvait les principaux titres des matières qui nourrissaient la conversation de Taubelman : le turf, la chasse à pied, l'hippisme, les animaux. En cherchant bien dans les revues sur le turf, on devait trouver le récit des courses de Willie Kox.

J'étais à genoux en train de feuilleter la collection de guerre de *Signal* quand Anne entra presque sans bruit et se dirigea vers le feu où elle remit deux bûches avant de se tourner vers moi et de sourire. Elle s'était habillée d'un sari qui moulait son corps et découvrait une épaule, précisément l'épaule à la clavicule cassée. Aucune écharpe ne retenait son bras qu'elle gardait plié contre sa poitrine.

— Ils vous ont laissé seul ?

— Oui, je devrais les aider, mais je ne connais rien à la cuisine russe.

— Restez.

De la main, elle désigna le canapé en tapisserie et se dirigea vers une table où étincelaient des verres de cristal, un shaker en argent et des bouteilles. Anne posa le doigt sur une bouteille de whisky et je dis oui. Elle remplit un demi-verre, ajouta de la glace et me l'apporta.

— Merci. Et vous ?

Elle hocha la tête négativement.

— Vous hésitez toujours à parler ?

— Oui, un peu, dit-elle. Mais cela revient.

— Êtes-vous plus heureuse ainsi ?

— Je ne sais pas encore.

Anne se dirigea vers l'arbre de Noël, redressa une figurine couchée sur une branche, contempla l'étalage des cadeaux.

— Je brûle de révéler ce que je vous ai apporté, dis-je.

Elle leva des yeux étonnés.

— Dites-le !

— Un foulard indien qui s'accordera avec votre sari, mais je ne savais pas que vous porteriez un sari. Voilà pourquoi j'aime votre présence : les mots sont inutiles. Il y a beaucoup mieux que les mots.

— Les mots sont inutiles, répéta-t-elle. Oui, c'est vrai. Je le sais.

— Je ne crois pas non plus que seul le hasard m'a fait aller à Lahinch le matin où vous êtes tombée.

— Non. Pas seulement le hasard.

Sa voix basse et tendue désarmait. On sentait avec quelle prudence il fallait s'approcher d'Anne, sans bousculer un équilibre hardi où elle se maintenait grâce à une concentration extrême. A chaque phrase, presque à chaque mot, un pli vertical s'amorçait sur son front, à l'endroit où j'eusse aimé lui peindre une tache rouge pour qu'elle eût, plus encore, l'air indien avec ses longs cheveux noirs retenus derrière la nuque par une broche en écaille incrustée d'argent. Ce soupçon d'Orient qu'on décelait chez Taubelman devenait encore plus évident chez elle quand elle s'habillait ainsi. J'étais là, seul avec elle, une occasion qui ne se présenterait peut-être pas avant longtemps, et me découvrais impuissant à lui arracher sinon son secret, du moins une indication qui me mît sur la voie, quelque chose qui ne fût pas un lien (je n'en voulais pas, elle n'en voulait probablement pas non plus), mais un pont entre nous pour passer au-dessus de ce qui nous séparait et cultiver l'illusion d'habiter deux mondes voisins. Le fait qu'elle eût retrouvé la parole détruisait le langage dont nous nous étions servis jusqu'alors, ces signes si clairs et si discrets — geste de la main sur la route, appel de phares et, une nuit dans le jardin de Jerry, nos doigts emmêlés — qui avaient nourri mon illusion.

— Je vous suis reconnaissant de ne pas me laisser

seul ce soir. Un peu plus, Mrs Colleen m'entraînait à la messe de minuit. Je ne me voyais pas entonnant le *Gloria in excelsis Deo* avec le chœur des vierges d'Inishgate. D'ailleurs, je n'ai jamais bien chanté. J'aime la musique sans être musicien.

— Nous ne vous forcerons pas à chanter ce soir.

Jerry ouvrit la porte en trombe.

— Anne, le cuisinier meurt de soif ! C'est bientôt prêt...

Elle remplit de vodka un grand verre qu'il emporta dans la cuisine.

— Vous ne buvez pas ?

— Non, dit-elle. Je n'en ai pas besoin.

— Si personne ne buvait, les soirées seraient aussi réussies, mais la peur de ne pas se trouver au niveau de celui qui a bu entraîne les autres. Taubelman boit durement.

— Il est en acier.

Elle parut soudain m'ignorer et commença de dresser le couvert avec un service de la Compagnie des Indes, de l'argenterie anglaise, des verres de Bohême. Je l'aurais bien aidée, mais c'eût été me priver de la voir, de suivre ses gestes sinueux, d'aimer, moulé dans le sari bleu rehaussé d'un galon doré, ce corps mince qui se pliait avec une attirante souplesse. Qu'elle passât entre le feu et moi, et la transparence du tissu révélait les longues jambes chaussées de sandales dorées, rehaussées de fausses pierreries. Son visage qui n'était pas exactement beau — la bouche grande, presque trop sensuelle, le menton assez dur — souffrait de n'être pas plus ouvert, comme si la volonté d'Anne s'appliquait à conserver à l'intérieur de son être, sans la trahir, la raison de sa vie si différente de celle d'une jeune femme de son âge.

Après avoir allumé deux candélabres à trois branches, elle éteignit les lumières et la pièce ne fut plus éclairée que par l'éclat intermittent de l'arbre de Noël et les lueurs rougeoyantes des bûches qui dansèrent en courtes ondes sur les murs, jetant de brefs reflets dans les sous-verres. Comme Anne passait près de moi, je la retins d'une pression sur le bras :

— Une nuit, dans le jardin du cottage, j'ai rencontré votre main.

— Croyez-vous que je l'ai oublié ? dit-elle en se dégageant doucement.

Taubelman entrait, en bras de chemise, le ventre ceint d'un tablier blanc.

— Salut les hommes ! cria-t-il en brandissant une louche et il entonna sur le refrain de la Légion : *Tiens, voilà du blinis !*

Derrière, suivait Jerry avec un plat de blinis dans une main et un kilo de caviar dans l'autre main. Ce fut un vrai dîner russe, une surprise entière, machinée dans les moindres détails par un Taubelman exalté, surprenant de raffinement pour un personnage aussi énorme. Après les tristes œufs au bacon, le bœuf bouilli au navet mitonnés par Mrs Colleen et acceptés par moi avec une indifférence coupable sur la nappe en toile cirée de la table de cuisine, je me laissai aller aux plaisirs de la civilisation : l'argenterie était douce à la main, le bordeaux brillait d'un éclat joyeux dans les verres de Bohême. La présence d'Anne métamorphosait Taubelman comme je l'avais déjà remarqué le soir où il brossait les cheveux de sa fille dans la pièce où nous nous tenions. Parce qu'elle était, à sa manière, belle, hiératique dans son fourreau bleu, elle nous éclipsait à tel point que nous avions l'impression d'exister à peine, d'être là comme des ombres fugitives dont le seul devoir était de la servir, de donner plus de grâce à ses gestes. Deux ou trois fois, échauffé par la vodka puis par le vin, Taubelman commença une histoire que le regard calme, sans hostilité d'Anne arrêta net. Je le vis tout près de s'excuser devant elle, avec un air timide et confus comme un enfant pris en faute. Anne parla très peu, toujours avec le même effort, la même concentration qui durcissait encore plus, pendant quelques secondes, son visage que les lueurs vacillantes des bougies et du feu de bois, animait d'ombres et de reflets mats. J'entends encore Jerry dire :

— Ah c'est bon de vivre !

A quoi elle ajouta :

— De vivre non ! de revivre oui.

Et Taubelman dans une minute d'exaltation cria presque :

— Ce n'est pas assez de vivre, ni même de revivre.

Il faut vivre trois fois. Moi j'ai déjà vécu deux fois. Je vais vivre une troisième fois !

Quand vint le moment d'ouvrir les cadeaux, Anne exprima une joie discrète, embrassa Jerry, m'embrassa, embrassa Taubelman, essaya l'écharpe indienne, caressa une paire d'étriers et passa autour de son poignet une gourmette. Peu après minuit, elle disparut et nous restâmes un moment muets, attentifs au son des pas qui montaient l'escalier en colimaçon et s'évanouirent absorbés par l'épaisseur des murs de pierre.

— Elle est belle, n'est-ce pas ? dit Taubelman avec une naïve envie d'entendre célébrer Anne.

— Elle est mieux que cela ! dis-je.

Jerry, le nez dans son assiette, murmura :

— Comment existe-t-elle ?

— Oui, c'est vrai, comment existe-t-elle ? demanda Taubelman. J'ai peine à y croire. Pourtant, elle est là ! Vous l'avez vue tous les deux, je ne rêve pas.

Mais la magie était rompue, je n'avais plus qu'une envie : partir, garder en moi le calme profond de cette soirée qui effaçait si bien l'horrible aventure de l'après-midi. Jerry sortit tourner ma voiture dans l'étroite cour et Taubelman, sur le pas de la porte, les yeux injectés de sang, m'écrasa le biceps de sa main de fer :

— Alors ? dit-il. La Princesse, c'est une affaire ou non ?

— Merci de cette excellente soirée. Sans vous j'étais condamné à un concert d'harmonium. Bonne nuit !

— Oh, si vous voulez faire le gentleman, nous n'aurons pas grand-chose à nous raconter.

Jerry était près de nous :

— Je ne vous ai pas assez remercié pour ce fusil. Il est beaucoup trop beau pour moi. Un cadeau royal.

— Vous pouvez le dire : cadeau d'un roi du Népal.

— Vous connaissez le Népal ? demanda Taubelman. Nous en parlerons. J'étais précepteur d'un petit prince Rana qui n'a jamais pu régner.

— N'est-ce pas merveilleux ? Nos chemins n'ont pas cessé de se croiser depuis trente ans. Nous parlerons du Népal demain.

— Oui, demain.

Je rentrai par une nuit étoilée, traversant Inishgate où, à travers les vitres de chaque bow-window, on voyait scintiller des arbres de Noël.

— Oh, si vous voulez faire de [illegible] nous n'aurons pas grand chose à nous raconter. »

Jerry était près de nous.

— Je ne vous ai pas assez remercié pour ce film. Il est beaucoup trop beau pour moi. Un cadeau royal.

— Vous pouvez le dire : cadeau d'un roi du Népal.

— Vous connaissez le Népal ? demanda [illegible]ment. Nous en parlerons. J'étais [illegible] précepteur d'un petit prince Rana qui n'a jamais pu régner.

— N'est-ce pas merveilleux ? Nos chemins n'ont pas cessé de se croiser depuis trente ans. Nous parlerons du Népal demain.

— Oui, demain.

Je rentrai par une nuit étoilée, traversant [illegible] ; à travers les vitres de chaque bow-window, on voyait scintiller les arbres de Noël.

Il ne me parla pas du Népal le lendemain, ni, d'ailleurs, les jours suivants. En février, il m'avertit négligemment, comme s'il avait reçu un avis de décès personnel, que Shah Deva venait de mourir, mais, la même semaine, je trouvai l'information dans le magazine *Time* dont Taubelman était fervent lecteur. En revanche, je reçus confirmation de la nouvelle qui entourait de nuées encore plus denses ce personnage. Marthe m'écrivit de Megève qu'au moment de sauter dans un taxi pour se rendre à la gare de Lyon, elle avait rencontré sur le trottoir celui de nos anciens sauveurs qui habitait son quartier. Il s'appelait Chatto et vivait de commissions aux halles de Rungis où il s'occupait de primeurs, son ancien métier au Maroc. C'était un de ces hommes que l'effondrement de la France d'outre-mer laissait désemparé et qui ne pouvait, étant donné son caractère, s'adapter aux nouvelles conditions faites aux Européens en Afrique. Par pure curiosité, elle lui avait demandé le nom de son ex-associé de l'orangerie de Taroudant. Il s'agissait bien de Taubelman, mort peu après leur départ du Maroc, dans un accident d'avion. Ils avaient été très liés et Marthe avait compris que la disparition dudit Taubelman était la source du découragement éprouvé par Chatto qui se contentait de survivre à un passé aventureux. Marthe ajoutait qu'elle ne comprenait pas comment je pouvais rencontrer chaque jour un homme mort, enterré, pleuré par ses amis...

En effet, cela changeait tout. Si Taubelman était vraiment mort, son personnage devenait autre. Il n'avait plus rien d'outré ou de factice, ses contradictions, sa mythomanie, sa grossièreté, son appétit d'ogre et sa soif prodigieuse, jusqu'à ses mystérieux rapports avec Anne, appartenaient à un monde cauchemardeux dont les fantômes enflent et dégonflent au gré des rêves, baudruches de fantaisies sur lesquelles sont peintes des figures grotesques et obsédantes. Un coup de vent (une porte qui se ferme, une fenêtre qui éclate), un exorcisme (le signe de croix de Mrs Colleen) peuvent nous en débarrasser et même raser ou engloutir dans le ventre de la terre le donjon de Dun Moïran, ne laisser sur son emplacement qu'un grand champ où le printemps lèvera un blé vert. Ma première envie fut de courir au téléphone voisin pour appeler Taubelman et lui annoncer la nouvelle de sa mort, nouvelle précieuse entre toutes qu'il ne lirait pas dans *Time,* ni nulle part ailleurs, car les morts sont bien les seuls à ne pas savoir qu'ils sont morts. Dommage que

Marthe ne m'eût pas précisé où ni comment, mais ce devait être un accident de haute montagne. Un avion percute une paroi rocheuse et disperse son chargement de cadavres sur un tel rayon que les sauveteurs nécrophages, découragés par tant de désordre, se contentent de ramasser des débris qu'ils entassent en vrac dans de petites boîtes. Mort sans sépulture, Taubelman errerait dans l'univers des vivants jusqu'à ce qu'un homme juste et bon mît fin à cette situation pénible et tout à fait irrationnelle, en lui révélant la vérité qui le confondrait et lui rendrait la paix, car il est du devoir des vivants de rendre la paix aux fantômes, de souffler dessus et de restituer au réel sa transparence. Le soir de Noël, Taubelman ne m'avait-il pas révélé inconsciemment une partie de son secret en s'écriant qu'il avait déjà vécu deux fois, qu'il espérait vivre une troisième fois ? Le seul obstacle à cette exorcisation était évidemment Anne. Bien plus que Taubelman elle semblait appartenir à un monde de brumes. Si l'on soufflait sur lui, elle risquait aussi de disparaître. Il fallait procéder avec prudence...

Le matin de Noël, Mrs Colleen frappait à la porte de ma chambre. Du village, un enfant venait de la prévenir qu'un appel international serait renouvelé pour moi dans une heure. Je pouvais le recevoir à *L'Éperon,* chez Willie Kox. Elle ne savait pas d'où provenait l'appel et le petit garçon avait été incapable de le préciser. A travers la mince cloison de bois, la voix chuintante de Mrs Colleen me parut d'une curiosité fébrile. Je remerciai et m'habillai sans plaisir. Depuis longtemps, personne ne m'appelait plus de l'étranger. Je pensai à Marthe, regrettant déjà de lui avoir téléphoné la veille et m'étonnant aussi qu'elle en prît avantage au point de me rappeler le lendemain. Ce n'était pourtant pas son genre. Peu après, j'étais chez Willie qui dormait encore. Son neveu « Petit » Willie était au comptoir, plus grêlé de taches de rousseur que jamais, un épi de ses cheveux roux droit sur le sommet de la tête, signe qu'il était tombé du lit directement pour ouvrir le pub au premier client, l'inévitable Joe Mitchell. Joe, avec sa magnifique trogne et le plus formidable nez en patate que j'aie jamais vu de ma vie, en était déjà à sa troisième pinte de stout. Contrairement à beaucoup d'Irlandais que l'alcool transforme en de secs sarments érubescents, il virait au gris souris. Une tâche grisâtre s'étalait sous sa peau, partant des yeux en cercles concentriques et se répandant sur tout le corps puisque après être descendue dans le col effrangé de la chemise, elle réapparaissait sur le dos des mains après un court trajet souterrain. Grâce à la vitesse acquise la veille, Joe était déjà dans un état avancé qui promettait pour le reste de la journée. Une belle cicatrice encore marquée de sang coagulé balafrait sa joue gauche. Elle datait de sa bagarre avec Sean Coen, trois jours auparavant, bagarre qui semblait avoir renoué entre eux une amitié indéfectible, puisque la veille Joe s'était rendu à l'hôpital du Comté Clare pour tenir compagnie à son ami et lui apporter, en cachette, quelque remontant. « Petit » Willie se contentait de répondre par monosyllabes à son unique client et rinçait les verres, essayait les leviers de bière à la pression avec un air absorbé qui m'enchantait toujours tant je me demandais au bord de quel néant intérieur il se penchait.

Peu après le téléphone sonna et la standardiste d'Ennis m'annonça qu'on me demandait d'Allemagne, au moment où entrèrent dans le pub Billie et Teddy. Il y eut encore quelques voix intermédiaires, puis, d'un coup, sans prévenir, Sharon comme si elle était à côté de moi et me parlait sans crainte d'être entendue par la clientèle du pub.

— Je vous ai quitté un peu brusquement hier, dit-elle, et je me demandais si vous m'aviez comprise. Voilà... il ne s'agissait pas seulement de Noël, bien que ce soit une raison très raisonnable, mais aussi de vous, de moi. Les habitudes se prennent si vite ! J'étais très bien avec vous et cela ne m'était encore jamais arrivé à ce point. Alors j'ai pensé que ce serait bête pour vous, comme pour moi, d'aller plus loin, et ce matin, en me réveillant, je me suis demandé quel démon me poussait à détruire ce que j'aime, à n'en laisser que des miettes imbéciles. Nous ne nous reverrons pas (*elle se trompait*) et je voudrais que, de ces trois jours, il nous reste quelque chose de chaud, un souvenir vrai, rien qui ressemble aux rapports que j'ai avec tout le monde. Dites-moi que c'est possible...

Il me sembla qu'elle implorait un « oui » et qu'elle se

moquait en même temps de moi. Impossible de croire à son soudain désarroi. Il suffisait de se rappeler son arrivée pleine de dédain à Shannon et son départ du même endroit, sans que rien trahît le sentiment qui l'agitait. Comme tant d'autres, elle courait après le passé pour l'arranger, le rectifier, se donner belle conscience. Elle allait maintenant inventer que nous nous étions aimés, ce qui me paraissait une entorse à la vérité. La vérité était que nous nous étions plu à un moment unique de notre vie où cette attirance était possible. Je n'en reconnaissais pas moins la qualité du sentiment qui l'avait d'abord guidée après mon aveu au premier étage de la maison Templer. Combien de mouvements de générosité avait-elle eus dans sa vie ? Peu, très peu sans doute, bien qu'elle aimât sincèrement Jerry, son petit frère, son jouet.

— Écoutez, Sharon, je suis à *L'Éperon* et vous me surprenez. Je ne veux pas répondre à votre question ainsi sans me parler d'abord dans la tête. J'aimerais vous revoir. Il me faut penser à vous. J'ai très envie d'être seul pour cela, mais vous savez, malgré toute ma volonté, la solitude est la chose la plus difficile à protéger...

Je m'arrêtai parce que Billie et Teddy, à côté de moi, écoutaient et que je me rappelais avoir prononcé le nom de Sharon. Ce silence l'intrigua :

— Qui est auprès de vous ?

— Je suis à *L'Éperon*.

— Ah bien, je comprends !... Mon Dieu comme

tout est soudain difficile ! Foutez tous ces gens dehors, achetez le pub et restez accroché au téléphone.

— C'est une bonne idée, mais cela demande un peu de temps. Je vous écris.

— N'écrivez pas. Je n'ouvre jamais une lettre.

— Ce sera la première que vous ouvrirez.

— J'en suis incapable.

— Hier, après vous avoir quittée, je suis allé tirer des bécassines et j'ai manqué m'enliser dans le marais. Une très jolie fin, n'est-ce pas, dans la situation où nous sommes...

— Oui, très jolie, tout à fait digne d'un roman. Au revoir, je vous embrasse.

— Moi aussi.

Elle avait déjà raccroché quand je rencontrai les regards de Billie et de Teddy.

— Joyeux Noël ! dit Billie. La Princesse est partie nous a-t-on annoncé. Nous espérions tellement qu'elle nous rendrait visite ! Enfin, vous avez l'air de penser qu'elle reviendra.

— Je ne pense rien du tout.

Décontenancé, il se balança deux ou trois fois en arrière comme ces poussahs culbuteurs qu'un lest ramène à la perpendiculaire après plusieurs oscillations. Je regrettai de lui avoir répondu sur un ton aussi sec. Billie et Teddy étaient des êtres sans défense, s'offrant eux-mêmes aux coups avec une naïveté non exempte de masochisme. Leur destin était d'être maltraités. On verra qu'ils le furent quelques semaines après, et quel remords j'éprouvai d'avoir dédaigné leur pauvre amitié. Victimes expiatoires de l'injustice et de la cruauté, ils ne comprenaient rien aux rebuffades de la petite société dans laquelle ils tournaient en rond sans rencontrer jamais de main tendue. Jamais est, d'ailleurs, un mot excessif puisque Sharon, la seule fois où elle les avait vus, les avait comblés de quelques paroles plus que gentilles dont ils rêvaient encore. Entourés du mépris général, ils avaient choisi de vivre pour ce qu'ils croyaient être l'art et la beauté, et, si minables qu'ils fussent, ils avaient droit à une sorte de respect, mais je ne ressentais guère l'envie de m'épancher à cette heure matinale. Le coup de téléphone de Sharon me troublait bien plus que le souvenir des trois jours à Leenden. Se pouvait-il qu'il y eût quelque chose de vrai en elle ? Je commençais d'être tenté de le croire. Tout autour de moi, je voyais les êtres changer de visage avec les jours, se modifier, se creuser, corriger ma première impression. Même Taubelman avait eu des accents sincères quand Anne était à l'hôpital et trois jours après j'apprenais encore du nouveau sur lui grâce à Marthe, et pas n'importe quoi puisque ce vivant était en réalité un mort. Anne parlait et le personnage se déployait lentement à l'horizon. Jerry riait, il sortait de sa torpeur rêveuse et peut-être même abordait-il enfin la vie de front après avoir été maintenu si longtemps en enfance par ses sœurs, ses parents et la petite Iranienne Ashrami. Mrs Colleen que je croyais seulement bavarde et cancanière montrait soudain une méchanceté qu'elle ne pouvait cacher plus longtemps. Et moi, j'avais appelé Marthe ! J'eus ce matin-là le sentiment que le monde recommençait de bouger. Tout craquait et par les craquelures apparaissait une infinie variété animale qui luttait pour rester en vie et modifier le temps, lui rendre sa belle fluidité. J'avais cru tout arrêté parce que je m'étais arrêté moi-même, considérant la vie d'un œil gelé, figé dans une sérénité qui se révélait peut-être fausse. Voilà que je pensais à la chair de Marthe, à l'extravagance de Sharon, au secret d'Anne et à la légende abracadabrante dont Taubelman s'auréolait. Je pouvais laisser ces êtres partir devant moi et rester à les contempler sans bouger d'un pouce, mais l'envie me prenait de les suivre, et cela surtout depuis que j'avais manqué être englouti par les sables mouvants du marais sous les yeux étonnés de Grouse.

Je donnai donc quelques minutes à Billie et à Teddy, ce qui me valut la surprise d'apprendre que Teddy portait le nom d'une grande banque britannique, qu'il était le dernier enfant de Lord V..., qu'il sortait d'Eton et que l'actuel Chancelier de l'Échiquier était son propre frère. Billie était le fils du majordome des V... Les deux garçons avaient été élevés ensemble et comme cela arrive souvent le fils du domestique avait plus d'aisance que le fils du Lord. Ils ne s'étaient pratiquement jamais quittés depuis l'enfance, à part le séjour à Eton de Teddy. Morceau par morceau, avec des pudeurs de jeunes filles, ils me racontèrent leur vie, un long séjour en Provence à Gordes parmi les artistes, un autre en Tunisie (les yeux de Billie s'allumèrent de concupiscence) et un autre en Italie...

Ils furent ce que je n'attendais pas : touchants de sincérité, débordants de reconnaissance parce que je consentais à les écouter me révéler le profond amour qu'ils se portaient depuis l'enfance, amour pour lequel ils avaient souffert dans leur dignité, mais qu'ils s'enorgueillissaient d'avoir toujours placé au-dessus de leur intérêt et du qu'en-dira-t-on. Je promis de visiter leur atelier et d'y amener Sharon si elle revenait. Le pub se remplissait. Beaucoup d'habitués arrivaient avec une soif intense en ce lendemain de réveillon, et Willie Kox apparut pour prendre les affaires en main, renvoyant dans la salle son neveu ramasser les chopes vides et débarrasser les cendriers. Joe Mitchell entamait sa cinquième pinte de stout. Personne ne le battrait ce jour-là. Je regagnai le cottage à pied dans l'air froid et gris. Mrs Colleen sortait quand je passai la barrière, coiffée de son canotier noir à fleurs, chaussée comme un gendarme.

— J'espère qu'on entendait bien, me dit-elle. En ces jours de fête les standards sont surchargés. Pas de mauvaises nouvelles au moins, j'espère ?

— Au contraire, excellentes.

Elle en fut quitte pour sa curiosité et partit en trottinant sur la route d'Inishgate avec la même assurance que si elle se trouvait sur la route de Lhassa. Comme elle confiait de petits travaux d'égout à Joe

Mitchell, elle le verrait sûrement ce matin et saurait qui m'avait téléphoné. Jamais je n'avais pensé qu'elle fût une si industrieuse araignée, se promenant sans cesse dans sa toile, attrapant les mouches assez maladroites pour s'empêtrer dans ses fils.

L'après-midi, j'écoutais la *V^e^ Symphonie* quand Jerry arrêta la jeep devant la barrière et sauta en ciseaux la haie de buis.

— Hello ! cria-t-il en tapant du doigt contre la vitre de la fenêtre.

Je soulevai la guillotine et il se glissa à l'intérieur, aussi souple qu'un serpent, se déplia et me parut immense. Je mis un doigt sur mes lèvres et nous écoutâmes debout l'allégro final de la *Ve*, une joyeuse fête, éclatante de vigueur.

— C'est tout à fait pour moi ! dit-il. La *Ve* célèbre ma libération.

— Votre père a téléphoné ?

— Oui, et il consent à ce que je finisse l'hiver ici. Au printemps, nous verrons. Toujours trois mois de gagnés. Je vais essayer de trouver un travail. Taubelman a une idée.

— J'aurais été étonné qu'il n'en ait pas une.

— Vous ne l'aimez pas ?

— Jerry, je ne dirai pas ça. Il m'intrigue, et il m'intrigue trop pour que cela laisse place à un autre sentiment que la curiosité.

Jerry parut décontenancé. Il oubliait même que Taubelman avait manqué le tuer lors de leur première rencontre. Je le lui rappelai et il convint que, oui, c'était étrange, d'autant que, par la suite, Taubelman s'était montré très amical. Il semblait même ne pas pouvoir se passer de Jerry. D'ailleurs Taubelman était transformé par ce qu'il appelait la résurrection d'Anne, sans cependant consentir à expliquer pourquoi elle s'était, il y a trois ou quatre ans, décidée à ne plus prononcer un mot. A la suite de quel accident, de quel choc psychologique s'était-elle tue ?

— Je ne crois pas, dit Jerry, que nous ayons le droit de poser la question ou de chercher à savoir par un biais détourné. Taubelman raconte ce qu'il veut bien et Anne se tait. Je respecterai la nuit dont ils s'entourent. C'est demain que je veux voir clair.

— Éprouvez-vous un sentiment pour Anne ?

Jerry passa ses doigts dans ses longs cheveux blonds et ne répondit pas tout de suite. Il s'interrogeait ou feignait de s'interroger. Pour ne pas le gêner, je retirai la *V^e^ Symphonie* et mis sur le plateau de l'électrophone un concerto de Vivaldi pour hautbois et basson, à l'éblouissant début.

— Je vais peut-être éprouver quelque chose pour elle, dit-il enfin.

Nous écoutâmes le concerto qui perdait de sa rigueur et de sa force juvénile, finissant dans un allégro molto d'une banalité décourageante. Musique de commande pour laquelle le compositeur se contentait de se parodier après une heureuse inspiration initiale.

— Sharon vous a téléphone, dit Jerry.

— De qui le tenez-vous ?

— De Mrs Colleen. Je l'ai rencontrée sur la route.

— Oui, Sharon m'a téléphoné et cela m'a fait plaisir. J'ai craint que notre escapade vous ait déplu.

— Elle est assez grande pour savoir ce qu'elle fait. Mais je ne veux plus qu'elle se mêle de ma vie. Elle provoque des catastrophes, puis s'en va, plus évaporée que jamais, porter le désordre ailleurs. Si j'osais, je vous poserais à son sujet la question que vous m'avez posée au sujet d'Anne.

— Vous n'êtes pas indiscret et je vous répondrai à peu près dans les termes où vous m'avez répondu.

— Ah bien ! dit Jerry.

S'il s'inquiétait, il n'y avait pas de quoi le rassurer, mais il eut un geste vague qui signifiait tout et rien. Peut-être même éprouva-t-il un soulagement comme je l'entrevis ensuite quand il me confia qu'il avait craint que Sharon s'envolât avec Taubelman.

— Il l'intriguait, me dit-il, et elle ne supporte pas de ne pas savoir. Je ne suis pas du tout comme elle. Je me fous que les histoires de Taubelman soient vraies ou non. Elles m'amusent et me montrent que ma vie à moi n'est encore rien.

— Il existe toutes sortes de vies. Il y a quelques jours vous pensiez à vous enterrer ici, à vivre de rien en contemplant votre nombril. Il est vrai que je suis un mauvais exemple. Maintenant, vous aimeriez secouer le vieillard qui est en vous et vivre deux, trois fois comme Taubelman...

— Je choisirai bientôt.

— Prenez votre temps.

— Oui, vous avez raison !... Je suis venu vous demander si demain nous ne pourrions pas aller tirer des bécasses à Forest Hill. Taubelman ne connaît pas cet endroit...

— Voilà au moins une chose qu'il ne connaît pas.

— Nous le laisserons croire qu'il nous y a amenés, dit Jerry en riant.

Il repartit comme il était venu, en se coulant par la fenêtre, ce qui stupéfia Mrs Colleen de retour dans le jardin. Le soir, elle m'en ferait la remarque, n'aimant guère qu'on ne respectât pas les usages de sa maison.

Le lendemain, quand la jeep klaxonna devant la barrière, j'achevais de lire un long article sur la présentation du film de Moïra Kean à Londres, un éreintement comme on en lit peu. Ouvrant rarement les journaux, cet article m'aurait échappé sans les bons soins de Mrs Colleen qui l'encadra au crayon rouge et me le tendit sans commentaire. *La Race* était un film dans lequel une jeune fille de la riche bourgeoisie américaine (rôle joué par Moïra) se donnait à des Noirs par haine de ses parents. Le film avait été montré dans sa version intégrale à un public sélectionné. Les producteurs (dont Moïra) acceptaient de pratiquer quelques coupures pour les circuits de distribution. Le chroniqueur assurait que si la moitié du public avait quitté la salle, c'était, non pas par pudibonderie, mais pour ne pas mourir d'ennui. Trois scènes d'un coït répété entre une Blanche et des Noirs relevaient d'un cinéma cochon infantile, sans compter que les Noirs partenaires de Moïra frappaient par leur manque de virilité. Quant à coucher avec des Noirs, pourquoi se borner à des tantes ? demandait l'article. Les fidèles qui avaient résisté jusqu'au bout à ce déluge de naïves obscénités avaient frénétiquement applaudi les dernières images, malgré les protestations d'un groupe de jeunes Jamaïcains qui s'indignaient que des Noirs pussent coucher avec une Blanche. Le désastre de cette soirée retombait en entier sur Moïra qui était productrice, scénariste, metteur en scène et principale interprète du film. On adjurait celle qui avait été une inoubliable Augusta Brandebourg de confier ses destinées cinématographiques à de vrais metteurs en scène et de ne plus se prendre pour une intellectuelle possédée par un message. Si elle n'aimait pas son papa et sa maman et tenait à les insulter en public, elle devait pouvoir le faire à de moindres frais qu'en montant une production de deux millions de dollars. L'article manquait certes de bienveillance, mais s'efforçait à l'impartialité, rappelant que Moïra, avant *La Race,* était considérée comme une des toutes premières actrices du cinéma mondial.

Je glissai l'article dans ma poche et gagnai la jeep avec Grouse. Bien entendu, Taubelman avait pris la meilleure place avec Jerry, et je dus me tenir à l'arrière avec les chiens. Ce qui m'amusait, c'était un propos baveux de Taubelman sur Sharon quand il m'avait assuré qu'elle couchait avec des Noirs. Comme dans tout ce qu'il racontait, il y avait une part de vérité, et une part d'inexactitude. Il confondait Sharon et Moïra dont les commères des journaux s'occupaient régulièrement. Cela dit, l'erreur sur la personne n'était peut-être pas aussi inconsciente qu'elle en avait l'air, et Taubelman doué d'une assez extraordinaire mémoire pouvait chercher à créer une confusion rien que pour le plaisir de désarçonner son interlocuteur. Il lui était facile ensuite de noyer le poisson et d'affirmer qu'il n'avait jamais médit de Sharon ou de Moïra, qu'on ne l'avait pas compris. Cette méthode lui permettait d'avoir toujours raison et de vous faire passer pour un imbécile malveillant aussi bien à son égard qu'à l'égard des personnes citées. Inconfortablement assis dans le caisson arrière de la jeep, je détaillai la nuque de Taubelman, une masse informe sous les bouclettes de cheveux grisonnants, gras comme s'il les trempait dans l'huile chaque matin. Des rides striaient de losanges cette peau tannée sur laquelle on voyait une cicatrice en croix dont le centre était un petit cratère blanc, souvenir d'un anthrax auquel il portait souvent la main comme pour s'assurer que la tumeur ne renaissait pas. Tout Taubelman était là, une énorme tête hugolienne remplie de songes tonitruants qui sortaient tantôt en pus de l'anthrax, tantôt en mots de sa bouche. En un sens, les mots étaient plus rassurants. Ils créaient un monde imaginaire auquel on ne pouvait pas rester insensible et sans doute avais-je tort de discuter sur des points de détail la vérité taubelmanienne. Cet homme entouré de fumées ne mentait pas plus qu'un autre et dégageait à sa manière une poésie dont l'attrait demeurait certain.

Je n'ai plus un souvenir exact de ce que fut notre chasse à Forest Hill dans le comté de Galway. Je me rappelle seulement une belle journée de grand air où le soleil alterna avec de brèves ondées, une marche lente à trois, étagés sur les flancs des collines parmi les jeunes bois plantés par les Eaux et Forêts, une halte sur un rocher qui dominait la vallée, un pique-nique à côté d'une source qui coulait dans une mare couverte de cresson. Taubelman nous raconta qu'il avait chassé la bécasse à Java où elle s'appelle *scolopax saturata.* Je dois dire qu'il se connaissait admirablement en bécasses, savait où les rencontrer, vers où elles s'envoleraient. Il retrouvait trace de leur passage en observant les fientes d'oiseaux, pointant du doigt celles des bécasses, plus fluides et centrées d'un œil noir de composition terreuse. Pour un homme aussi lourd, il était particulièrement leste, sautait les murs, grimpait les pentes, essoufflé mais rapide, sans grommeler comme lorsqu'il devait monter au cottage de Jerry. A la dizaine de bécasses que nous rapportâmes, il arracha la première rémige, la « plume du peintre » qu'il collectionnait, nous dit-il, pour un de ses amis, le plus grand artiste de son temps, un Roumain réfugié en Italie, spécialiste du trompe-l'œil, amateur de pinceaux robustes, ou qu'il gardait pour lui-même afin d'en faire des mouches artificielles à l'ouverture de la pêche à la truite. Au retour, Taubelman nous parla intelligemment, sans didactisme, un oiseau dans la main, du vol des bécasses qui, en raison de leur ossature trop fragile, se cachent dans les sous-bois par grand vent et penchent la tête en avant parce qu'elles ne voient pas de front. Il partagea aussi le gibier en mâles et en femelles, les mâles avec des pattes couleur gris bleuâtre tendant au plomb, les femelles avec des pattes gris clair tendant au rose. Il maniait les oiseaux avec une délicatesse extrême, lissant leur plumage révulsé par la charge de plomb, redressant leur cou, étendant leurs ailes pour nous en faire apprécier la gracilité. Il fut passionnant sans prétention, érudit sans ennui, un autre homme tout à fait, que l'on écoutait charmé. Je laissai dans ma poche l'article sur *La Race* que j'avais projeté de lui montrer, un moment où nous serions seuls, pour voir avec quel culot il se tirerait de sa confusion plus ou moins volontaire.

Avant que nous remontions dans la jeep, un incident me désola. Jerry étrennait le beau fusil que je lui avais donné le soir du réveillon. En voulant sauter le mur qui nous séparait encore de la route, il heurta contre une pierre la crosse qui se fendit sur toute sa longueur. J'en ressentis un coup au cœur, cette merveille d'art sortie des mains d'un artisan anglais, achetée par un roi, donnée par ce roi à moi en souvenir des années difficiles, cette merveille ne serait plus jamais ce qu'elle avait été même si on la réparait avec soin. Il m'importait peu de quitter les objets, mais que les objets périssent, était, de quelque manière que ce fût, un déchirement, presque une trahison, et cela encore plus parce que Jerry, conscient de tenir en main une belle arme, ignorait qu'il s'agissait réellement d'un chef-d'œuvre. Taubelman, lui, ne l'ignorait pas et me jeta un coup d'œil expressif, du style : « ne donnez pas de confiture à un cochon, vous le regretterez toujours », se gardant d'un commentaire. Je lui fus reconnaissant de ne pas aggraver ma tristesse.

Nous convînmes d'un jour pour manger les bécasses et ils me laissèrent devant la barrière de Mrs Colleen qui travaillait en bottes dans le jardin, occupée d'envelopper les rosiers dans de vieux bas de nylon, pour les préserver d'un froid subit annoncé par les commentateurs de la télévision. Le froid ne vint pas au rendez-vous et les rosiers restèrent enrobés de nylon pendant un bon mois, composant dans le maigre jardin une suite assez surprenante de sculptures non figuratives joliment dorées par le soleil au petit matin.

La promenade à Forest Hill avait été longue et dure, mais je rentrai sans ressentir aucune fatigue, tenaillé par la faim, avec cette sensation si rare, si pleine, d'avoir usé de mon corps sans mesure. Oui, ce corps, parce que je le forçais, parce que je buvais peu et mangeais sainement, retrouvait depuis quelque temps une partie de l'assurance que l'attaque de la maladie (toute morale qu'elle fût en réalité) lui avait fait perdre. Aux environs de la cinquantaine, si on ne m'avait pas recommandé de me ménager, j'aurais été certainement increvable. Ayant oublié les interdictions de la Faculté, je sentais une véritable exaltation d'avoir su aller jusqu'aux limites du possible. Ce soir-là, je lus longuement, sans distraction, sans rêveries et me couchai quand mes yeux commencèrent à se refermer sur mon livre. C'est alors que commença la pire de mes nuits. Les premiers spasmes me réveillèrent vers onze heures. J'ai déjà dit que je connaissais trop cette douleur pour m'en inquiéter. Elle m'avait parfois cloué au lit pour deux ou trois heures, ou simplement effleuré comme à Leenden. Après deux cachets et une piqûre dans la cuisse, je restai immobile, bras croisés sur la poitrine, comme un pharaon dans son sarcophage, une lampe de chevet allumée pour ne rien perdre de ce qui m'entourait, de la distorsion infligée par l'angoisse au morceau d'univers qui me restait : l'édredon, le montant du lit, arrimée au mur une étagère qui, sous le poids des livres, s'inclinait vers la gauche, une gravure mal encadrée reproduisant grossièrement l'admirable tableau de Vinci, avec la Vierge, l'enfant Jésus, Anne, tableau dans lequel Freud décela la présence d'un aigle caché dans les plis de la robe virginale. Rien à regretter. Le reste était nuit. Mais cette laideur dans la banalité, je l'avais en quelque sorte sinon voulue, du moins acceptée depuis longtemps, par dégoût du théâtral, après avoir cru qu'il serait consolant de mourir au cœur de la beauté, dans un paysage de lumière comme dans le poème de Jean Marèze que chantait si admirablement Piaf :

*Le ciel est bleu. La mer est verte.*
*Laisse un peu la fenêtre ouverte...*

En ouvrant ma fenêtre, on ne verrait que le jardin désolé par l'hiver et les formes grotesques des rosiers encapuchonnés de nylon par Mrs Colleen. Un moment, je pensai appeler ma logeuse, mais cet effort pouvait être de trop, et il me sembla que le silence et l'immobilité, la souffrance endurée en soi, pour soi, étaient peut-être la seule chance de salut qui me restât. Dans ma tête, passèrent et repassèrent les images, les impressions de ces derniers mois, l'incompréhensible indifférence, l'absence même de curiosité avec lesquelles j'avais accepté cet état de choses et sa fin probable. Je jouissais de la vie qui me restait sans appréhension, sans compter, et si je m'étais penché sur le visage d'Anne évanouie quand nous la conduisions à l'hôpital d'Ennis, ce n'était pas pour en tirer une leçon, mais par un sentiment naturel : voir à quel moment exact la vie nous quitte et transforme nos traits. Dans certains tableaux primitifs, on distingue souvent au-dessus de la bouche entrouverte des morts, une fumerolle blanchâtre, leur âme ou ce dernier souffle que les hommes retiennent par peur de sauter dans l'au-delà. A cette fumerolle, peut-être pourrai-je diagnostiquer ma mort. Tant qu'elle n'apparaissait pas, je continuais d'espérer, bien que la main impitoyable qui broyait mon cœur et mes artères ne m'accordât pas de répit. Au bout d'une demi-heure enfin, les cachets calmèrent cette douleur et je pus être plus attentif à ce qui m'entourait. Par la fenêtre, filtrait un souffle glacial. Je tirai drap, couverture, édredon jusqu'à mon menton, enfoui dans un cocon qui laissait seul mon visage à découvert et me rappela soudain les maladies de l'enfance, le geste tendre de ma mère me bordant. Si elle n'apparaissait pas maintenant, me priant de la rejoindre comme elle l'avait fait si souvent dans les rêves où je l'évoquais, c'est que le moment n'était pas encore venu. Il me vint un ardent désir d'être veillé par elle, que sa main tiède se posât sur mon front pour me protéger du courant d'air glacé qui tournait en rond dans la chambre. En me calmant, les cachets me plongèrent dans une somnolence vague et bienheureuse, une sorte d'état cotonneux morcelé par des songeries informes, déchirées, dès qu'elles se précisaient, par un brusque rappel des spasmes, remplacées par d'autres, avec de nouveaux visages et des mots sans suite. Vers six heures du matin, je repris deux cachets et m'endormis profondément. Mrs Colleen me réveilla. Il était midi et elle s'inquiétait. Réellement. Avec une sorte de désarroi sur son visage parce qu'elle lisait sur le mien les fatigues de la nuit. Allons bon, ce n'était pas encore pour cette fois.

— J'allais chercher un médecin, me dit-elle. Vous

avez l'air si épuisé. Le docteur Scully est l'homme qu'il vous faut. Voulez-vous que je lui demande de passer ?

— J'ai failli claquer, chère Mrs Colleen, mais cela va mieux. Ne dérangez pas le docteur Scully. Il n'y pourra rien.

Elle aperçut sur la table de nuit la boîte de cachets, la seringue et les ampoules et je crois qu'elle me soupçonna de me droguer. On parlait tant de la drogue qu'il n'y avait rien d'étonnant à ce qu'elle y eût pensé. Ma lucidité la rassura et elle prit un air faussement joyeux pour annoncer qu'il faisait un temps d'été, qu'un vol d'oies était passé ce matin juste au-dessus du cottage, dans un vacarme si assourdissant qu'on aurait dit d'une meute de chiens jappant. Ce n'était pas de chance d'avoir manqué cela.

Je me levai pour ressentir aussitôt la fatigue de cette nuit diabolique et l'abattement consécutif à l'absorption de puissants analgésiques, mais enfin je vivais, j'avais survécu comme l'autre après-midi dans le marais, et cela suffisait à exalter un homme. Quand j'entrai dans la cuisine pour m'y cuire les ordinaires œufs au bacon, Mrs Colleen y était avec un petit vieillard à favoris blancs, vêtu d'un costume de tweed et d'un gilet écarlate barré d'une grosse chaîne de montre en argent, un œillet défraîchi à la boutonnière. Elle murmura un nom que je ne compris pas et le petit homme, affligé d'un fort accent irlandais, me serra vigoureusement la main. Il buvait un whisky sec et m'en offrit un, en sortant de sa poche-revolver une bouteille plate.

— C'est mon élixir de longue vie ! dit-il en français, presque sans accent.

Mrs Colleen esquissa une moue qui voulait être de réprobation.

— Vous ne devriez pas dire cela, Seamus. Un homme comme vous...

— Je suis un homme comme les autres ! répliqua Seamus. Il n'y a d'ailleurs pas d'hommes qui ne soient pas comme les autres. Ou alors on le saurait !

A mon intention, il ajouta, de nouveau en français, avec un clin d'œil :

— Tous les hommes sont des cochons. Voilà le dénominateur commun !

Je lui dis qu'il devait avoir une longue expérience de la vie parisienne et il éclata d'un rire strident qui ne semblait pas du tout forcé.

— C'est vrai. Cinq ans à Paris !

Et, au milieu de la cuisine, il esquissa quelques pas de French cancan, soulevant une jupe et des jupons imaginaires.

— Pas une ville comme Paris pour les Irlandais, dit-il toujours en français. Où donc pourraient-ils perdre leur pucelage si ce n'est à Paris ?

— Seamus, vous racontez des saletés, dit Mrs Colleen. Ne niez pas, je le sais !

— Chère Violette, vous êtes un ange de pureté. Je

me couperais la gorge plutôt que de dire des horreurs devant vous.

Elle lui tendit le couteau-scie du pain et je m'aperçus, pour la première fois, qu'elle avait de l'humour.

— Non merci, dit-il. La vie est trop belle. Et puis j'ai des rendez-vous. Gardez votre couteau à pain pour les hérétiques... J'ai entendu, monsieur, que vous êtes français. Les Français étant à peu près le seul peuple civilisé sur terre, vous devez savoir qui est William Butler Yeats. Eh bien, monsieur, tel que vous me voyez, j'ai été son grand ami. J'étais à Roquebrune quand il est mort. Les génies irlandais aiment la mort en France...

— Je ne vois guère qu'Oscar Wilde dans le même cas.

— Eh bien, Wilde ce n'est pas rien. Et Joyce est mort à Zurich ce qui est à peu près la même chose. Mrs Yeats est restée une non moins grande amie jusqu'à sa mort toute récente. Aimez-vous la poésie de Yeats ?

— Plus que son théâtre.

— Ah monsieur, ne dites pas de mal du *Sablier* et du *Seuil du Roi,* des pièces admirables où la poésie l'emporte sur l'action dramatique...

De son portefeuille, il tira une photo jaunie représentant Yeats assis dans un fauteuil à côté d'une cheminée : un beau visage doux et rêveur, au regard perdu. On lisait, dans un angle du cliché, à demi effacée, la signature penchée du poète.

— Hélas, monsieur, je n'ai pas connu Synge, lui aussi un fanatique de la France, comme Beckett. Il est mort trop tôt, mais Yeats m'en a tant parlé que je crois avoir vécu avec lui. Nous évoquerons ce sujet une autre fois.

Il tira de son gousset une toquante en argent.

— Je cours. Je vais être en retard. Au revoir, mes chers.

Attrapant un sac de voyage aux flancs gonflés comme on en avait au temps de Dickens, il disparut après avoir esquissé quelque chose qui ressemblait à un entrechat. Mrs Colleen le suivit en trottinant. Par la fenêtre j'aperçus Seamus qui traversait en trombe le jardin et sautait dans l'antique taxi londonien peint en mauve. Après quelques soubresauts et des ratés, l'engin partit abandonnant sur place un nuage de fumée bleue.

Je cuisais mes œufs quand Mrs Colleen passa la tête par la porte entrouverte.

— Vous n'avez besoin de rien ?

— De rien, merci, mais me donnerez-vous le nom de cet étrange personnage ?

— Seamus.

— Seamus comment ?

— Seamus Scully, dit-elle en avalant le patronyme pour que je ne le comprisse pas.

Elle referma aussitôt la porte. Ainsi m'avait-elle légèrement menti, par pudeur ou par crainte de m'irriter. Elle n'avait pas « pensé » convoquer le docteur Scully, elle l'avait bel et bien fait venir et il était arrivé peu après mon réveil. La rencontre dans la cuisine avait été subtilement ménagée pour qu'il me vît avec ma mine défaite et entendît ma voix pâteuse. Pour peu qu'il fût homme d'expérience et psychologue, Mrs Colleen devait maintenant connaître le diagnostic. Bien fait pour elle ! Il lui faudrait désormais vivre avec la désagréable appréhension de me trouver un matin raide dans mon lit à moins qu'on me rapportât, sur un brancard, de chez Willie Kox ou de la forêt, le nez et les joues déjà mangés par un renard. Le tout sans savoir si je méritais ou non une messe.

Mais je savais enfin à qui appartenait le taxi mauve et comment s'appelait l'audacieux petit chauffeur au chapeau de tweed.

L'apparition de Reginald à *L'Éperon* est restée un moment mémorable de la vie de ce pub. Bien que presque tous les hommes présents fussent de belle stature, il les dépassait d'une demi-tête. Les deux exceptions, Billie et Teddy, lui arrivaient à peine à l'épaule et semblaient des nains à côté de lui, avec leurs silhouettes rondouillardes et leurs crânes de jumeaux déplumés. Reginald appuya ses fesses sur un haut tabouret de bar, allongea son avant-bras sur le comptoir pour mieux nous montrer sa gourmette en or, l'émeraude à son doigt. Sa chemise rose échancrée découvrait un pendentif également brillant sur sa peau lustrée. Car Reginald était d'un beau noir à peine atténué par un grand-père blanc. Grâce aux nouvelles méthodes cosmétiques, ses cheveux lisses et flous flottaient dans le cou. Les lèvres négroïdes, d'un mauve entretenu, juraient avec le nez droit et fin. « Petit » Willie qui n'avait encore jamais vu de Noir, sauf dans les bandes dessinées où ils sont porteurs ou rabatteurs pour de blondes chasseresses en casque colonial, se pencha vers lui et, en grimaçant, pour mieux se faire comprendre, lui demanda :

— Y en a vouloir qué'que chose boire Missié ?

Reginald, avec une indifférence magnifique, répondit de sa belle voix de basse, par les vers de Christina Rossetti :

*Every valley drinks*
*Every dell and hollow*[2]*...*

« Petit » Willie resta la bouche ouverte :

— Pardon, pas entendu, Missié !

— Un double whisky, mon cher. Sans glace et sans eau.

De toute façon, il n'y avait jamais de glace à *L'Éperon,* et la tendance était plutôt de boire sec. Seul le double était rare, mais à cause du prix.

— Oui ! murmura « Petit » Willie.

Malheureusement, dans son émotion, il n'avait rien entendu et plutôt que de faire répéter, il tira comme pour tout le monde un verre de stout qu'il glissa jusqu'à Reginald. La mine condescendante et affligée de ce dernier lui apprit son erreur. « Petit » Willie gratta sa chevelure hirsute. Un fermier accoudé derrière Reginald le tira d'embarras :

1. *Chaque vallée boit*
*Chaque vallon et creux...*

— Un double whisky sans glace et sans eau, il a dit.

— Très facile ! dit « Petit » Willie avec un sourire illuminé comme si on venait de lui traduire en une langue enfin intelligible la commande de Reginald.

Mais, entraîné par son enthousiasme, il versa de l'eau dans le whisky et le Noir eut un geste las pour dire que cela n'avait au fond aucune importance, à la campagne comme à la campagne. D'un porte-cigarettes en or (nous ne pouvions plus ignorer qu'il aimait l'or), il tira une longue cigarette, la tassa sèchement sur le métal et l'alluma avec un briquet en or. Enfin, son regard se promena sur la clientèle du pub soit pour l'observer vraiment, soit pour faire baisser ces yeux qui le dévoraient. Les têtes se tournèrent, la conversation reprit sans que se dissipât un léger embarras. On surveillait plus ou moins la porte chaque fois qu'elle s'ouvrait, comme pour voir si d'autres créatures aussi fantastiques n'allaient pas franchir le seuil. Il paraissait improbable que cet élégant Noir fût venu seul. Plus tard, Joe Mitchell me raconta qu'on avait pris Reginald pour un des rois mages dont, le lendemain, serait fêtée l'arrivée avec des galettes, des fèves et des couronnes en papier doré. Pendant cette scène, j'étais assis dans un angle du pub, à une petite table avec Seamus Scully. Sans doute étions-nous à contre-jour, car Reginald mit du temps à nous découvrir. Auparavant il eut un geste étonnant qui plongea le pub dans la stupeur. Tirant un miroir de sa poche, il se regarda longuement, retroussant les babines pour découvrir de fortes dents un peu jaunes, tordant la bouche pour mettre en évidence une éruption boutonneuse sur sa joue. Quand il sortit une pince pour épiler un poil rebelle de son sourcil, des cous décharnés de dindons sortirent des chemises sales et effrangées, et vingt paires d'yeux humides s'écarquillèrent.

— C'est le nègre (du) Narcisse ! me dit Seamus.

Enfin Reginald m'aperçut et vint vers notre table. Je le présentai à Scully et crus que ce dernier allait s'évanouir car, dans un moment d'égarement, le noir secrétaire de Moïra tendit sa main comme s'il entendait que le médecin la baisât. Cela dura à peine une fraction de seconde et Scully retrouva son agressivité pleine d'humour.

— Pardonnez-moi, je n'en suis pas..., il faut des exceptions.

J'avais rencontré Reginald trois jours auparavant, lors de l'arrivée de Moïra à Shannon où nous avions, Jerry et moi, attendu le Trident de Londres. Moïra ne se déplaçait pas sans avertir la presse. Dès que l'avion s'immobilisa, une dizaine de photographes escaladèrent l'escalier mobile que des manœuvres acheminaient vers la porte avant. Il fallut les repousser, les parquer en bas des marches jusqu'à l'apparition calculée — deux minutes d'attente au moins, la porte ouverte, une hôtesse au garde-à-vous — de Moïra en tailleur de voyage, tenant dans ses bras un bouquet de roses rouges enveloppées de plastique transparent. Elle resta là le temps qu'il faut, mitraillée sans perdre son sourire. Au moment où elle commença de descendre les marches pour se diriger vers les micros et la caméra d'un reporter de la télévision, un immense Noir passa par la porte basse du Trident, courbé en deux, portant une petite valise et le vison de Moïra. Il n'était pas tout à fait en rose, mais peu s'en fallait, et quand il se redressa chacun put admirer une sorte de géant sur lequel brillaient beaucoup de colifichets en or. Au contraire de Sharon, Moïra, après avoir embrassé Jerry (elle recommença trois fois à cause des photographes), sembla ne plus prêter attention qu'à l'ami présenté par son frère. Cette sympathie débordante était devenue naturelle chez elle qui n'y mettait aucune ostentation. J'y cherchai en vain la condescendance d'une grande vedette ou le calcul d'une femme qui décide que même le dernier des croquants est utile à sa renommée. Il est inutile de la décrire : tout le monde connaît son beau visage qu'elle a su si souvent marquer de passions empruntées à ses rôles. Elle venait alors de subir un échec dans sa carrière et bien qu'elle eût mis la politique et le lucratif blabla de l'antiracisme mondain de son côté, la presse avait été unanime à tourner son film en ridicule. Cette unanimité ne paraissait pas l'atteindre. En tout cas, elle ne le laissa pas voir, signe de courage ou d'aveuglement volontaire, on ne sait. La nature l'ayant dotée d'une voix admirable, elle en use avec une science consommée. Les temps qu'elle marque entre chaque phrase sont des faire-valoir. On croit toujours qu'elle attend un écho, un murmure qui pourrait bien être de l'admiration, ce qui a donné une diction très particulière où je ne lui vois d'égale que Garbo.

Une Rolls l'attendait à la sortie. Elle y monta avec Reginald et le chauffeur reçut l'ordre de nous suivre. Il n'était naturellement pas question que Moïra habitât le cottage de Jerry. Elle avait retenu une suite au Great Southern de Galway. Dans la voiture, tandis que je conduisais aussi vite que possible pour ne pas humilier le chauffeur de la Rolls, Jerry ne cessa de répéter comme un enfant qu'on surveille de trop près au moment où il s'amuse :

— Elle m'emmerde, elle m'emmerde...

— Moi, je lui trouve de la séduction.

— Elle n'a que ça ! Elle en joue comme d'un violon. Il faut que tout le monde entende sa musiquette et bave d'admiration. Attendez... avec moi, elle sera différente. Elle me prendra à part, me fera la leçon, me persuadera de rentrer aux États-Unis. Je dois me tirer de ses pattes avant qu'elle y arrive...

— Dites non ! C'est tout ! Il n'y a pas de réponse plus simple.

— Vous l'avez vue : elle m'appelle Bébé Jerry comme quand j'avais cinq ans. Personne n'a encore décrit le martyre du benjamin d'une famille nombreuse.

— Laissez-vous pousser la barbe ! Elle n'osera plus vous appeler Bébé Jerry.

Ce qu'il fit, non dans l'heure même, mais dans les jours qui suivirent. Il fut hirsute une semaine, puis, comme il avait le poil abondant, très vite son visage s'étoffa, s'élargit, souligné par une barbe bouclée aux reflets roux. Il perdit son air de gamin pris en faute. Je n'avais pas donné ce conseil en plaisantant, ayant souvent remarqué combien la barbe modifie d'abord l'attitude d'autrui à notre égard, puis, par contrecoup, notre propre caractère, comme si notre comportement était conditionné par l'idée que nous inspirons. Le vrai Jerry — celui que je connaissais ou du moins croyais connaître, influencé moi aussi par son visage lisse aux expressions enfantines — le vrai Jerry découvrit soudain qu'on ne lui parlait plus sur le même ton. Il en conçut une autre idée de lui-même comme tous les caractères faibles et influençables. Sans griserie, parce qu'il gardait un doute sur la profondeur de cette métamorphose et qu'en réalité il n'avait pas été sans complaisance pour la facilité première de son caractère, je dirais même sa docilité. Le comportement de Moïra changea et aussi celui de Taubelman qui était en train de le réduire à l'esclavage. Le fait de n'être plus appelé Bébé Jerry à tout bout de champ, ou simplement Jerry sur un ton impérieux, fut d'une grande importance psychologique pour lui. Il s'aperçut que s'il disait non, ses interlocuteurs en tenaient compte. Nous eûmes un jour une longue conversation au cours de laquelle il avoua son dégoût qu'une apparence modifiât à ce point les rapports entre humains. Mais sa génération a inconsciemment subi la même métamorphose pour se libérer d'un excès de respect à l'égard de l'écrasante génération précédente. Les cheveux longs, les barbes, les oripeaux clinquants, un carnaval en folie ont sidéré les aînés, bouleversé leur attitude à l'égard de la jeunesse soudain promue à la sagesse et à la poésie, alors qu'il s'agit le plus souvent du désordre et de la bêtise. Moïra, que j'aurais crue plus solide, fut la première impressionnée. Durant le mois qu'elle passa en Irlande, elle n'accabla plus Jerry d'un embarrassant amour maternel. Cette femme intelligente se montra même d'une naïveté incroyable quand elle crut déceler dans la barbe de Jerry une évolution vers son « gauchisme » forcené, chose d'autant plus inepte que Jerry était — est encore, je le crois, le crains ou l'espère — un être frappé d'une totale inaptitude pour les passions politiques.

Pour en revenir à Reginald le soir où il fit une entrée si remarquée à *L'Éperon,* je dois dire qu'il apparut vite très supérieur à ce qu'on pouvait attendre. Moïra, depuis deux ans, ne se sépare pas de lui. Elle le présente comme son secrétaire ce qui ne tient pas debout, Reginald étant incapable de taper à la machine ou de classer un courrier. S'il répond au téléphone, c'est en bâillant. Il n'est pas non plus son amant, pour une raison facile à deviner que je n'ai pas besoin de préciser. Moïra choisit ses amants selon d'autres principes. En fait, elle s'est attaché Reginald par peur d'être seule un des rares instants où elle ne travaille pas, ne jette pas de la poudre aux yeux. Dès qu'elle est occupée, elle le pousse dehors, l'envoie aux quatre cents diables, quitte à gémir s'il ne réapparaît pas dans la minute où elle se retrouve de nouveau seule. Il est là pour écouter ses riens, donner la réplique quand elle apprend un rôle, brosser son dos au moment du bain, peindre ses ongles de pied et repasser son linge, car il repasse merveilleusement, mieux qu'aucune femme de chambre, assure-t-elle. Reginald, né à Boston, ne tire pas peu de gloire de son origine. A l'en croire, ses aïeux ont « failli » arriver sur le *Mayflower*. Son snobisme égale sa réelle gentillesse. Ce n'est pas non plus un imbécile et depuis l'âge de quinze ans, il a traîné dans les milieux du spectacle, acteur, danseur, maquilleur, doublure. Son rêve : jouer Othello, puis Hamlet, un Hamlet noir. Pourquoi pas ? Il y a bien eu une Carmen noire. Il satisfait aussi, comme je m'en aperçus lentement, un des défauts paradoxaux de Moïra. En sa qualité de Noir, et pour la rédemption des descendants des esclavagistes, il a tous les droits, notamment le droit de se plaindre de tout, de renvoyer le dîner de la vedette, de sonner vingt fois le valet de chambre, d'exiger la présence du directeur de l'hôtel si un drap présente un pli ou si un rien de poussière subsiste sur une commode. On imagine combien dans un hôtel irlandais il eut à faire. En réalité, ces exigences d'enfant gâté sont celles de Moïra, dévorée de caprices, mais consciente qu'il ne faut pas ternir son image publique, celle d'une vedette engagée défilant dans les meetings ouvriers, signant les appels pour la paix au Vietnam. La contradiction serait flagrante et elle est assez intelligente — ou rusée — pour s'en rendre compte. Cette duplicité n'a d'ailleurs rien de gênant chez les comédiens tant nous sommes habitués à leur faculté de dédoublement.

Reginald s'assit donc à la table que je partageais avec Seamus Scully, ce qui cessa immédiatement d'en faire un Martien ou un roi mage. Il connaissait l'un de nous, il appartenait au monde des terriens.

— On dirait qu'ils n'ont jamais vu un client commander un double whisky, dit Reginald.

— Détrompez-vous ! affirma Scully. J'ai plutôt l'impression qu'ils s'intéressent à la couleur de votre peau.

— Tiens, je ne pensais pas qu'ils étaient racistes.

— Avez-vous lu Joyce ?

— Oui bien sûr *Ulysse* et *Gens de Dublin*. J'ai, en vain, essayé *Finnegan's wake*.

— Laissez tomber *Finnegan's wake* si vous n'êtes pas linguiste, mais dans *Ulysse* vous trouverez une explication. Quand Stephen Dedalus rend visite à Mr Deasy, ce dernier le rattrape au moment où il part et, tout essoufflé, lui glisse dans l'oreille : « Je voulais vous dire simplement ceci. On dit que l'Irlande est le seul pays qui puisse s'enorgueillir de n'avoir jamais persécuté les Juifs. Saviez-vous cela ? Non. Et savez-vous pourquoi ? » Naturellement, Stephen ne le sait pas. « Parce que, dit Mr Deasy pompeusement, elle ne les a jamais laissés entrer. »

Reginald rit superbement, ouvrant une bouche rose aux fortes dents. Il nous plut par sa rapidité d'esprit, son charme et sa gaieté. Et quand il nous invita pour le lendemain au Great Southern à Galway, Scully qui mourait d'envie de connaître Moïra fut le premier à accepter.

Depuis une semaine que nous nous connaissions, je ne quittais guère le petit docteur au taxi mauve. Un coup de foudre réciproque. Comment avais-je pu passer à côté de lui, ignorer sa présence, sa personnalité alors que nous nous croisions sans cesse ? J'étais prêt à accuser Mrs Colleen de nous avoir cachés l'un à l'autre, ce qui est faux, car, s'il est exact qu'ils se connaissent depuis l'enfance, Scully évite de son mieux les sermons de son amie Violette et ne se plaît, quand il est avec elle, qu'à la choquer en proférant des obscénités énormes. Peu gêné par les obscénités, je goûte en Scully une vivacité, une drôlerie qui m'enchantent. Il sait tout, connaît la terre entière, chante avec la jolie voix de tête des Irlandais, sort des lapins de son chapeau de tweed, tire des pièces de monnaie du nez des enfants des nomades tinkers que nous rencontrons au bord de la route et les donne aux parents avec des airs entendus. En principe, il n'exerce plus et pourtant on le réclame partout. Partagé entre le désir de ne pas se faire un ennemi du jeune médecin de Corofin qui couvre la région, et le désir charitable de venir au secours de ceux qui l'appellent, il ne visite les malades que pour les bousculer de paradoxes et de propos ironiques. On dirait d'un archange motorisé en lutte contre les maladies psychosomatiques, exorcisant les démons de la crasseuse bêtise. Cela dit, la médecine, en tant que telle, l'assomme. Il n'y croit plus. Il a, un temps, été le disciple d'un mage russe qui soignait rhumes, ulcères et cancers avec des douches froides, puis acupuncteur, jusqu'à ce qu'un guérisseur allemand le délivrât de ses crises d'asthme avec des tisanes d'herbes sauvages et fît de lui un partisan convaincu de la médecine végétale à laquelle il ajoute, il faut le dire, des doses régulières d'un whiskey irlandais très spécial — trente ans d'âge, précise-t-il, l'index levé — que lui fournit un de ses amis, distillateur dans le Comté Wicklow.

Je l'emmenai un soir chez Taubelman et, au retour, il m'assura qu'Anne n'avait jamais été réellement muette. Il connaissait d'ailleurs Sœur Agnès, à l'hôpital d'Ennis, et elle lui avait raconté l'arrivée de la jeune fille dans le coma, les premiers soins, le retour à la conscience.

— Croyez-moi, dit-il, Anne avait simplement décidé — pour une raison ignorée mais intéressante à découvrir un jour, parce qu'elle éclairera aussi la personnalité et la vie fumeuse de Taubelman —, Anne avait décidé qu'elle ne prononcerait plus un mot. Très peu réussissent ce tour de force. Marchez sur le pied d'un muet volontaire et il criera aussitôt une injure quelconque. Anne a parlé après son traumatisme parce qu'elle ne se contrôlait plus. Il lui était difficile ensuite de revenir en arrière. Ou peut-être même fatiguée par cette comédie qui durait depuis trois ans, a-t-elle saisi au vol cette raison plausible de recouvrer la parole. Vous ne savez pas jusqu'où va la duplicité de certains aliénés...

— Je n'aime pas le mot « aliéné » pour Anne...

— Oh là ! là ! ne nous battons pas pour des mots. Ne suis-je pas un aliéné moi-même et, cela dit entre parenthèses, vous cachez, vous aussi, quelque chose qui pourrait bien être une forme d'aliénation. Laquelle ? Je ne sais pas encore et je vous laisse le temps de me l'avouer lucidement ou après quelques verres. Sachez que les troubles de la parole s'accompagnent le plus souvent d'une certaine ataxie locomotrice. Or Anne n'a jamais donné aucun signe de ce genre. Elle conduisait sa voiture, montait à cheval, marchait dans la forêt...

Je n'étais pas mécontent que Scully eût jugé, du premier coup d'oeil, Taubelman un personnage douteux. Nous avions passé une soirée inhabituelle dont je conservais le mauvais goût dans la bouche, même presque un remords parce que je m'étais laissé entraîner à jouer. Scully lui-même m'avait demandé de l'amener à Dun Moïran, et Taubelman, au contraire de ce que j'attendais, s'empressa de nous inviter ensemble. Il connaissait de vue le petit docteur, prétendait même avoir vidé une dizaine de verres avec lui à

*L'Éperon*, en discutant, d'un point de vue purement scientifique, de la Trinité et de l'Ascension de la Vierge, chose dont Scully ne se souvenait pas mais qu'il avouait, modestement, fort possible, car ces questions le préoccupaient à ses heures perdues — fort rares — et il cherchait des interlocuteurs susceptibles de le contredire à l'infini rien que pour la joie d'étaler au grand jour ses hypothèses.

A peine arrivés à Dun Moïran, nous avions pris un départ foudroyant grâce à un cocktail de l'invention de Taubelman. J'avais eu grand-peine à m'arrêter à temps et Jerry, moins prévoyant ou moins habitué, avait commencé de ballotter de la tête, signe qu'il s'efforçait de percer autour de lui un épais brouillard. Anne nous servait à boire, puis retournait à un grand fauteuil près de la cheminée, absorbée dans un livre, la chienne Blondie à ses pieds, figure qu'il aurait été agréable d'isoler dans son cadre de feu et de calme si les vociférations, les grognements et les cris de joie de Taubelman n'en avaient altéré l'image. Jerry, mal en point pour se défendre, bousculé par notre hôte qui ne supportait pas la réflexion d'un joueur, perdit une assez forte somme que le lendemain Moïra paya pour lui. Je ne fus pas beaucoup plus heureux et Scully, joueur fanatique, s'en tira avec quelques plumes. Taubelman empocha tout, avec une joie sauvage, sans un mot de regret pour ses invités. Le lendemain, Mrs Colleen m'apprit qu'il avait payé lui-même, *in extremis*, en argent liquide, l'ardoise impérieuse qui l'attendait chez un marchand de liqueurs d'Ennis décidé à lui envoyer l'huissier le jour même.

Le taxi mauve n'était conduite intérieure que pour les passagers de la banquette arrière. A l'avant, fouettés par l'air froid de la nuit, nous avions retrouvé partie de notre lucidité et Seamus Scully, au diagnostic sur Anne, ajouta une phrase dont je ne compris pas tout de suite le sens, mais qui s'éclaira plus tard, trop tard :

— En tout cas, la prochaine fois que nous jouerons avec Taubelman, nous demanderons à cette belle jeune fille — ah ! quelle Deirdre elle ferait dans la pièce de Synge — de rester assise près du feu, quitte à laisser vides nos verres. Son dévouement à notre soif — pourquoi tant de poivre dans la vodka ? — a distrait mon attention. J'ai horreur qu'on s'occupe de moi, qu'on passe derrière moi quand je joue. Une présence même discrète et furtive me retire la sensation de néant absolu dont j'ai besoin dans mes reins, ne serait-ce que pour foncer...

Dans la soirée du 6 janvier, nous nous trouvâmes réunis au bar du Great Southern. Moïra nous annonça que nous nous rendrions tous au cottage des Kean où une cérémonie nous attendait. A peine descendions-nous de voiture dans la nuit que des éclairs de magnésium nous saluaient. Dans les deux jours précédant l'événement, Moïra avait trouvé le moyen de relier le cottage au réseau électrique et d'y installer la télévision. C'est là qu'elle entendait suivre sur le petit écran l'exploit de son frère Terence qui, à bord d'un vaisseau cosmique Apollo, alunissait vers minuit, heure terrestre. La presse avait été conviée, ce qui sembla très peu du goût de Taubelman qui passa une partie de son temps à se cacher des photographes. Je demandai la permission d'envoyer prendre Billie et Teddy, et Moïra dépêcha sa Rolls qui ramena les deux artisans éblouis, au comble du bonheur et malheureusement un peu trop parfumés, ce qui gênait dans une pièce aussi étroite. Une noire tabagie dissipa vite ces relents bon marché. Reginald avait bien organisé la soirée et nous bûmes un excellent champagne apporté dans des bacs à glace, en attendant les images transmises par satellite.

Je ne raconterai pas l'alunissage de cet Apollo. Le monde entier l'a suivi comme nous le suivîmes cette nuit-là. Quand la première partie du programme cosmonautique fut achevée à la satisfaction du centre de Houston, Terence Kean et son compagnon retournèrent dans leur cabine pour prendre du repos. Au-dehors du cottage le matin pointait, une lueur jaune sous la barre des nuages gris. Les photographes étaient partis transmettre à leurs journaux les films pris au début de la réunion. Moïra calculait admirablement son coup : la presse du soir en Europe et aux États-Unis publia autant d'images d'elle que de son frère. Le cottage d'où l'arrière-grand-père Kean était parti en souliers percés à la conquête de l'Amérique pour donner naissance à une génération hétéroclite de cosmonaute, de princesse et de vedette de cinéma devint aussi célèbre que le vaisseau Apollo. Intrigué cependant par le manège de Taubelman, je remarquai le jour suivant, sur les photos qu'on apporta en masse à Moïra, que notre ami, quand, par hasard, il y figurait, se présentait toujours de dos à moins qu'une main cachât la moitié de son visage. Il s'était même arrangé, semblait-il, pour masquer Anne autant que possible, encore qu'elle apparût parfois de profil, avec une expression tendue, presque douloureuse. J'en fis la remarque à Seamus Scully qui, selon son habitude, leva l'index en l'air et dit d'un ton diabolique :

— A inscrire au tableau ! La police, avec des déclarations de témoins, d'ailleurs toujours fausses, dessine des portraits robots qui permettent d'arrêter les sosies des sadiques et des assassins. Nous n'avons pas besoin de portrait physique, puisqu'il est là, en chair et en os — beaucoup de chair et d'os —, mais nous avons besoin d'un portrait psychologique et mieux encore, de rayons X pour voir à travers lui. A cet égard, rien de plus révélateur que les attitudes devant les photographes.

— Il y a une chose dont j'ai oublié de vous informer, cher docteur, c'est que nous ne pouvons pas raisonner à propos de Taubelman comme à propos de n'importe quel autre être humain. En effet, Taubelman est mort depuis trois ans, au cours d'un accident d'avion. Nous traitons d'un fantôme.

— Figurez-vous que cela tombe bien : je suis spécialiste en fantômes. Il y en a un dans ma maison à

Corofin. Vous ferez sa connaissance. Un personnage tout ce qu'il y a de remarquable, bien qu'un peu triste à fréquenter pour une raison difficile à démêler qui semble être que sa femme l'a empoisonné. Il en a conçu une peine très vive et passe ses nuits à demander pourquoi elle lui a fait ça, alors qu'il était très heureux et se foutait pas mal qu'elle le trompât avec le boucher...

Un cortège hagard quitta le cottage, surpris par le froid soudain, la lumière indécise, bouche sèche d'avoir trop fumé ou bu, yeux rouges d'être restés collés à l'écran de télévision toute la nuit. Reginald soutenait Moïra par la taille dans le sentier en pente qui conduisait aux voitures. Taubelman me poussa le coude :

— Voyez comme il est plein d'attentions pour elle ! Souvenez-vous de ce que je vous ai dit : les nègres !

— Mais vous ne m'aviez jamais dit cela de Moïra. Vous l'avez dit de Sharon et ce n'était pas vrai.

Il fit semblant de ne pas m'avoir entendu et tourna le dos pour tendre la main vers Anne. C'était bien dans sa manière d'éviter que l'on marquât un point sur lui. Encore heureux qu'il ne m'eût pas envoyé au diable en prétendant que j'avais « les portugaises ensablées », expression qui faisait sa joie et qu'il répétait à tout bout de champ. En descendant, je pensai aux mondes différents dans lesquels vivaient Terence Kean et sa sœur. A son premier pas sur la Lune, Terence avait récité le *Notre Père* et imploré la bénédiction papale pour l'œuvre qu'il accomplissait. On avait vu ses gros bras de Bibendum esquisser un signe de croix. Terence avait beau se réfugier sur la Lune, il appartenait encore à notre univers de pensées et de foi en un Dieu, bien plus que Moïra qui ne quittait pas la terre. Elle avouait sans fard que le but de sa vie était d'arracher aux institutions, aux mœurs et aux habitudes invétérées du monde occidental, une licence et une liberté toujours plus grandes pour mieux le détruire de l'intérieur, tandis que Terence qui menait à Cap Canaveral une vie de saint, s'engageait dans une aventure aussi extraordinaire que celle de Colomb, pour donner à la civilisation à laquelle il croyait, ses lettres de noblesse et le seul sentiment qui la justifie, le sentiment de l'infini. On ne pouvait douter cependant que Moïra aimât et admirât ce frère qui lui était si étranger, comme elle aimait Jerry sincèrement, avec plus de lucidité que ne le faisait Sharon.

Elle s'engouffra dans la Rolls avec Reginald, suivie par la jeep d'Anne qui s'était remise à conduire depuis la veille. Jerry couchait au cottage, Sean Coen ayant repris son service à Dun Moïran. J'emmenai Billie et Teddy, et Scully me lança une œillade pleine de sous-entendus. Peu après, je les déposai devant chez eux, fripés, blafards, mais heureux : Moïra promettait de les visiter et ils s'inquiétaient déjà de savoir si elle amènerait des photographes. Leur naïve avidité me parut plus touchante qu'agaçante. Je les rassurai de mon mieux et rentrai me coucher. J'aurais dormi jusqu'au milieu de l'après-midi si Mrs Colleen, affolée de ne pas me voir au traditionnel petit déjeuner dans la cuisine, n'était entrée dans ma chambre pour vérifier que je respirais encore. Je la rejoignis peu après et bus au moins deux théières pendant qu'elle m'assommait d'insipides propos. Enfin, pas si insipides que cela puisqu'elle m'apprit que, la veille, Taubelman avait vendu les deux juments d'Anne, l'une au jeune interne de l'hôpital d'Ennis, l'autre à un maquignon de passage. On disait qu'il avait réussi à en tirer quinze cents livres, juste assez pour calmer l'entrepreneur qui avait modernisé le donjon et s'impatientait bruyamment. Il en est toujours ainsi : quand on commence à payer ses dettes, la meute des créanciers, jusque-là résignée, se déchaîne. Taubelman entrait dans une période difficile et, bien qu'il s'en cachât, cela commençait à se savoir de tous côtés. Nous admirâmes comment il redressa la situation dans les jours qui suivirent, en offrant à Moïra une véritable fête chez lui, le genre de feu d'artifice que tire un navire en perdition. Elle y arriva accompagnée de Reginald et d'un scénariste, Stanley Kosslawski, venu travailler avec elle à un nouveau projet d'autant plus urgent que *La Race* où elle avait englouti une somme considérable s'avérait partout un échec. Affecté de coupures qui le rendaient incompréhensible, le film avait à peine tenu une semaine en exclusivité à Londres et à Paris et n'avait plus d'issue que dans les ciné-clubs et les salles spécialisées. Aux États-Unis, Moïra n'avait pas de distributeur et n'en trouverait pas. Stanley Kosslawski préparait l'adaptation d'une nouvelle de Liam O'Flaherty dont l'action se déroulait dans le Galway. Ils firent à Taubelman la surprise de traîner avec eux Billie et Teddy dont Reginald ne se séparait pas depuis qu'il avait découvert l'aristocratique ascendance de Teddy. J'amenai Scully bien entendu. Taubelman avait lui-même cuisiné un bœuf mode. Il me sembla aussi qu'Anne faisait un effort surhumain pour surmonter sa réserve. Elle ne se contenta plus de remplir les verres qui se vidaient à toute allure, elle parla. Chaque fois son visage grave menaçait de s'empourprer, mais un effort extrême de volonté effaçait cette réaction. Moïra réussit à l'entraîner dans un angle et pendant un moment Anne paniqua visiblement, puis s'apprivoisa, se détendit, sourit et je l'entendis même rire quand Reginald proféra une absurdité. Sean Coen n'apparut pas. Taubelman nous expliqua que le pauvre Sean avait noyé, dans un mauvais rhum parfumé, son chagrin du départ des deux juments :

— Je crois qu'il les aimait plus qu'il nous aime, et il ne veut pas du tout croire que nous allons en avoir d'autres : un pur-sang et un hunter anglais. Je ne sais pas comment faire pour le rassurer. Pourtant il sait bien qu'Anne ne peut pas vivre sans chevaux. Il s'est couché dans la paille des écuries et il y restera jusqu'à l'arrivée de ses nouveaux pensionnaires.

Kosslawski assura que c'était une excellente histoire, qu'il trouverait le moyen de la glisser dans son scénario, quelque chose de typiquement irlandais, qu'on n'invente pas. Je me demande à quoi il pouvait juger cela « typiquement irlandais » lui qui était là depuis deux jours et ne connaissait rien au pays. Mais c'était un enthousiaste, obsédé par la recherche de ces petits faits vrais qui nourrissent une histoire. Taubelman l'hypnotisa. Tard dans la soirée, on les vit disparaître pendant une heure et Kosslawski revenir penaud : il venait de perdre mille dollars au gin. Peu après, ce fut le tour de Reginald qui connut le même sort. Comme il n'avait pas non plus un sou sur lui, Moïra signa un chèque avec une certaine mauvaise humeur. Taubelman qui humait bien le vent fit des difficultés pour l'accepter, le déposa sur le manteau de la cheminée, sans avoir l'air de s'en préoccuper jusqu'à ce qu'Anne, passant tout près, mît la main dessus, le pliât et le glissât dans sa poche.

— Vous avez vu ? me dit Scully.

— Oui.

— Cela signifie beaucoup. En tout cas, s'il est fauché en ce moment la chance le sert bien... Je me demande où il trouve ce champagne, ces vins rouges et cette fine. Je vous assure que ce n'est pas si fréquent en Irlande où on vous sert n'importe quel tord-boyaux sous étiquette. Cet homme a des ressources insoupçonnées...

Très vite, Kosslawski ne tint plus debout, agrippant chacun par l'épaule pour lui raconter comment il venait de perdre au gin. Moïra lui intima sèchement l'ordre d'aller dormir dans la Rolls et à notre surprise, il obéit sans même un au revoir. Reginald ne quittait pas d'un pouce un Teddy fasciné qui le buvait des yeux. Personne n'entendait ce que disait Reginald, nous ne pouvions que deviner sur les grosses lèvres mauves qui découvraient la denture jaunâtre un monologue destiné à éblouir Teddy. Le désespoir muet de Billie me fendit le cœur et je le conduisis auprès de Moïra qui, affalée dans un fauteuil, un verre à ses pieds, recevait les hommages avec une grâce princière que Sharon lui eût enviée. Sincèrement bonne à cet instant, elle comprit la situation et s'empara de Billie qui, peu à peu, se laissa envoûter et ne tourna même plus la tête toutes les minutes pour vérifier que Teddy et Reginald ne s'embrassaient pas goulûment sur la bouche. Le plus comique est qu'au bout d'un moment, Teddy apercevant son ami aux pieds de Moïra commença de s'inquiéter et de montrer d'autant plus de nervosité que Reginald ne voulait absolument pas le lâcher.

Quant à Jerry, il ne quittait pas Anne, aspiré dans son sillage dès qu'elle traversait la pièce, la suivant dans la cuisine d'où il revenait derrière elle, chargé de bouteilles, de verres, de bacs à glace, d'assiettes remplies d'amuse-gueules. Ainsi, c'était fait. Je n'éprouvais pas d'amertume bien que ce fût un rappel désagréable de mon âge et de la situation où je me trouvais. A un moment, derrière un fauteuil, ils se serrèrent furtivement les doigts. Anne rencontra mon regard, envoya Jerry à la cuisine et vint vers moi :

— Sortons, voulez-vous ? dit-elle.

Nous nous retrouvâmes sur le perron éclairé par une lanterne qui se balançait dans la brise, jetant de brèves lueurs sur le vernis des voitures massées dans la cour. Les pieds déchaussés de Kosslawski — oh, pourquoi, scénaristes américains portez-vous toujours des chaussettes jaunes ? — dépassaient d'une portière de la Rolls. Nous l'entendîmes ronfler.

— Je ne sais pas m'exprimer ! dit Anne de sa voix sourde.

— Comment puis-je vous aider ?

— Impossible. Ne m'en veuillez pas. Je ne peux rien demander d'autre.

Son visage m'effleura, j'eus l'impression qu'elle avait frôlé mes lèvres quand elle s'enfuit et rentra dans le donjon. Le froid sec de cette belle nuit étoilée m'emplit les poumons. Je restai là, debout, à fumer une cigarette, les yeux fixés sur les pieds jaunes de Kosslawski. Le pied droit gratta la plante du pied gauche, puis vice versa. On eût dit un spectacle de marionnettes. Jerry surgit.

— Vous êtes seul ? Vous n'avez pas vu Anne ?

— Non, je regarde les pieds de Kosslawski.

— Qu'ont-ils ?

— Ils se grattent réciproquement avec beaucoup de gentillesse.

— Anne a disparu !

— Sûrement pas.

La barbe en était à ses débuts. Il avait un gentil côté hirsute.

— Vous croyez qu'elle est montée se coucher ?

— Franchement, Jerry, je n'en sais rien. Et comment a-t-elle pu vous échapper ? Elle ne fait pas un pas sans que vous soyez derrière elle.

Alors, il eut un mot si juste, si révélateur qu'il me toucha au cœur.

— Oui, elle m'envahit.

— C'est très bien, Jerry. Ne vous défendez pas !

— Je monte frapper à sa porte !

— Laissez-la un instant. Elle a peut-être besoin de repos. Je veux dire : besoin d'être seule !

— Vous croyez ?

— J'en suis certain.

Nous rentrâmes pour trouver Taubelman adossé à la cheminée, chauffant ses larges fesses et commençant une histoire qui se passait, cette fois, à Paris, vers 1938. Dans la rue, il avait suivi une petite bonne femme au derrière moulé dans une jupe de toile noire, aux seins serrés à éclater dans un corsage de satin blanc, mais chaussée de sandales de cycliste et de socquettes jaunes...

— Vous comprenez, dit-il, les socquettes jaunes m'excitaient terriblement. J'imaginais la petite les lavant le soir dans son lavabo. Je me demandais pourquoi les chaussures de cycliste ? Pédalait-elle seule ou en tandem ? Je lui demanderais de pédaler devant moi, je n'ai pas besoin de vous faire un dessin.

Naturellement il aurait été beaucoup plus intelligent de regarder ses cheveux et le ruban dans ses cheveux, un ruban rouge. Mais j'étais idiot, j'avais vingt-deux ans, de l'argent en poche et les socquettes m'attiraient comme une mouche. Si nous faisions l'amour l'après-midi, j'exigerais qu'elle les garde. Elle les laverait le soir. Après. Elle avait très bien remarqué que je la suivais et elle n'accélérait pas. Elle s'arrêtait devant les magasins, collait son nez à la vitre. J'en faisais autant. Elle riait. Moi pas encore. Je commençais à rougir. Vous savez ce que c'est quand on a très envie de faire l'amour, c'est comme un coup de sang ! A la fin, j'ai quand même ri et elle a dit : « Alors, mon petit bourgeois, on suit les prolétaires. Ça va te mener loin, ça ! » Ça m'a mené de la Bastille à la Nation. Elle m'a traîné dans un défilé de cocos qui voulaient à la fois leur quarante heures et la peau des Nazis. J'ai chanté *L'Internationale.* Nous nous tenions la main qu'elle avait un peu moite, mais enfin c'était une gentille petite main d'ouvrière et elle me serrait bien fort pour que je ne lui caresse pas les fesses, parce que ses copains n'auraient pas aimé ça. A la Nation, la police nous attendait à coups de pèlerines et de bâtons blancs. Comme je suis plutôt grand, on m'a respecté, mais ma petite amie voulait absolument mordre la main d'un flic. Une idée tenace, absurde, qui la rongeait. Elle y est arrivée et ils lui sont tombés à trois dessus et comme je suis un gentleman j'ai tapé dans le tas. Je l'ai sortie de là, prise sous mon bras et emmenée. Elle hurlait, elle en voulait encore, elle les injuriait et comme son chemisier de satin était déchiré, tout le monde riait de la voir dépoitraillée. Je l'ai emmenée dans un café où une dizaine de types soignaient leurs bosses et leurs nez écrasés. Elle a attendu là très sagement que j'aille dans un magasin lui acheter un autre chemisier et puis nous sommes partis à pied pour la Convention où elle voulait rendre compte à la cellule du quartier. Elle m'a présenté comme un camarade étranger, mais on m'a quand même accueilli fraîchement. Elle aurait dû se faire arrêter. *L'Huma* avait besoin de gros titres : 10 000 arrestations, cinq cents blessés, deux morts. On avait beau faire et refaire les additions, on n'y arrivait pas. C'est tout juste s'ils n'ont pas téléphoné à la police pour qu'on vienne l'arrêter. Elle est repartie un peu dégoûtée et nous sommes allés manger des frites rue de la Gaîté. Il y avait un très bon programme à Bobino, mais le music-hall ne m'intéressait pas du tout. Moi, ce que je voulais, c'étaient les socquettes jaunes. Une idée de maniaque... Après ça, dans la vie, j'ai été moins difficile. Comme elle habitait chez Papa et Maman et que Papa était métallo chez Gnome et Rhône, nous sommes allés à l'hôtel. J'avais à peine tourné le dos pour mes petites ablutions, qu'elle avait retiré ses chaussettes. J'ai voulu qu'elle les remette, et elle m'a traité de vicelard, de pourrisseur de la jeunesse française, une scène à tout casser et on nous a foutus à la porte de l'hôtel. Nous nous sommes retrouvés dans la rue. Il faisait nuit heureusement, un peu moins chaud ce qui m'a calmé. Je l'ai prise par les sentiments et je lui ai expliqué que dans mon pays les ouvrières étaient trop pauvres pour se payer des chaussettes jaunes et que je voulais garder un souvenir inoubliable de ma visite à Paris. Elle a été émue par cette détresse et nous sommes montés dans un autre hôtel, il n'y a que ça dans ce quartier, un beau quartier d'amour, ronronnant de plaisir, où l'eau coule à flots dans les chambrettes, où les garçons d'étage attrapent des varices à monter le savon bleu et les deux serviettes par couple. Nous sommes restés jusqu'à minuit quand on est venu nous dire qu'il fallait payer une seconde fois si nous passions la nuit. Mais Josée — c'est vrai que j'ai oublié de vous dire qu'elle s'appelait Josée — voulait rentrer. Papa était très sévère et il l'attendait déjà probablement dans l'entrée avec une poêle à frire. Pourquoi une poêle à frire ? Je ne sais pas, c'est peut-être une habitude dans les familles françaises, il faudrait faire étudier ça par les ethnologues et les psychiatres. En tout cas, c'était son arme et il lui en cassait une sur la tête chaque fois qu'elle rentrait trop tard, ce qui tendrait à prouver que les poêles à frire françaises sont de mauvaise qualité ou que les têtes des jeunes filles françaises sont très dures. Josée avait laissé sa bicyclette chez une amie et je me demandais comment j'allais lui dire que je possédais une voiture, une Mercedes comme tous les fils à papa de cette époque-là, une merveille que j'ai pleurée quand elle a disparu dans un bombardement. Josée a retrouvé sa bicyclette et elle a voulu m'embrasser au revoir, mais je lui ai dit qu'on ne pouvait pas se quitter comme ça, que j'allais au moins la reconduire jusqu'à sa porte, à Courbevoie, qu'il suffisait de voler une voiture. Nous avons cherché un peu ou plutôt j'ai fait semblant de chercher et boulevard Saint-Germain, j'ai retrouvé ma Mercedes qui attendait. Josée a battu des mains. Ça lui plaisait follement de monter dans un engin pareil et de voler un bourgeois. Nous avons mis la bicyclette dans le coffre arrière et nous sommes partis, échappement libre, pour Courbevoie. Je l'ai bien embrassée devant sa porte et elle m'a donné ses socquettes jaunes que j'ai gardées longtemps dans mon paquetage de soldat. Elles m'ont porté bonheur jusqu'à Kiev où je suis arrivé sans une égratignure, mais à Kiev on m'a volé une partie de mes affaires et les socquettes jaunes. Les malheurs ont commencé et j'ai compris qu'elles m'avaient fasciné parce qu'elles portaient bonheur. Une année — longtemps après la guerre — j'ai trouvé en ouvrant un journal, une photo des principaux responsables du P.C. et il m'a semblé reconnaître dans une des dirigeantes des organisations féminines, ma petite Josée. Évidemment, ce n'est plus la même : les petits seins se sont aplatis, elle ne noue plus de ruban, même rouge, dans ses cheveux et ne porte pas de socquettes jaunes. Il y a cependant un indice troublant : la note du journal la présentait comme une cycliste enragée... Enfin, tout ça pour vous dire, chère

Moïra, combien les chaussettes jaunes de votre ami Kosslawski m'ont ému...

Une fois de plus, je le répète, je n'ai pas le talent d'écrivain qui me permettrait de restituer (ou mieux de réinventer) dans sa richesse et son intégralité une histoire de Taubelman. Celle-là dura près d'une heure avec des incidentes, des redites, un époustouflant vocabulaire. Au contraire des autres qui clochaient par trop, j'eus tendance à la croire vraie, enfin plausible. Elle me parlait d'ailleurs plus à moi qui étais français, qui avais connu le Paris de 38, qu'à Moïra, Seamus, Jerry, Reginald ou Billie et Teddy. Ils n'en avaient pas moins goûté cette histoire et Taubelman sut que les deux mille dollars arrachés à Kosslawski et à Reginald en quelques parties de gin n'étaient déjà plus un grief contre lui. Mais pour se lancer, il avait attendu qu'Anne montât se coucher. Elle ne réapparut pas. Jerry ne fut plus le même. Il n'avait qu'une envie : s'en aller. Je lui prêtai ma voiture et il partit sans nous dire au revoir. Comme je me levais, Moïra me fit un signe :

— Qu'y a-t-il avec Bébé Jerry ?

— Vous ne devinez pas ?

— Ah !... je vois... mais qui est-elle ?

— C'est le mystère !

— Oh après tout.. ça le regarde ! Enfin, non peut-être pas seulement lui... J'aimerais vous parler.

— Maintenant ?

— Non. Demain.

— Si vous voulez !

Elle battit le rappel de son petit monde et nous sortîmes. Les pieds de Kosslawski dépassaient toujours de la portière. Sans douceur, Reginald le repoussa sur le plancher de la Rolls et prit le volant. En gloussant Billie et Teddy montèrent sur le siège arrière. Je ne suis plus sûr qu'ils envoyèrent des baisers à Taubelman comme le prétendit ensuite Seamus, mais l'envie ne leur en manqua pas. Je montai dans le taxi mauve et nous roulâmes lentement sur le chemin défoncé par une cataracte récente, puis très vite sur la grand-route jusqu'à Inishgate et au cottage de Mrs Colleen.

— En tout cas, me dit Scully au moment où je le quittai, nous avons appris deux choses ce soir : Taubelman était dans l'armée allemande et il a fait la campagne de Russie...

— Pour l'armée allemande, je m'en doutais, puisque le prince Frédéric-Charles l'a dit à Sharon le soir où nous lui avons téléphoné.

— L'important, c'est qu'il n'est donc pas juif !

— Heydrich, le chef S.S. l'était bien !

— Un quart seulement, un quart mon cher... ce qui est certain, c'est qu'il a de la chance aux cartes. Beaucoup de chance.

— Moïra n'a pas apprécié.

— Oh elle signe des chèques de mille dollars comme d'autres se mouchent.

— C'est probablement vrai.

— Bonsoir.

Elle baissa le [illegible] de son petit portail et nous sortîmes. Les pieds de Kostawski dépassaient toujours de la portière, sans douleur. Regimbala les reposa sur le plancher de la Rolls et puis s'installa en poussant Rilié et Teddy montèrent sur le siège arrière. Je ne suis plus sûr qu'ils envoyèrent des baisers à l'autre main comme le prétendait [illegible], mais l'envie ne leur en manqua pas. Je montai dans le taxi mauve et petits [illegible] sur le chemin défoncé par une [illegible] récente, puis très vite sur la grande route jusqu'à [illegible] où est le cottage de Mrs Collett.

— Ils sont fous, me dit Scully au moment où je le quittai, nous avons appris deux choses ce soir : l'un [illegible] était dans l'armée allemande et il a fait la campagne de Russie...

— Pour l'armée allemande, je m'en doutais puisque le prince Frédéric-Charles l'a dit à Sharon le soir où nous lui avons téléphoné.

— L'important, c'est qu'il n'est donc pas juif !

— Heydrich, le chef S.S., l'était bien !

— Il reste seulement deux morts... ce qui est certain, c'est qu'il a de la chance aux cartes. Beaucoup de chance.

— Moira n'a pas apprécié.

— Oh elle signe des chèques de mille dollars comme d'autres se mouchent.

— C'est probablement vrai.

— Bonsoir.

Je m'arrête un instant. Le printemps est là, très avancé. Une marée de jonquilles envahissent les pelouses. Douceur de ces clochettes jaunes dans le vert. Autour des ruines calcinées de Dun Moïran, des vagues de jonquilles courent les prés. Mrs Colleen a démailloté ses rosiers. Son jardin de cure est charmant, avec ce brin de mauvais goût qui lui vaudrait le qualificatif de « pimpant » dans les romans de Delly. En relisant les pages précédentes, j'ai la même surprise que devant un texte étranger. Certes, comme je l'ai écrit, je reconnais une voix, la mienne, avec, au début, ce qu'elle a toujours eu de sourd, à quoi s'ajoute une résignation qui m'a, peut-être, ressemblé un moment, mais qui, maintenant, me paraît déjà dépassée. Le plus curieux est que ce n'est pas mon histoire que j'essaye de raconter, mais, le plus objectivement possible — quelle absurdité, il n'y a pas d'objectivité en ce domaine ! — l'histoire que j'ai vue de ma fenêtre, à laquelle j'ai été mêlé, tantôt comme un étranger, tantôt comme un acteur. Mais il suffit d'appliquer assez longtemps à des tiers son attention pour que, grâce à un révélateur, apparaissent ces métamorphoses dont nous sommes le siège inconscient. Même à une époque plus stable de ma vie, quand je n'avais pas d'autre souci que mon travail, je m'étonnais de n'être plus le même au Népal ou en Afrique. La géographie y était pour un peu, mais bien plus l'attitude des êtres avec lesquels j'avais des problèmes à résoudre. Ici, dans un milieu plus stable, je note des changements imperceptibles à d'autres qu'à moi. Ma température à l'égard de Mrs Colleen a varié plusieurs fois en quelques mois. N'ai-je pas trouvé d'abord sa discrétion parfaite et prêté à son personnage un charme vieillot qui m'attendrissait ? Pour ensuite découvrir qu'elle était mauvaise langue et ragoteuse et que, sous les dehors les meilleurs, elle encourageait la médisance avec un malin plaisir. Cette bigote abandonnée par la nouvelle vague des jeunes prêtres a, plus d'une fois, révélé une hypocrisie en désaccord avec ses principes religieux. Si je ne me suis pas mis à la détester, c'est qu'elle n'en valait pas la peine et que j'aurais eu le sentiment de me diminuer en accordant trop d'importance à la bassesse de son comportement. J'ai bien fait puisque Mrs Colleen a, par la suite, montré des qualités réelles qui ont atténué, en moi du moins, les aspérités de son caractère. Il y a donc plusieurs Mrs Colleen, postées chacune à des étapes différentes de cette histoire et ne se ressemblant pas.

A noter aussi que même les paysages changent en

nous et hors de nous. Hier, après la relecture des chapitres précédents, j'ai eu envie de revoir Lahinch où nous avions trouvé Anne évanouie sur la plage. C'était dimanche à marée montante par un temps doré. Sur les rouleaux écumeux des vagues, glissaient en combinaison de caoutchouc noir de beaux et grands garçons debout sur leurs planches de surf. J'ai cherché les traînées d'algues, les longues dalles de pierre grise que j'avais cru voir la première fois, mais il n'y en avait pas. Le sable d'un beige brillant a des reflets de miroir. Le vent arrache aux crêtes des vagues des volées d'embruns qui tamisent la lumière, l'estompant comme dans un pastel de Turner. Et où ai-je vu que la courbe de la plage va de Lahinch à Moher ? Au centre, il y a Liscannor. On y arrive en suivant la route qui longe les dunes du golf dont le sel marin a jauni l'herbe. Le grondement de la marée montante roule à l'horizon, enfle et déferle à l'entrée de la darse de Liscannor posée sur la côte comme un grand fer à cheval au milieu des cottages aux toits de chaume bariolés par les filets de pêche multicolores. Dans mon souvenir, Liscannor s'était effacé et les tons dans lesquels baigne Lahinch avaient subi une mutation telle que je ne reconnus pas vraiment l'endroit. Dans quel état d'esprit étais-je alors, dans quel état d'esprit étais-je hier ? Et surtout comment verrai-je Lahinch si j'y retourne dans six mois ? La variation est la même que dans la *Sonate en do majeur* de Schubert telle que la joue Maria Schmitt del Tasso. Je m'en suis rendu compte au précédent chapitre ou, plus exactement, à l'entrée en scène farfelue dans ce récit de Seamus Scully. Il m'a tiré de ma délectation morose. Défense de rêver à la mort, de saluer chacun de nos pas, de nos actes, comme le dernier, sans quoi il n'y a plus de raison de remplir pleinement la durée qui nous est impartie. Certes, l'idée est encore là, et j'ai arrangé pour que, derrière moi, une sorte d'ordre — même dérisoire — règne, mais, cela étant fait, Seamus m'a distrait d'une obsession galopante. Écrire devient un exercice de santé qui a remplacé la chasse depuis la fermeture, le 31 janvier. Nous allons encore nous promener, Grouse et moi, mais le cœur n'y est plus. Je sens bien qu'elle ne s'intéresse pas aux bois, aux marais et aux collines où je lui interdis de déranger la couvée des oiseaux.

Le lendemain de la soirée à Dun Moïran, je rencontrai Moïra Kean à Galway. Elle descendit dans le hall du Great Southern où des enfants, des jeunes filles l'attendaient avec des carnets, des photos qu'elle signa sans impatience, conservant sur son visage un masque d'amabilité et d'intérêt que je savais faux, mais qui avait au moins le mérite de la gentillesse. Ce masque tomba dès qu'elle monta dans la Rolls.

— J'ai quelques heures de congé, dit-elle. Où allons-nous ?

Pourquoi proposai-je Leenden ? D'autant plus que je le regrettai aussitôt, comme une faiblesse, et peut-être même comme une indiscrétion. Moïra risquait d'y apprendre par un mot du barman ou du directeur que, trois semaines auparavant, j'avais séjourné là en compagnie de Sharon. Il était trop tard pour reculer, l'idée ayant plu à Moïra qui donna l'ordre au chauffeur de prendre la route du Connemara. Je ne me souviens guère de ce que nous dîmes pendant le trajet, seulement de ma distraction, des signes personnels que me firent une chaumière isolée, un pont en dos d'âne franchissant un torrent où buvaient de jeunes poneys gris pommelé, le Lough Corrib, miroir plombé dans lequel se miraient les bouquets de pins des îlots. Mais, cette fois, nous n'eûmes pas à franchir un rideau de pluie qui aurait isolé, comme avec Sharon, le rendez-vous de Leenden. Un ciel immobile et pesant, où les nuages n'avançaient pas, voilait la belle lumière qui baigne d'ordinaire ce pays, le dernier de l'Ouest, avant le grand saut atlantique. Moïra m'expliqua que, le matin même, elle avait enregistré pour la télévision irlandaise une violente allocution en faveur des catholiques du Nord et de la réunion de l'Ulster à l'Eire. Elle se demandait si elle avait montré assez de hargne à l'égard de la Grande-Bretagne. Son sang de catholique irlandaise avait parlé... Je l'écoutai sans surprise, avec plus de lucidité qu'elle n'en montrait, habitué depuis longtemps à ces prises de positions de personnalités qui n'avaient rien à voir avec la politique et mettaient dans la balance, pour la fausser, leur nom et leur réputation. Se rendait-elle même compte à quel point elle manquait d'honnêteté en cette occasion et desservait la rébellion en se rangeant à ses côtés ? J'y vis aussi pour elle une excellente occasion — inconsciente en mettant les choses au mieux — de se venger de Londres qui avait fait à son film un accueil sarcastique. On l'aurait probablement étonnée en le lui disant tant elle se croyait taillée dans une seule pièce, avec le caractère si entier des Irlandais.

Nous déjeunâmes à Leenden devant la baie vitrée qui donne sur la mer, et elle me parla de Jerry :

— Il m'inquiète... Vous savez : il n'a jamais été qu'un enfant. Nous l'avons toujours porté et quand nous ne l'avons pas porté, il a couru aux catastrophes comme avec cette petite Ashrami. Je l'appelle encore Bébé Jerry, même avec sa barbe qui pousse...

— Quand elle aura tout à fait poussé, vous ne pourrez plus dire Bébé Jerry. Il n'y a pas de bébés barbus.

— La barbe ne changera rien à son caractère.

— C'est vous qu'elle influencera et quand vous serez influencée, il cessera de se conduire comme l'innocent que vous croyez...

— Et pensez-vous que Taubelman et sa fille ne mettront pas le grappin sur lui ? Une barbe ne les arrêtera pas.

Elle devinait juste et je découvrais en même temps combien sa famille plaçait Jerry en état de dépendance matérielle et morale. Dommage que la seule fois où il s'en était libéré, il eût choisi les facilités de l'opium renforçant ainsi, auprès des siens, le sentiment qu'il resterait à jamais incapable de diriger sa vie. En s'inquiétant que Jerry tombât dans les rets de Taubelman, Moïra pressentait un danger auquel je n'étais pas insensible.

— Il s'est épris d'Anne, n'est-ce pas ? dit-elle.

— Oui, on ne peut pas en douter.

Et en même temps, quelle mélancolie de l'avouer ! Je m'en serais épris de la même façon sans le passage de Sharon et la bouffée d'air frais qu'elle m'avait accordée, comme à un condamné. Tout me parlait de Sharon tandis que nous déjeunions, le regard souvent distrait par la plage, une prairie où ruminait un âne aux longs poils blancs et le jardin aux massifs de houx vernissé. Elle avait vécu ici, bu dans ces verres, marché dans ce vent et traversé mes rêves avec l'étrange Mme Li. Depuis le coup de téléphone du matin de Noël, je ne savais rien d'elle. Envolée, disparue, comme si elle n'avait jamais existé que dans mon imagination. Il ne me restait rien d'elle, même pas une photo, même pas un foulard, un objet, n'importe lequel de ces signes que, des années après, nous conservons précieusement pour nous rassurer...

Moïra me parlait si sincèrement que je fus sur le point de lui avouer la raison de ma distraction quand elle me demanda pourquoi je n'étais pas plus présent. Je mentis un peu :

— Chaque fois que je viens ici, je revis une rencontre qui m'a surpris, une sorte de ballet à deux où j'ai vaincu la pesanteur.

— Avec Sharon, n'est-ce pas ?

Elle savait donc et j'en éprouvai sur le coup une gêne mitigée d'un soulagement dont le danger était évident. Ce dont nous parlons devient présent quand le silence et le secret le maintenaient caché dans les souvenirs. Moïra n'avait pas pu me tromper longtemps : elle connaissait — par qui ? — l'escapade de Sharon et je n'étais plus à ses yeux un inconnu avec lequel elle parlait trop librement de Jerry, mais quelqu'un qui la touchait de près, une sorte de beau-frère qui participait ou avait participé à la vie décousue des Kean.

— Sharon a toujours eu la plus mauvaise influence sur Jerry, dit-elle. Vous vous en êtes rendu compte !

— Pas spécialement, sinon parce qu'elle le traite comme un enfant, ce dont vous ne vous privez pas non plus.

— Il m'a parlé d'une affaire qu'il veut monter avec Taubelman, un haras, je crois... Mon père ne lâchera pas un dollar. Il sait bien que Jerry ne connaît rien aux chevaux et sera roulé. Il veut prendre Jerry avec lui dans ses affaires...

— Vous êtes injuste ! Vous oubliez combien vous vous êtes sortie du milieu familial, pourquoi vous avez acquis votre indépendance. Jerry veut être son propre maître. Il a, peut-être, le même caractère que vous, mais servi par moins de volonté. Aidez-le...

— Je n'ai pas confiance en Taubelman. Il a tout de l'escroc ! J'ai demandé des renseignements sur lui.

— Vous aurez du mal à percer la brume dont il

s'entoure... Pour ne vous rien cacher, je sais une chose déterminante sur lui : il est mort voici trois ans dans un accident d'avion.

— Ah ! dit-elle sans sourire. Voilà qui devient presque poétique... Et croyez-vous qu'il triche au jeu ?

Seamus Scully le laissait entendre et se promettait de le confondre un soir. J'en doutais cependant, tant il m'a toujours semblé que c'est le comble de l'infamie. Taubelman, malgré son cynisme et son impudeur, m'émouvait trop parfois pour que je le crusse descendu aussi bas, même si les circonstances l'y obligeaient. Or, il était évident qu'après une période d'euphorie, il se trouvait réduit à quia, obligé de boucher les trous les uns après les autres. Si la chance le servait depuis quelques jours, elle pouvait l'avoir desservi précédemment et ce n'était qu'un juste retour des choses. Enfin, Taubelman jouait aux cartes avec une prescience, une exactitude, une rapidité qui trahissaient une longue habitude. Il appartenait à cette catégorie de professionnels qui écument les croisières et les grands hôtels des stations balnéaires. Reginald, Kosslawski, Jerry, moi-même, n'étions que des mazettes en face de ce scientifique. Et ce qui confirmait mon sentiment, c'est que Seamus Scully lui avait presque tenu tête. Seamus qui avait traîné dans les salles de jeu d'Europe pouvait presque se targuer d'être aussi un professionnel. Un poker entre eux deux pourrait être un spectacle passionnant. Je le dis à Moïra qui sortit un carnet de sa poche et prit des notes après m'avoir avoué qu'elle pensait depuis longtemps à un film sur le jeu, dont elle écrirait elle-même le scénario. Elle avait plein d'idées dans son carnet et je m'aperçus qu'elle travaillait sans cesse, scrutant les hommes, les femmes, les passions avec le sérieux d'un entomologiste. Depuis quelque temps, elle ambitionnait de dépasser son rôle de comédienne, de devenir une créatrice et d'imposer au cinéma ses propres inventions, de lui faire servir ses idées. L'échec de *La Race,* au lieu de la troubler, l'assurait qu'elle avait misé juste en scandalisant. Le scandale d'aujourd'hui serait la vérité de demain. L'animait une foi sincère qui contrastait avec les roueries de son sens de la publicité.

— Je ne sais pas s'il triche au jeu, dis-je, mais il réussit à être un personnage de roman, à la fois faux et vrai, énormément présent et totalement absent. Je ne m'inquiète pas de lui, mais d'Anne.

— La seule chose intéressante à savoir, c'est si elle est d'accord avec lui.

— J'espère que non. Et il y a un signe ; quand elle est présente, il n'est plus le même. Il ne raconterait jamais l'histoire de la petite Josée devant Anne. Ce n'est pas de la pudeur, il en est dépourvu. Il a tenu à se montrer à moi en train de déféquer. Mépris ou besoin d'horrifier ? Je ne sais pas encore.

— En train de déféquer ? dit Moïra en prenant une note rapide.

J'eus envie de jouer avec elle :

— Vous savez, bien entendu, que l'allusion à la

merde est typiquement méditerranéenne. Ce n'est pas l'injure suprême, puisque l'injure suprême touche celle qui vous a enfanté et, au degré extrême, la Vierge, symbole des enfantements parfaits, mais la merde est l'injure commune, qui, d'ailleurs, dans certains pays où on la répand avec excès, n'offense guère. Je ne doute pas que Taubelman, qui a du sang levantin dans les veines, ait tenu à me signifier son mépris de cette façon, mépris auquel j'aurais dû répondre avec des mots orduriers dont il ne se serait pas offusqué. J'ai oublié. Tout ce que j'espère, c'est qu'il croit que je ne l'ai pas compris et qu'il me prend pour un balourd, incapable de saisir les nuances de sa finesse.

— Que faites-vous en Irlande ?

— J'attends.

— Mais quoi ?

— Ma propre apocalypse.

— Vous êtes un égoïste.

— Je le suis devenu. Croyez bien que ce n'est pas toujours facile...

Sur le chemin du retour, elle me demanda si j'accepterais de préciser devant un magnétophone ce que j'entendais par « ma propre apocalypse ». Les idées couraient en elle à toute allure pendant ses silences, resurgissaient au moment où on les avait oubliées, donnant à ses questions un ton de naïveté à retardement. Je n'acceptai pas le magnétophone. Après tout, ma petite apocalypse personnelle m'appartenait. Pourquoi l'aurais-je prêtée ou vendue comme le suggérait Moïra ? Déjà, l'aveu à Sharon m'avait laissé nu, dépouillé de mon ombre la plus fidèle. J'en avais éprouvé un moment de panique, heureusement vite effacé par le séjour à Leenden. Mais on pouvait difficilement espérer que toutes les femmes se jetteraient dans mes bras à chaque aveu de ma situation, malgré leurs irrésistibles vocations d'infirmière...

Comme nous arrivions sur Eyre Square, au cœur de Galway, Moïra fit arrêter la voiture devant une tente de fortune dressée près de la statue de Patrick O'Connor, le petit poète qui écrit sur ses genoux. Une dizaine de jeunes gens campaient là en pleine ville, allongés dans des sacs de couchage ou assis en rond. Une pancarte annonçait qu'ils entamaient une grève de la faim qui s'achèverait à la libération par le gouvernement de six meneurs de l'Irish Republican Army arrêtés avec un chargement d'explosifs au moment où ils passaient la frontière de l'Ulster. Moïra descendit et s'entretint avec eux. Un attroupement se forma et elle signa des carnets tendus par des écoliers. Quand elle revint, son front soucieux annonçait des préoccupations nouvelles :

— Je vais faire quelque chose pour eux. Ce soir c'est un peu tard, mais demain. Demain sûrement...

— Il n'est pas sûr qu'ils soient encore là demain.

— Comment pouvez-vous dire ça ? Ils sont déterminés. Ah, ce que j'aimerais que Jerry soit comme eux, ou au moins qu'il ait la tentation de les suivre.

— La vérité oblige à avouer qu'il se fout totalement de ce genre d'histoire.

— C'est bien ce que je déplore.

J'allais l'abandonner dans le hall du Great Southern quand elle aperçut, sortant du bar, Kosslawski, complètement saoul, le visage écarlate, marchant jambes écartées, les pieds en dedans. Moïra s'immobilisa et l'attendit, blême, lèvres serrées.

— Hello, chérie ! dit Kosslawski. Bien amusée ?

— Suivez-moi.

Elle l'emmena jusqu'au comptoir du concierge et, d'une voix égale, sans que l'on pût deviner sa colère déjà envolée, remplacée par une froide résolution dit :

— M. Kosslawski prend demain matin le premier avion pour New York. Voulez-vous avoir l'amabilité de prévoir une voiture qui le conduira à Shannon. Sa note est pour moi. Merci.

Le coup ne dégrisa pas Kosslawski qui buvait depuis l'heure du déjeuner avec la sorte d'acharnement qu'on peut tenir d'un grand-père polonais. Il prit sur lui de dire, coupée d'un hoquet, une petite phrase qu'il dut estimer de grand style :

- - Eh bien, Moïra, je suppose que nous arrêtons le travail.

— C'est exactement ça. Au revoir, Stan.

Elle lui tourna le dos et s'engouffra dans l'ascenseur. Kosslawski fit un effort déraisonnable pour tourner vers moi un regard injecté de sang.

— Il me semble que je vous connais, dit-il.

— Tout à fait exact. La dernière fois que nous nous sommes vus, c'était en 1922 à Pékin. Vous arriviez au

Palais d'Été en pousse-pousse au moment exact où j'en sortais avec Gloria Swanson. Nous nous sommes fait un petit signe de tête.

— Je me souviens très bien... Si nous allions prendre un verre pour fêter ce cinquantenaire ?

— Ce n'est pas une mauvaise idée.

Il avait sa place toute chaude au bar, avec son verre inachevé, ses lunettes, un paquet de cigarettes et un briquet semblable à celui de Reginald, marqué à ses initiales.

— Vous savez... attention... c'est une salope... une esclavagiste qui veut tout le monde à ses pieds. Si elle ne débordait pas de fric, personne ne travaillerait avec Moïra. Elle vous presse comme un citron... barman, avez-vous un citron ?... oh, un demi suffira... Merci.

Il prit un citron entre ses paumes, croisa les doigts et le pressa avec soin au-dessus du cendrier.

— Attendez, ce n'est pas tout !

Il ouvrit le citron et le plaça de nouveau entre ses paumes pour en tirer encore quelques gouttes.

— Naturellement, je suis moins fort qu'elle à ce jeu-là. Il y a une technique. Vous devriez demander à Moïra comment elle s'y prend. Mais peut-être allez-vous me remplacer ? En ce cas, je vous laisse la surprise...

Ses lèvres tremblèrent et il se moucha bruyamment dans une pochette de soie.

— Vous ne buvez rien ?

— Si. Comme vous.

Il semblait avoir atteint sa limite, car il resta une bonne demi-heure devant son verre à moitié plein et ne commanda qu'une bière dont il but quelques gorgées.

— Où avez-vous dit que nous nous étions rencontrés ? demanda-t-il.

— A Rome, en 1930, devant le Vittoriano. En croupe, sur son cheval vous étiez en train de nettoyer le visage en bronze de Victor-Emmanuel II avec une brosse à dents, quand je vous ai prévenu que les policiers arrivaient. J'étais là...

— ... par hasard...

— ... tout à fait par hasard, avec Jean Harlow, vous vous souvenez... cette blonde platinée qui est morte en voulant maigrir des seins...

— Oh oui, très bien. Je me souviens de ses seins... Dites donc, que faites-vous dans la vie ? J'espère que vous n'avez rien à voir avec le cinéma. Un métier de con et de merde. Tous des pourris. Voyez Moïra... gauchiste mais esclavagiste, une vraie salope. Je peux vous le dire, moi, j'étais là quand on a tourné *La Race*. Elle s'est fait doubler pour les deux scènes de baisage... Oui, oui, vous pouvez me croire... Ce n'est pas elle qui copule avec les deux nègres... c'est une doublure à elle, une vague copine qui s'en fout, qui coucherait avec un étalon... d'ailleurs, Moïra déteste les nègres... voyez Reginald, elle en a fait son larbin. Mais moi Stanley Kosslawski, je ne suis pas un larbin... Je ne lui attacherais pas son soutien-gorge si elle me le demandait.

Vers huit heures du soir, il ne pouvait même plus s'accrocher à la rampe du bar. Deux garçons le montèrent dans sa chambre et je regagnai la maison. Mrs Colleen lisait dans la cuisine un almanach, sa distraction préférée, que je ne détestais pas consulter moi-même, furtivement, à la page des proverbes qui reflétaient une moralité solide et des conseils sur l'éducation des enfants, entrecoupés de recettes de cuisine, toutes inutilisables mais propres à faire rêver, images d'un monde chaud où l'on se serre à table le soir dans la cuisine, face à la télévision.

— M. Taubelman est passé deux fois vous voir cet après-midi. Cela ne m'étonnerait pas qu'il revienne malgré l'heure. Il avait l'air anxieux de vous rencontrer.

J'avouai à Mrs Colleen que je détestais qu'on me demandât quand je n'étais pas là, et qu'on ne dît pas pourquoi. Si Taubelman ne revenait pas, j'allais m'inquiéter, me livrer à mille suppositions, hésiter cent fois à partir pour le retrouver chez lui, l'attendre de crainte de le manquer, et, finalement, ne pas fermer l'œil de la nuit en imaginant je ne sais quoi à propos d'Anne. Je ne pouvais cependant pas ajouter que mes rapports avec Taubelman nécessitaient des éclaircissements, que ce n'était pas à moi de les demander, sinon je perdais mon avantage essentiel, à savoir que cet homme n'existait plus, qu'il s'était fracassé la gueule dans un épouvantable accident d'avion où l'on ne comptait pas un rescapé. Mais cela serait mon dernier argument, celui que j'assènerais pour confondre cet homme pitoyable qui se croyait tout permis... Aussi quand il se présenta un peu plus tard — Mrs Colleen était déjà couchée — et que je lui ouvris la porte donnant sur le jardin, mon attitude fut aussi peu naturelle que possible. J'aurais dû m'étonner de son insistance à me retrouver ce jour, et pourtant je l'accueillis sans froideur comme si je l'avais prié de passer, presque comme s'il me faisait plaisir. Sur la route, on apercevait les lumières de la jeep :

— Anne est avec vous ? demandai-je. Pourquoi ne vient-elle pas ?

— Je voudrais vous parler seul à seul.

Il tenait à peine dans l'encadrement de la porte et dut, pour entrer, avancer une épaule et effacer l'autre, baisser la tête. Après sa crise de paludisme, il avait vite repris du poids et dans son ample manteau de cavalerie, il paraissait de nouveau énorme.

— Je vous dérange ? dit-il.

Cette question ne lui ressemblait pas. Partout, nous l'avions vu à son aise, sans aucun souci de déranger tellement il croyait être désiré par tout le monde.

— Comment voulez-vous me déranger ? Je suis seul, me couche tard, lis ou écoute de la musique. Entrez dans ma chambre. Je crains de ne rien avoir à vous offrir à boire. J'ai rarement des visites — sauf Anne une fois et Jerry quand nous nous manquons à un rendez-vous — et je ne bois pas seul.

— C'est là que vous vivez ?

— Et dans une chambre à côté.

Il parcourut du regard l'affreux petit salon dont j'avais effacé le désordre avant sa venue. Debout, Taubelman emplissait la moitié de la pièce. Sans réfléchir, j'entrebâillai une fenêtre comme si nous n'avions pas eu assez d'air pour respirer. Il se laissa tomber dans un fauteuil avec un soupir de soulagement.

— Voilà, dit-il, j'ai des ennuis...

Je m'y attendais et j'avais déjà calculé combien je pouvais me permettre de perdre en lui prêtant de l'argent, une somme assez minime compte tenu de mes disponibilités et de la durée inconnue qui m'était impartie. Je le laissai venir :

— En quoi puis-je vous aider ?

— Jerry Kean s'est amouraché d'Anne. Il veut l'épouser. Ça tombe très mal : je projetais de monter une affaire avec lui. On ne mêle pas l'argent et l'amour...

Malheureusement, je n'éclatai pas de rire, seule attitude qui eût remis les choses en place, mais c'était la force de Taubelman que de vous obliger à jouer son jeu. Une déclaration pareille dans sa bouche, il y avait de quoi se tordre, d'autant qu'il l'avait faite avec un rien de tremblement noble dans la voix. Je lui répondis que j'avais déjà entendu quelque part cette réflexion sur l'amour et l'argent, mais que je n'y souscrivais pas. L'argent et l'amour faisaient bon ménage et il y avait de fortes raisons pour qu'ils le fissent encore longtemps. Je ne voyais pas en quoi cette affaire de haras pouvait être entravée par les amours de Jerry et d'Anne.

— Mais si, voyons ! dit-il. J'ai besoin d'argent tout de suite pour commencer, et je ne peux plus le demander à Jerry. Mon consentement paraîtrait cousu de fil blanc.

— A lui ? Non. Sûrement pas. Mais comme il n'a pas un sou, la clé est dans les mains de son père qui ne doit pas être si facile à convaincre.

— Au fond, le meilleur serait que je m'adresse directement à une de ses sœurs : Sharon ou Moïra. Sans que Jerry en sache rien...

— Pour Sharon, je n'ai pas d'idée. Mais pour Moïra, je vous prie de croire qu'elle n'est déjà pas si contente d'avoir dû éponger les dettes de jeu de Jerry, de Reginald et de Kosslawski. Malchance, bien sûr...

— Ils jouent comme des pieds, dit-il avec impatience.

— Vous vous en doutiez. Ne croyez-vous pas qu'au lieu de ces « petits » profits vous auriez dû envisager l'avenir ?

— Je peux très bien reperdre tout avec Kosslawski.

— Non. Kosslawski est nettoyé, lessivé, renvoyé. Il part demain matin pour les États-Unis. Un autre scénariste le remplacera. Il y a des chances pour que Moïra le choisisse plus sobre et moins joueur.

Taubelman plongea dans une songerie que je ne dérangeai pas pour mieux l'observer. Dans cet épais visage pointillé de petites cicatrices, seuls les yeux, avec leurs longs cils orientaux et leur velours noir accentué par les cernes des poches, seuls les yeux vivaient, tantôt voilés, tantôt brillants de ruse, et même parfois surpris par une sorte de timidité qui passait comme un nuage rapide. J'aurais aimé savoir à quelle époque de sa vie, il avait gagné cette oreille droite en chou-fleur, marque inhumaine que gardent les boxeurs ou les lutteurs.

— Et Sharon ? dit-il enfin.

— Dieu sait où elle est ! Dans son château palatin ou à Rome, ou à Miami... Pensez-vous pouvoir l'intéresser cinq minutes à quelque chose ? Vous seriez bien le seul.

Il se dressa debout d'un coup, immense, sombre, feignant un désespoir digne :

— Alors ce mariage est impossible. Pauvre Anne !

— Comment pouvez-vous dire ça ? Vous connaissez la terre entière. Qui refuserait de vous prêter de l'argent ?

— Vous, par exemple !

— Moi ! Oh, il n'en est pas question pour une autre raison. Je n'ai pas un sou. Juste ce qu'il faut pour vivre sans dépendre de personne. Je ne sacrifierai pas cette sécurité à mon meilleur ami.

— Il faut pourtant que je trouve. Je suis un vieil homme, vous savez. J'aurai bientôt soixante ans et mon seul bien sur terre, c'est Anne.

— Qu'en dit-elle ?

— Oh rien..., elle parle peu et ensuite, je ne la mêle pas à mes affaires. Pourriez-vous expliquer la situation à Jerry ?

Je promis d'essayer et il se leva. Son visage bistre avait cet air misérable qu'il savait prendre parfois et qui faisait qu'on s'arrêtait au moment de lui dire quelque vérité du genre : vous êtes aux abois et vous cherchez à mettre le grappin sur les Kean, ce qui n'est pas une mauvaise idée, mais difficile car ils sont riches à crever et, comme tous les riches, dédaigneux de s'engager dans des combines minables... Nous nous serrâmes la main avec une fausse franchise et il ajouta, presque à voix basse comme si l'on pouvait nous écouter :

— Tout ceci est entre nous ! Je compte sur votre entière discrétion.

Je l'accompagnai jusqu'à la porte où, m'effaçant pour le laisser passer, j'eus le temps d'apercevoir une ombre qui sautait la barrière du jardin et se cachait derrière la jeep. J'attendis qu'il eût lui-même franchi la barrière. Le moteur de la jeep démarra, les phares s'allumèrent. Ils s'enfoncèrent dans la nuit fraîche et constellée. Un souffle tiède me frôla la main. Je caressai Grouse et la renvoyai à son chenil. Si Anne, tapie près de la fenêtre ouverte, avait écouté ce que nous disions, elle en était pour sa curiosité, mais que c'était étrange et comme son caractère demeurait insaisissable, avec de brusques aveux aussitôt corrigés par l'aura de mystère dont elle s'entourait consciemment ou non. Comment ai-je parlé d'elle jusqu'ici ? Très peu et mal sans doute, sans obéir aux règles qui auraient dû faire d'elle le personnage central de ce récit. Deux ou trois fois, j'ai eu la tentation d'inventer ou, plus exactement, de donner pour vrai ce que j'avais imaginé aux moments où elle disparaissait, et je n'ai pas osé comme si un vague sentiment superstitieux me retenait. Elle apparaît sporadiquement, et semble cesser d'exister dès que Sharon ou Moïra s'installent sur le devant de la scène, avec leurs grands gestes et ce flot de paroles qu'elles tendent devant elles comme un voile pour mieux masquer leur désordre. Il est possible aussi qu'Anne n'ait existé que physiquement, dégagée des limbes par quelques mots abandonnés aux vivants pour qu'ils rêvent. Il est possible encore que tout ait été comédie, une immense farce jouée à l'abri et avec la complicité de Taubelman. Je ne sais pas. Sur ce point, je serai moins définitif que Seamus Scully qui ne s'embarrasse pas de nuances et a mis les deux dans le même sac. Nous nous trompons sans cesse sur les êtres les plus proches, découvrant à l'infini les méandres de leur caractère, à moins que les caractères soient, ailleurs que chez les primitifs, une création ininterrompue, sans cesse modifiée par la vie, et que toute tentative pour les cerner relève de la présomption. Je n'ai donc rien à dire sur Anne. On la jugera — ou on ne la jugera pas — sur un certain nombre d'indices que je n'ai pas cachés. Elle ne dépend pas de Taubelman et pourtant elle n'existe pas sans lui, elle ne respire pas d'autre air que le sien, elle ne conçoit pas de l'abandonner dans la détresse et l'insuccès. Libre à Jerry de croire qu'elle se libérera le jour où Taubelman aura réussi, dans un merveilleux coup d'esbroufe, à authentifier un de ses mensonges. En un sens, je regrette d'être aussi peu explicite, mais ces derniers mois, comme on le verra, n'ont rien éclairé, et peut-être est-il bon que certains êtres échappent aux explications et aux solutions tranchées. La marge d'ombre dans laquelle ils se meuvent a nom poésie, exerçant une attraction d'autant plus forte que nous avons l'impression d'avancer dans un brouillard délicieux où des formes mouvantes échappent à notre emprise et à notre soif de certitudes.

Cependant, cependant... Anne avait tenu à écouter en cachette ma conversation avec Taubelman, curiosité qui lui faisait perdre un peu de sa dignité. Je m'en ouvris le lendemain à Jerry avec qui j'étais parti tirer des pigeons à l'orée d'un bois voisin. Un vent du diable s'était levé et les ramiers passaient comme des flèches au ras des arbres ou planaient, presque immobiles, à trop grande hauteur pour que nous tirions, gris dans la grisaille du ciel, avec de furtifs éclairs blancs et roses. Nous en ramassâmes plusieurs dont le gésier éclata dans la chute, crachant un paquet de baies vertes fraîchement cueillies. Jerry en descendit une douzaine. Je fus moins heureux. Il avait repris son vieux fusil, attendant en vain qu'on lui renvoyât de Londres la crosse réparée du Purdey. Chaque fois que nous sortions, il s'en excusait avec une timide confusion et je lui répétais qu'autant j'étais soigneux de ce qui m'appartenait, autant ce dont je me détachais une fois pour toutes ne m'inquiétait plus. J'aurais pu donner l'exemple de Marthe, mais Jerry ne la connaissait pas et avec sa générosité, il aurait trouvé insultant de comparer un fusil à une femme. Il est juste de préciser, toutes les comparaisons étant fausses, que je n'avais pas donné Marthe. Non, nous nous étions séparés d'un commun accord... Mais Marthe est hors du sujet. J'y reviendrai, bien sûr. Ce qui m'occupe est le vol de ces pigeons jouant avec les rafales, toujours sur le qui-vive, méprisant le travail des chiens courant dans la forêt. Leurs battements d'ailes froissées retentissaient dans les branchages dès que nous avancions, comme si des guetteurs les prévenaient. A l'orée, nous les retrouvions, inquiets de s'élancer vers un grand espace nu dallé de pierres grises d'où émergeaient de rares touffes de genêts. Ce vent venait de nulle part. Il tourbillonnait au-dessus de nous, mélangeant les nuages gris et les nuages blancs. Dès que nous sortions des bois, il assourdissait et pinçait les joues, le nez, brûlait les oreilles. Les poches pleines, nous trouvâmes abri au bord d'un marais. Des hérons avaient bâti leur nid au faîte d'un bosquet de hêtres et tournaient en spirale au-dessus des joncs. Un couple de colverts, puis des sarcelles s'envolèrent quand Pack barbota dans l'eau.

— En vérité, dit Jerry, je devrais me bâtir une cabane ici et n'en plus bouger.

— Comme Walden. Un vieux rêve. Nous ne sommes pas là pour rêver. Hier soir j'ai reçu la visite de Taubelman. Je dois vous parler.

— Aïe ! Franchement, je n'ai pas envie. Il y a sûrement des commissions désagréables dans ce qu'il vous a chargé de me répéter, sinon il me les ferait lui-même. Vous ne me trouvez pas très courageux, n'est-ce pas ?

— Pas très.

— Cela vous déçoit ?

— Par rapport à vous, non. Par rapport à ce que j'aime chez les hommes de votre âge, oui. Enfin, c'est votre affaire.

Il sortit de sa poche une enveloppe de nylon contenant des sandwiches de pain de mie, un triste mélange de fausse mayonnaise, de salade, de tomates et d'œufs durs. Mais nous avions marché longtemps, nous avions faim et nous éprouvâmes un grand plaisir à manger là, assis sur une pierre, face au déploiement des roseaux agités par les rafales de vent que les hérons empruntaient pour remonter en larges spirales vers le faîte des arbres.

— Que me conseillez-vous ? dit-il enfin.

— Rien. Je ne donne pas de conseils — sinon dérisoires comme celui de vous laisser pousser la barbe — et je n'en donnerai jamais. Avez-vous parlé avec Anne ?

— Oui, un peu. J'ai l'impression qu'elle s'exprime par énigmes, qu'il faut deviner sous les rares mots dont elle se sert des choses qui m'échappent. En fait, je la comprends mieux quand nos mains se frôlent, se serrent ou quand je peux la prendre dans mes bras.

Où en étaient-ils ? Peut-être plus loin que je ne pensais. En secret, ils avaient vite parcouru un chemin que j'aurais cru beaucoup plus long, que j'avais même cru impossible. Qu'en savait Taubelman ? Fermait-il les yeux ?

— Vous ne m'avez pas dit ce que Taubelman est venu vous raconter, demanda Jerry après un temps.

— Il n'aurait pas détesté m'emprunter de l'argent, mais je ne suis pas dans la situation de lui céder. Alors, il aimerait que j'intervienne auprès de Sharon et de Moïra parce qu'il sait que votre père a trop le sens des affaires pour vous laisser vous embarquer avec lui. Je sais à peine de quelle affaire il s'agit.

— Il veut monter un haras.

— Vous n'y connaissez rien.

— C'est vrai oui, mais Anne dirigerait le haras. Taubelman a des amis en France et en Angleterre.

— Croyez-vous que ce soit si simple ?

— A la vérité, je n'en ai pas idée, mais je ne veux pas rentrer aux États-Unis, je veux vivre avec Anne et je veux aussi vivre dans la nature, près des bêtes que j'aime. A Inglewood, en Virginie, nous avons un grand domaine avec des chevaux, des poneys, des chiens et j'ai vécu parmi eux mes vacances d'enfant, mais... comment dire ?... mes rapports avec ces chevaux et ces chiens restaient superficiels. Je ne les soignais pas comme je soigne Pack. Quand j'avais fini de jouer avec eux, quelqu'un, un serviteur que je ne connaissais même pas, s'occupait d'eux, les pansait, les lavait, les nourrissait, dormait avec eux, appelait le vétérinaire quand ils étaient malades, les veillait quand ils mouraient. A la maison, nous n'en savions rien. Grand-mère, Maman jouaient avec des chiens enrubannés qui tiennent dans le creux de la main. Il a fallu que je sois en Irlande, que Pack devienne mon ami, que je soigne les chevaux d'Anne, pour m'apercevoir que les animaux sont aussi des créatures de Dieu. Naturellement je ne crois pas en Dieu, et je dis « créatures de Dieu » pour vous faire comprendre que je les trouve de la même chair. Alors... maintenant que j'ai découvert cette chose-là, je veux m'y tenir... Vous vous en êtes aperçu... je ne suis pas très intelligent. Aussi quand je découvre une idée qui me semble vraie, je m'y agrippe comme un noyé à une bouée...

Il avait raison : un homme ne rencontre pas tant d'idées vraies dans sa vie, à peine deux ou trois, et s'il ne s'y attache pas, il erre comme un toton désemparé, perdu, repoussé par les uns et les autres, ridicule, l'air d'un ahuri même s'il est intelligent.

— Quant à vivre avec Anne, continua Jerry, c'est une autre idée que j'ai eue. Je crois qu'il s'agit de l'amour. Je respire mal sans Anne. Elle emplit mes jours et mes nuits. Sa voix me fait trembler, une sorte de frémissement que je ne maîtrise pas, où se mêlent à la fois de la crainte — car j'ai peur d'elle et de ce que je ne comprends pas — et le plaisir que donne cette crainte... je m'exprime très mal... vous vous en rendez compte... mais je n'ai pas l'habitude, je n'en ai jamais dit autant à quelqu'un...

Il y eut soudain un coup de fusil sur l'autre rive de l'étang, tiré par un chasseur que nous n'avions pas vu, dissimulé parmi les longs roseaux que le vent courbait. Un vol de sarcelles s'éleva, obliqua quand il nous aperçut et se perdit dans le ciel laiteux. Effrayés, des hérons quittèrent leurs nids au sommet des hêtres dénudés et à lourds battements d'ailes — on eût dit de gifles appliquées à de grosses joues molles et gonflées de salive — se perdirent derrière les arbres. Pack aboya : en face, un chien s'était jeté dans l'étang pour rapporter la sarcelle abattue. Le silence retomba, léger tant l'air était frais, sur l'étang jauni. Devant de tels spectacles les dérisoires passions humaines se délitent ou s'exaspèrent. Il me souvenait d'instants où je n'avais plus supporté la solitude, notamment à Tolède et une autre fois en Inde, et d'autres instants où je m'étais senti roi, délivré des inquiétudes familières, comme dans les Andes ou au bord du lac Trasimène. Et compterai-je aussi les instants où, au contraire, j'avais désiré que n'importe quoi me délivrât d'une présence amie ou aimée qui, soudain, pour une raison inconnue, presque incompréhensible, ne m'était plus rien ? Mais peut-être la nature n'est-elle que le reflet miroitant et trompeur de nos âmes malades, errantes entre l'espoir et le désespoir, et, à la fin, si lasses qu'elles s'accommodent des bonheurs les plus simples dédaignés auparavant. Je n'étais pas venu ici pour mourir comme on me l'annonçait, mais pour vivre avec moi-même et j'y avais, dans une certaine mesure, réussi, à part quelques accrocs à une quiétude que j'avais involontairement laissé troubler. Au fond, je pouvais être fier de moi : je n'avais pas nourri de pensées sombres, je ne m'étais pas accroché aux derniers plaisirs et jusqu'ici je n'avais pas eu peur, si j'excepte le matin où je manquai m'enliser, parce que cette fin ne m'appartenait pas, que je n'en étais pas le maître.

— A quoi pensez-vous ? demanda Jerry.

— A la mort.

— Elle ne me fait pas peur, à moi.

— Parce que vous êtes jeune. Mais à des hommes de mon âge, il arrive qu'elle apparaisse comme une épreuve effrayante qu'on n'est pas très sûr d'affronter avec le courage nécessaire.

— Est-ce votre cas ?

— Non, pas du tout, Jerry. A ma naissance, les fées ne m'ont pas doué pour la métaphysique ni pour la foi. Je suis un partisan convaincu du « rien après » et je vous assure que c'est un sentiment réconfortant qui donne à celui qui l'éprouve une certaine dignité.

— Je vois ce que vous voulez dire. Rentrons-nous ?

— Oui. Quinze pigeons à nous deux, c'est assez. Nous avons un peu collaboré à la destruction du monde. Il faut y aller lentement et en laisser pour d'autres amateurs.

Dans la voiture, il me questionna de nouveau sur Taubelman et je ne pus que lui répéter ce que j'avais déjà dit : je ne le jugeais pas, c'était un homme à surprises qui s'affublait de masques différents, tous surprenants et déroutants. Jerry argua avec une assurance qui m'étonna qu'il saurait bien se défendre si Taubelman le trompait, mais cela était exclu, à cause d'Anne. Jerry avait d'ailleurs déjà écrit à son père et aussi à Sharon, que Mr Kean adorait et qui pourrait le décider.

— Vous savez, c'est très curieux : on dirait que Papa ne se souvient plus que Sharon est sa propre fille. Il croit qu'on lui a, un jour, présenté une princesse allemande et il est flatté jusqu'au vertige de l'affection qu'elle lui porte.

Je le laissai en bas du cottage. Au moment de le quitter, j'eus comme un vague remords de ma réserve :

— Ne vous embarquez quand même pas trop légèrement. Dans une association de ce genre, il faut prévoir le pire.

— Oui, dit-il, mais je veux Anne et je l'aurai.

Suivit une période pendant laquelle je ne vis guère Jerry. Il passait son temps à Dun Moïran où s'échafaudaient des projets dont je n'étais plus convié à partager le secret. Taubelman l'avait pris sous sa coupe et probablement aussi Anne que j'aperçus au volant de la jeep. Elle actionna l'avertisseur et agita le bras par la portière, signes qui, autrefois, m'émouvaient et me laissaient rêveur, et qu'aujourd'hui j'interprétais différemment : elle me fuyait aussi. Après tout, cela ne me regardait pas et moi-même je ne quittais guère le surprenant Seamus Scully. A bord du taxi mauve, nous parcourions des distances invraisemblables pour aller dans le Mayo, le Kerry ou le Westmeath voir un malade qui, las d'attendre, s'était remis seul sur pied et nous accueillait hilare comme s'il nous avait joué une farce.

— Le temps est la meilleure médecine ! dit Scully. De toute façon, il n'y a de médecine que préventive. Après, c'est plutôt du curé qu'on a besoin. Enfin.. pour ceux qui aiment ça... Moi. . vous savez...

Sans deux frères missionnaires et une sœur supérieure d'un couvent du Comté de Cork, il brandirait haut l'étendard de l'athéisme comme la plupart de ces intellectuels irlandais qui ont secoué le joug de l'Église après la Première Guerre mondiale et foncé tête baissée dans l'anticléricalisme. Mais les deux frères lui écrivent, consolidant après quarante ans d'absence la cohésion familiale et, une fois par an, Seamus descend à Cork saluer sa sœur. Je découvris ces parentés cléricales par des tiers qui en demandaient des nouvelles. Seamus évite toujours d'en parler le premier et, quand on l'interroge, je le soupçonne d'inventer avec un grand luxe de détails des informations qui laissent pantois ses auditeurs.

— Le Père Horace va très bien. Il n'épouse aucune des hérésies de son temps. Il n'est même pas homosexuel, et s'intéresse beaucoup à la cuisine malaise. Il a gagné un concours du *Daily Mail* qui a publié sa recette. Dieu tient toujours une grande place dans ses préoccupations et le Père Horace m'assure que nous nous retrouverons auprès de Lui, le jour et l'heure venus. Il n'a pas l'air de croire que si je suis très heureux à l'idée de le revoir un jour — ou une nuit — je crains légèrement que ce tiers omniprésent jette quelque timidité entre nous...

Ou bien du Père Liam :

— Il est en excellente santé. Les Pygmées ne l'ont pas mangé et je pense que, maintenant, si l'idée leur en venait, ils hésiteraient ; pensez, il a soixante-dix ans et la malaria l'a épuisé. Il ne parle jamais de sa femme indigène et de ses enfants. C'est un saint homme, tout entier au service de ses sauvages...

Quant à Mère Mary, elle est poursuivie par quelques inquiétudes :

— Oh, ces inquiétudes, elle ne les avoue pas, mais enfin je les devine. Chaque fois que je la vois, elle me parle de ses prières. Pour qu'elle prie autant, ce doit être une âme angoissée... Et elle se prive aussi. Plus de sucreries, plus de petits gâteaux. Elle tourne à l'ascétisme... Très dangereux !

Seamus prenait un air mystérieux et m'emmenait dans une campagne retirée où nous quittions soudain la grande route pour suivre un chemin difficile et pénétrer des paysages d'une mélancolie sans espoir jusqu'à ce que nous arrivions à une ferme ou une maison isolée. Il s'y trouvait toujours un ami de Scully, un ami aux mains blanches qui passait là quelques jours de repos, à l'abri des molles recherches de la police. Seamus ne conspirait pas, mais il était l'ami des conspirateurs qui alimentaient la guerre de l'Ulster. Il soignait les blessés, portait des messages, raisonnait les uns, réconfortait les autres. Nous ne repartions jamais sans avoir bu quelques pintes de bière, munis d'une bouteille de *poteen,* ce tord-boyaux irlandais distillé dans la clandestinité, mélange d'alcool de pomme de terre, de prune et de Dieu sait quoi. Mon bondissant compagnon conduisait comme un fou, c'est-à-dire aux limites extrêmes des possibilités de son taxi, peut-être soixante à l'heure, agrippé à son gros volant de bois muni d'une manette de cuivre pour l'allumage, manette qu'il poussait sans cesse et sans résultat tant le vieux moteur était à bout de souffle. Fouettés par l'air, trempés de pluie, nous brûlions notre alcool au retour et à peine arrivés à Inishgate, nous entrions à *L'Éperon* pour nous désaltérer. Reginald en était devenu un habitué car, dès qu'il se libérait de Moïra, il accourait chez ses nouveaux amis, Teddy et Billie, flanqué maintenant de Stan Kosslawski. Le scénariste n'avait pas pris l'avion le lendemain de la scène au Great Southern de Galway et prétendait fièrement qu'on ne le mettait pas à la porte comme une bonne, pour une simple cuite, et que, s'il fallait renvoyer tous les scénaristes qui prenaient des cuites il n'y aurait bientôt plus de septième art. En fait, il attendait que Moïra revînt sur sa décision et le reprît avec elle si, comme probable, aucun autre scénariste n'acceptait de venir des États-Unis. Kosslawski comptait sur Reginald pour le réinstaller dans les faveurs de Moïra et Reginald jouissait sans modestie de la dépendance où il tenait Kosslawski. Quant à Billie et Teddy, une ère grisante s'ouvrait pour eux, ère qui, malheureusement, causa leur perte. Il aurait mieux valu qu'ils restassent dans l'ombre, méprisés ou ignorés, vivotant de leur métier, mais comment se seraient-ils doutés que la publicité faite par Moïra lorsqu'elle visita leur atelier en compagnie de journalistes et de photographes les signalait à l'obscure et imbécile Némésis qui s'en prend toujours aux faibles et aux naïfs ? Ce curieux quatuor — Kosslawski « n'en était pas » et avait toujours l'air de la mouche du coche auprès des trois invertis — animait les soirées de *L'Éperon* où Willie Kox les accueillait sans plaisir comme s'ils avaient été contagieux, erreur de psychologie d'un cerveau fruste, car Billie, Teddy et Reginald, loin de désirer contaminer le monde extérieur, entendaient bien rester entre eux, n'admettant le scénariste qu'en qualité très vague d'historiographe ou, peut-être, de chaperon.

J'admirais la façon dont ces quatre compagnons utilisaient le temps imparti par la vie. Ils l'emplissaient de mots, de rires, de plaisanteries douteuses, le bourraient d'alcool, comme si ce temps avait été indéfiniment extensible, ballon que l'on gonfle jusqu'à le faire éclater tous les soirs et dont on échange la peau flasque, amère et ridée le matin suivant pour un ballon neuf aux couleurs riantes. Nous étions beaucoup moins généreux Seamus et moi, lui en raison de son âge — il a près de soixante-dix ans — et moi pour les raisons que j'ai dites. En parlant avec les conspirateurs de l'I.R.A. qui ne faisaient devant moi aucun mystère de leurs projets, en découvrant au fond des campagnes dans les pubs de Galway, d'Athlone, de Limerick où nous nous arrêtions pour reprendre souffle, cet éventail de caractères absurdes, magnifiques, irrésistibles d'humour et de drôlerie, propres au peuple irlandais, j'explorais un microcosme qui me redonnait le goût de l'espace et de l'existence. Petit espace, petites existences, mais les passions d'alors déchaînées, le vieux rêve de l'union avec le Nord agité de nouveau après un court sommeil, tout me rendait une curiosité que j'avais bêtement crue éteinte. Si, par moments, la vie semblait s'enliser dans un morne ennui, nous savions qu'un rien, une étincelle pouvait déclencher le tonnerre. Ce qui arriva un soir où nous rentrions, Seamus et moi, d'une longue course dans le Mayo.

Le quatuor était assis à une table près du comptoir d'où Willie Kox leur jetait des regards lourds de mépris. Plus tard, je notai que ces événements arrivèrent un samedi par temps d'orage. A minuit, les nuages accumulés dans la journée crevèrent d'un coup, précipitant le déluge sur la côte Ouest. J'éprouvai un soulagement indicible quand, au paroxysme de cette soirée, des éclairs mauves illuminèrent la campagne de longues lueurs qui tiraient de la nuit, les arbres, les collines et le clocher d'Inishgate. Il eût été bon de s'endormir, d'oublier la scène qui venait de se dérouler à *L'Éperon,* mais je n'y arrivais pas malgré la présence de Seamus assis dans un fauteuil à côté de mon lit. Une veilleuse éclairait de biais son visage aux traits tirés, au regard attentif. De temps à autre, il prenait mon pouls, penché vers moi, puis, rassuré, se vautrait de nouveau dans son fauteuil. J'avais à peine mal et ne ressentais aucune crainte. Il me venait à cette heure de la nuit une immense amitié pour lui, et même une confiance débordante, quelque chose qui ressemblait à un futile espoir. De temps à autre, Mrs Colleen frappait à la porte, entrait mais restait dans la pénombre où mes yeux habitués distinguaient sa robe de chambre molletonnée en nylon, trop courte pour la chemise de nuit blanche à volants de dentelles. Seamus faisait à son amie un signe de la main et elle se retirait sur la pointe des pieds. A l'aube, il s'endormit, le menton baissé sur la poitrine comme un pantin disloqué, les traits tirés, vieilli soudain, quitté par l'énergique frénésie qui l'agitait dans la journée et la soirée. Je lus sur son visage las que ne parcourait aucun frémissement, l'essentielle qualité qui le distinguait des autres hommes : il était bon. Mieux encore, c'était un juste, perdu sur la terre où il ne rencontrait que de rares semblables. Et, miracle, cette bonté n'avait jamais altéré l'acuité de son regard, la lucidité de son intelligence.

Oui, quand nous étions entrés à *L'Éperon,* le quatuor avait déjà bien bu. Stan Kosslawski dodelinait de la tête, Billie et Teddy regardaient d'un œil vitreux les dés du poker rouler sur la table, lancés par la main rose et noire de Reginald. Ils s'étaient magnifiquement isolés, ils ne parlaient à personne, ignorant le reste du pub, deux Anglais mortels d'ennui, l'épicier-postier d'Inishgate et quelques fermiers dont un géant émacié à la petite casquette de cuir bouilli, qui vidait ses pintes de bière le coude droit haut levé, Endas O'Callihier. En somme rien que le public habituel, une sorte de famille dont les membres se parlaient par groupes, n'élevant la voix que pour commander d'autres bières ou échanger de brèves nouvelles, une amicale de Willie Kox dont la conversation tournait autour des courses, des marchés de chevaux, du temps qu'il faisait ou qu'il avait fait, tout ce qui composait leur univers calfeutré contre les ambitions ou les angoisses.

— C'est rassurant de retrouver ce monde après ce que nous venons de voir, dit Seamus.

Près de Westport, nous avions rendu visite à un homme admirable de courage, Paddy Fermor qui, en déposant une machine infernale sous la table d'un pub de Belfast, avait eu les deux mains arrachées par une explosion prématurée. Opéré par un chirurgien catholique de Londonderry, il avait passé la frontière sur un brancard en pleine nuit et se cachait dans un petit château à demi ruiné, veillé par sa famille, une sœur tragique, une Électre celte, sa mère et son père confondus dans la même douleur. Il allait mourir, le savait et entretenait autour de lui une gaieté si naturelle, si spontanée qu'on oubliait l'horreur de ses deux moignons posés sur le drap. Nourri à la becquée par sa sœur, il luttait à chaque instant pour masquer ses défaillances physiques et les remontées amères de la vie qui le quittait par spasmes. Au retour, je n'étais pas arrivé à chasser l'image de son beau visage d'archange, de ses grands yeux verts intensément ouverts mais déjà voilés, de son front en sueur où les cheveux blond cendré bouclaient par mèches. Il avait récolté la mort qu'il semait pour d'autres, et le disait sans regrets comme si la Justice immanente ne s'était enfin — pour une fois — pas trompée de parcours en frappant d'abord celui qui allait tuer. D'après Seamus, nous ne reverrions pas Paddy, c'était une question d'heures, tout au plus de jours, et déjà je l'imaginais froid et cireux, ses moignons joints sur le crucifix qui attendait à plat sur la table de nuit. Dans la pénombre de la chambre où les pauvres rideaux filtraient mal la lumière heureuse et dansante qui baignait ce jour-là le Mayo, Paddy écoutait comme la rumeur de l'au-delà, le bruissement des prières qui affleuraient sur les lèvres des siens.

A *L'Éperon,* nous pouvions effacer la fatalité et Seamus me le dit tout de suite.

— N'est-ce pas rassurant de rencontrer des vivants ? Il suffit de si peu de chose pour oublier la misère du monde. Heureusement ! Sans quoi nous en crèverions de désespoir, à juste titre d'ailleurs car la mort de Paddy est un tel blasphème que, pour l'effacer, nous devrions tous mourir avec lui. Mais voilà Reginald, Stan, Billie et Teddy qui sont la face visible du monde et se foutent absolument de tout. Les autres ne valent pas mieux. Ils se remplissent de stout pour ne penser à rien. Dieu, comme ils disent dans leur jargon, a pensé à leur place.

Vers neuf heures, Taubelman apparut, flanqué de Sean dans son costume de tweed vert des grands soirs. A partir de ce moment-là, plus rien ne fut pareil. Il y eut comme un doute dans le pub, l'attente inconsciente d'un mot, d'un geste malheureux qui mettraient le feu aux poudres accumulées depuis des semaines par les railleries de Taubelman. Willie Kox nous avait prévenus qu'il ne tolérerait plus une seule allusion à l'histoire de la cravache lancée dans les jambes de son concurrent. Il frapperait le premier et d'une façon définitive. Nous connaissions même son instrument, un tabouret de chêne. Mais, pour la première fois, Taubelman salua Willie d'un « Hello ! » cordial auquel il ne fut pas répondu. Sean s'installa au bar et nous vîmes qu'il était aussi éméché qu'Endas O'Callihier et que Joe Mitchell qui fit une entrée magnifique, chaussé de skis invisibles. Au premier coup d'œil, Taubelman avisa la table des joueurs et sans rien demander, tira une chaise, s'installa entre Kosslawski et Reginald. Il ne fut pas long à se mêler à la partie et Seamus me poussa du coude :

— Observez-le bien !

Je ne vis rien sinon une main puissante et velue qui secouait les dés dans la paume et les lançait sur la table, avec une aisance, une rapidité de jongleur. La main s'abattait, raflait les dés qui disparaissaient et reparaissaient en un éclair, comme aimantés par la table. On reconnaissait là, tout de suite, le joueur, une espèce de familiarité professionnelle avec les instruments du hasard, une complicité physique faite d'esbroufe et d'adresse réelle, qui rendait plus éclatantes encore la naïveté d'un Billie, d'un Teddy, la nonchalance d'un Reginald et la distraction d'un Kosslawski. Taubelman les dépassait de la taille, de l'épaisseur de son cynisme.

Il occupait seul la table, dirigeait le jeu, raillait, tonitruait, inscrivait sur un carnet les points marqués par chacun, avec l'aplomb, l'autorité d'un joueur de bonneteau qui retrouve enfin son métier, sa passion, et plume le chaland avec une sorte de férocité allègre.

— Naturellement, il commence par perdre ! dit Seamus. Les vieux trucs sont toujours les meilleurs. Je me demande qui s'en apercevra le premier. Kosslawski ou le nègre ? Car, bien entendu, il aveugle le gentil ménage de tisserands qui, après l'avoir détesté, parce qu'il leur pinçait les fesses avec désinvolture et les couvrait de sarcasmes, le trouvent merveilleux, l'incarnation d'un monde pourri et frelaté auquel ils ont toujours rêvé de se frotter.

— Mais comment peut-il tricher à ce jeu ?

— Oh, très simple...

Seamus tira trois dés de poker de sa poche et me fit une démonstration éclatante. Où avait-il appris ces truquages au cours de sa vie aventureuse ? Je ne l'avais pas imaginé fréquentant les bouges, mais plutôt les salles de jeu élégantes de Cannes, de Monte-Carlo, de Venise qui s'accordaient mieux à sa silhouette et à son goût pour un certain chic 1910, les gilets à revers, la chaîne de montre en or, les costumes à carreaux et les petits chapeaux coquins. Si absorbé qu'il fût par sa partie, Taubelman aperçut néanmoins le coup de main de Seamus et montra une hésitation inattendue comme un prestidigitateur qui découvre que son tour est éventé. Il y eut une minute ou deux pendant lesquelles il laissa le jeu se dérouler normalement, puis, réflexion faite, il reprit les dés à sa manière et nous comprîmes aux mines effarées de Billie et de Teddy qu'ils perdaient et qu'une somme invisible, encore réduite à des chiffres sur un papier, changeait de portefeuille. Comme un voleur surpris, Taubelman s'efforçait d'empocher le maximum en un minimum de temps. Du comptoir, assis à côté de Sean et d'Endas, Joe Mitchell surveillait la scène et ses yeux minuscules sous les boursouflures des paupières fixaient avec une intensité stupide le roulement des dés sur le bois de la table où les pintes de bière laissaient des ronds indélébiles. Dans le pub on parlait souvent haut et fort et ce ne fut qu'après un temps que je perçus le silence qui s'était établi. Même « petit » Willie lavait les verres sans bruit et son oncle, assis sur un tabouret derrière le tiroir-caisse, mâchonnait un cigarillo en affectant de ne pas s'intéresser à la partie, bien qu'il n'en perdît pas un incident. A la vérité, la prestesse avec laquelle Taubelman maniait les dés avait quelque chose de si fascinant qu'on ne pouvait s'en distraire et que la tension montait par degrés comme si, sans avoir l'expérience de Seamus, tous étaient conscients d'assister à un coup fourré dont Taubelman sortirait vainqueur, triomphant, debout, secouant les vastes manches de son manteau de cavalerie pour attester qu'il n'avait pas triché. Je m'étonnai cependant que Reginald ne vît rien. Celui-là avait traîné partout et ses longues mains de pianiste, aux ongles mauves striés de blanc, semblaient aussi adroites que celles de Taubelman, mais plus paresseuses, indolentes, comme dégoûtées par la basse besogne des dés qu'elles secouaient. Il se pouvait aussi que Reginald méprisât — il méprisait beaucoup de choses et d'hommes quand il se décidait à parler — le jeu même auquel il se livrait, ses partenaires et le pub enfumé de Willie avec ses chaises rembourrées de faux cuir, ses boiseries noircies et son sol de linoléum semé de mégots écrasés d'un coup de talon. Je pense qu'il ne s'était même pas donné la peine de distinguer un visage d'un autre et il avait peut-être raison tant ce monde différait de celui où il était né, de celui dans lequel il vivait maintenant. Tous les clients du pub portaient les mêmes stigmates : sclérotique injectée de sang, lèvres déformées par la succion du verre, doigts jaunis par le tabac anglais. A la mauvaise lumière des lampes vertes, on distinguait cependant des détails qui parlaient d'êtres vivants, possédant une existence propre : la face couturée de cicatrices de Sean et son costume clownesque, le nez bourgeonnant de Joe Mitchell, la nuque rasée et la casquette en cuir bouilli d'Endas O'Callihier. Qu'ils fussent stupides ou pleins d'humour, silencieux ou bavards, ils appartenaient à une communauté homogène dont l'histoire remontait à beaucoup de siècles et dont le génie resurgissait par instants avec une insolence et une éclatante verdeur que l'on aurait pu croire perdues. En un sens, à tous ces Celtes, Taubelman apparaissait aussi étranger que Reginald et dans le brouillard tabagique qui commençait à nous envelopper, le visage noir luisant du séide de Moïra, le visage basané aux yeux cernés de bistre du châtelain de Dun Moïran se confondaient et me firent même penser à ces faces grotesques aux bouches béantes que l'on bombarde de balles empaillées dans les tirs forains.

Quand Taubelman se dressa, déclarant qu'il avait gagné la partie, il brisa le silence et nous en ressentîmes tous un lâche soulagement mêlé d'inquiétude. Les verres bougèrent, on alluma des cigarettes, « petit » Willie actionna le robinet à pression du stout. Koslawski se dirigea en titubant vers ce qu'on appelait par euphémisme les toilettes : en plein air, un mur goudronné le long duquel coulait un mince filet d'eau. Billie et Teddy se renversèrent sur leurs sièges, souriant avec béatitude comme s'ils venaient de passer un redoutable examen qui les ferait monter dans l'estime de leur habituel public. Leur sourire se figea en grimace quand Taubelman annonça qu'ils perdaient une centaine de livres à eux deux.

— Mais ce n'est pas possible, dit Teddy, qui était la ménagère avaricieuse du couple. Nous ne les avons pas !

— Ah, mon petit père, ça ne marche pas ! Si tu les avais gagnées, tu les empocherais sans rouspéter.

Alors la voix de Willie Kox tomba comme un couperet et nous sûmes que tout allait commencer.

— Ne le payez pas ! Ce type-là est un tricheur.

— Quoi ? cria Billie de son ton de fausset.

— Ce type-là est un tricheur, répéta Willie.

Taubelman alluma une cigarette avec calme, avant de répondre :

— Dites donc, mon cher Willie, mêlez-vous de vos oignons. Et puis ça vous va mal d'appeler les autres tricheurs. J'y étais, moi, au Derby... et le coup de la cravache...

Seamus me poussa du coude :

— Enfin, ça y est ! Regardez bien.

Le tabouret promis depuis longtemps surgit de derrière le comptoir et vola vers Taubelman qui se baissa et l'évita de justesse avec une rapidité d'esquive inattendue chez un homme de cette taille et de ce poids. Le tabouret heurta un mur et rebondit, pulvérisant les verres d'une table occupée par l'épicier-postier qui porta la main à sa joue pour en retirer un éclat pointu. Du sang presque rose coula sur sa chemise. Déjà Sean Coen, penché au-dessus du bar, attrapait Willie Kox par le cou, le soulevait de sa chaise et l'aurait étranglé si Joe Mitchell n'avait assommé son ami d'un coup de poing sur l'oreille. Sean s'écroula, Willie retomba sur son siège et Taubelman s'avança vers le comptoir en éclatant de rire : « Hou ! » fit-il dans le nez de Willie qui saisit une bouteille de whisky par le col, la brisa sur sa caisse et tenta de frapper au visage. Taubelman lui tordit le poignet et la bouteille tomba. Mais il n'avait pas compté sur Endas qui jeta sa petite casquette de cuir, se dirigea de biais vers lui, tapa légèrement sur son épaule pour attirer son attention et lui envoya à toute volée en pleine bouche son énorme poing de paysan. Alors nous vîmes vaciller Taubelman, la lèvre fendue, crachant des dents, reculant jusqu'à une table où il s'affala sur le dos, suivi par Endas qui le reprit au collet d'une main et le frappa à l'œil. Endas l'aurait tué sans doute si le plus inattendu des combattants n'était intervenu : Billie avec un tabouret de bar assomma le fermier.

Ce qui se passa ensuite n'est plus aussi clair dans ma mémoire. Il me semble revoir Kosslawski revenant de la toilette et boutonnant sa braguette, très surpris, vraiment très surpris, presque choqué, Reginald qui essuyait tranquillement son costume de velours puce arrosé de bière, Teddy qui pleurait et Seamus qui revenait du taxi mauve avec sa trousse de médecin tandis que « petit » Willie téléphonait au poste des gardes en surveillant d'un œil épouvanté les soubresauts des trois corps gisant à terre : Taubelman râlait, des bulles de sang venaient éclore sur sa bouche à la lèvre fendue. Il y eut encore du bruit, une vitre cassée quand un ami d'Endas prit Billie par le fond du pantalon et le balança contre la fenêtre. Mais je n'y voyais plus clair, j'avais mal, une crispation horrible dans la poitrine et je me disais que, si je bougeais, j'allais moi aussi tomber, me mêler à ces corps étalés, vidés de leur force et de leur brutalité. Ma volonté s'appliqua à rester sur une chaise, bien calé, sans bouger, en attendant que Seamus eût rafistolé ces joues, ces lèvres, ce nez et ces oreilles dont le sang, ruisselant sur le linoléum sale, dessinait des mares noirâtres que les rescapés, par superstition peut-être, évitaient de piétiner. Quand les gardes arrivèrent — deux massifs colosses aux uniformes de gros drap bleu qui se mirent à dégager une buée dans la chaleur de la pièce, répandant une aigre odeur de suint — Willie Kox se lança dans de véhémentes explications auxquelles ces deux hommes, au regard lourd et à l'entendement lent, ne comprirent rien. Et comment auraient-ils compris que ce sang, ces gueules cassées avaient pour cause une malheureuse cravache tombée entre les jambes d'un cheval dans les derniers cent mètres du Derby ? Il manquait aussi à cette histoire confuse les ricanements de Taubelman. Assis par terre, le dos appuyé au comptoir, ce dernier se laissait nettoyer le nez par Seamus, tandis que Sean Coen et Endas O'Callihier, sortant de leurs K.O. respectifs, le regard vitreux, incapables de se remettre seuls sur pied, contemplaient la scène d'un air stupide. Billie n'avait miraculeusement rien que sa veste déchirée dans le dos. Blotti contre Teddy, il pleurait en hoquetant, encore stupéfait par son acte de courage, lui qui n'aurait même pas donné un coup de pied à un chien méchant. Je me souviens encore d'un personnage incompréhensible que nous n'avions pas vu avant bien qu'il fût là sans aucun doute et qui disparut quand le calme et l'ordre revinrent dans le pub, sans que personne sût son nom ni d'où il venait, un petit homme en bottes et culotte de cheval, épingle d'or plantée dans sa cravate de chasse, un blouson de cuir jeté sur ses épaules. Il se servit lui-même un verre de porto après avoir interpellé deux fois « petit » Willie, le but à petits coups avec un plaisir évident, le regard brillant, comme si chaque gorgée lui rappelait des voyages, peut-être une excursion dans le Douro portugais, un séjour à Madère ou quelque femme élégante coiffée d'un chapeau cloche et croisant haut des jambes gainées de soie mauve, sur un tabouret du bar du Ritz rue Cambon. Il ne prêtait pas la moindre attention à la scène qui venait de se dérouler, comme s'il était naturel qu'en entrant dans un pub on trouvât des tables renversées, des mares de sang par terre et trois hommes complètement sonnés qu'un petit docteur en costume de tweed essayait de remettre sur pied. Les gardes emmenèrent Taubelman et l'épicier-postier à l'hôpital d'Ennis et, en même temps que disparut l'homme au porto, s'approcha enfin le visage trouble, tremblé de Seamus qui m'ausculta et m'allongea, aidé de Willie, sur deux tables accolées. Je m'apprêtai à mourir, désolé, regrettant tout d'un coup mille choses délicieuses qui m'apparurent dans un lent défilé et que ma mémoire savoura une dernière fois, les unes déchirantes, les autres dérisoires : le goût du pain frais et des oursins mangés les pieds dans l'eau sur les rochers sardes ; mon réveil d'une opération à douze ans et le visage de Maman penché sur moi, son collier d'ambre tiède qui vint se poser sur ma bouche quand elle me baisa le front ; un verre d'eau fraîche parfumée d'une feuille de menthe dans une oasis sur la route d'Hassi-Messaoud où j'allais travailler pendant un an ; ma première nuit à Carnac avec Marthe et nos deux corps lovés, immobiles, guettant le bruit des vagues qui montait par la fenêtre grande ouverte sur la plage ; l'odeur du jasmin dans une ruelle de Capri où je me promenais seul et heureux ; l'émoi indicible que représenta la découverte de *Premier amour* de Tourgueniev ; une enfant couronnée de fleurs, fardée, habillée d'une chemise de nuit tachée, assise sur une chaise dans une rue de Beja et la tirelire en carton où les passants déposaient un écu sans que bougeât un trait du grave visage aux joues rondes ; le jour où, reçu à ma licence es sciences, je m'écartai du groupe joyeux qui formait un monôme et roulerait toute la nuit dans le quartier Latin, pour m'isoler et prendre un autobus qui me conduisit sur les bords de la Marne, dans une guinguette où m'attendait pour un rendez-vous dont nous ignorions tout, elle et moi, une fille qui s'appelait Lucienne, un prénom que, pour un soir, je trouvai joli parce qu'il convenait à son gentil visage, à son accent parigot, au nez retroussé, aux lèvres qui esquissaient toujours une moue pour faire plus enfantin et les baisers que nous échangeâmes dans le train du matin en regagnant Paris ; le serrement de cœur que j'éprouvai la nuit en quittant New York où j'avais été pendant près d'un an saisi d'une telle fièvre d'apprendre et de connaître ; le bol de lait que me tendit une jeune fille dans une ferme du Bourbonnais où j'avais échoué avec ma section en 1940, épuisé après trois jours et trois nuits de marche pour échapper à l'étau allemand et le goût de ce lait encore tiède, parfumé à l'herbe fraîche ; le feldgrau casqué que j'avais tenu dans ma ligne de mire jusqu'à ce qu'il fût à vingt mètres de moi et que je n'avais pas tué parce qu'il était jeune comme moi, qu'il souriait, qu'il mourrait un autre jour d'une autre balle que la mienne, sans doute parce que je n'étais pas né pour tuer ; le premier pétrole que je découvris en Irak et ma joie devant ce geyser d'une violence inouïe qui nous aspergea de boue et de pierres ; les vers de Rimbaud que je lus à quinze ans et le choc qui s'ensuivit, si fort, si grand, qu'il balaya d'un coup ce que j'avais aimé, le tiède Musset, le sobre Vigny, l'Hugo héroïque, « — Comme je descendais des Fleuves impassibles — Je ne me sentis plus guidé par les haleurs — Des Peaux-Rouges criards les avaient pris pour cibles — Les ayant cloués nus aux poteaux de couleurs » ; Marthe encore, le baiser d'adieu de Marthe à Orly, sa silhouette une dernière fois alors que je me dirigeais vers la porte 36, le vol Paris-Dublin ; la main froide de Sharon sur ma joue et mon front après que je lui eus raconté l'histoire de Dorothy Templer ; Anne, le bras en écharpe, arrivant chez Mrs Colleen...

Seamus interrompit cette rêverie. Quatre hommes me transportèrent dans son taxi où je fus allongé tant bien que mal sur les coussins arrière. J'avais, depuis un moment, dépassé le stade de la souffrance, une douleur qui s'annihile elle-même. J'étais presque bien, sans inquiétude, curieux de voir comment j'allais passer le seuil interdit d'où l'on ne revient pas, assez content de n'en éprouver aucun effroi, sans doute grâce à la présence de Seamus dont j'apercevais le dos courbé en avant vers le volant. De ce qui suivit, je ne me souviens guère, grâce, paraît-il, à une piqûre faite au pub sans que je m'en aperçusse. Vers minuit, des coups de tonnerre me réveillèrent. Seamus lisait un magazine affalé dans un fauteuil. Dans un autre fauteuil, Mrs Colleen brodait. Entre eux, un lampadaire répandait une corolle de lumière jaune qui faiblit plusieurs fois au début de l'orage. Un long moment, je les observai sans qu'ils me vissent ouvrir les yeux : un bon couple de vieillards paisibles absorbé dans ses préoccupations. Je les fis sursauter :

— Alors, ce n'est pas pour cette fois !

— Non, mon cher, dit Seamus, vous êtes solide, mais il y a des scènes que vous devriez éviter...

— J'en ai vu d'autres !

— Elle provoquent en vous, à votre âge, un choc qui ne convient pas du tout à votre personnalité. Je vous expliquerai cela un jour si vous consentez à m'écouter au lieu de consulter des charlatans qui prennent le Pirée pour une maladie.

— Ne le fatiguez pas avec vos paradoxes ! dit Mrs Colleen pour qui tout était paradoxe dès qu'on sortait des lieux communs.

Des rafales de pluie cinglèrent les vitres, puis la grêle

crépita. Mrs Colleen sortit pour vérifier que Grouse était bien dans sa niche. Seamus se pencha vers moi.

— Je peux vous remettre sur pied. Ce ne sont que des malaises. Mais le désirez-vous vraiment ? Il y a des malades qui ne veulent pas guérir. En êtes-vous ?

— Vous êtes fou.

— Bien ! Alors, nous en reparlerons. Pour l'instant, reposez-vous. Dormez.

Mrs Colleen revint nous assurer que Grouse était à l'abri, ramassa son nécessaire de broderie et disparut. Deux ou trois fois dans la nuit, elle nous réveilla inutilement, et à neuf heures du matin, pomponnée, plâtrée, elle frappa et entra. Seamus sursauta comme un homme étonné de se retrouver dans une chambre inconnue. La nuit dans le fauteuil l'avait courbatu. Il s'étira comme un gros chat grisonnant, les bras en V, le ventre en avant tirant sur sa chaîne de montre, et prit mon pouls avec désinvolture.

— Allons déjeuner dans la cuisine.

— Mais j'ai préparé un plateau, dit Mrs Colleen d'un ton pitoyable.

— Ma chère Violette, notre ami se porte comme Dieu le Père en personne, et même mieux que Dieu le Père dont les jours sont comptés...

— Encore des blasphèmes, je vous ai déjà dit, Seamus...

D'un geste, il balaya l'objection :

— Laissez mes blasphèmes. Ils sont à moi. Je veux dire qu'il serait mauvais que notre ami — du moins j'espère que cet homme remarquable est autant le vôtre que le mien — il serait mauvais que notre ami prît les habitudes d'un malade alors qu'il est en parfaite santé... Vous n'avez pas eu l'audace de cuire mes œufs à la coque avant que je sois là, n'est-ce pas ?

— Si, Seamus, pourquoi ? Deux minutes comme vous les aimez !

— Misérable ! Ils continuent à cuire dans leur coque. Je mangerai des œufs durs. Et le bacon ?

— Il vient de chez McCambridge.

— Bon. Espérons qu'on ne vous a pas trompée.

— Il n'y a pas de meilleur épicier.

— Naïve comme vous l'êtes, vous êtes toujours roulée. Enfin, à la guerre comme à la guerre, nous arrivons...

Il se leva. Son costume était froissé et il tira sur son pantalon qui godaillait aux genoux. Pour la première fois, je remarquai qu'il portait des guêtres beiges fort élégantes. Ou peut-être ne les arborait-il pas chaque jour. Il se passa de l'eau sur le visage, exécuta quelques mouvements d'assouplissement qui firent craquer les jointures de ses genoux, et se tourna vers moi :

— Qu'attendez-vous pour vous lever ?

— Êtes-vous sûr que je le peux, sans danger ?

— Puisque je vous le dis.

Je sortis du lit avec angoisse, sachant combien les lendemains de ces crises étaient brouillés, nauséeux. Il n'y eut pas de miracle. Je pâlis et restai assis, la tête penchée en avant, du brouillard dans les yeux, ne distinguant plus qu'une silhouette glauque, Seamus déformé comme dans un miroir magique.

— Allons, voyons, ce n'est rien. Vous avez faim, voilà tout. Passez une robe de chambre. Le petit déjeuner sera infect, mais nous ne nous plaindrons pas, nous sommes des hommes.

Il est vrai qu'un quart d'heure après, je dévorai les œufs, le bacon, les saucisses, les tomates grillées de Mrs Colleen qui me contemplait avec un attendrissement nouveau comme si mes faiblesses de cette nuit m'avaient permis de faire un pas décisif dans son cœur de vieille égoïste. Seamus couronna les œufs et le thé d'une rasade de son whiskey personnel, déjà si débordant de vitalité, de fantaisie et d'assurance que je m'attendais, comme la première fois, à le voir esquisser un pas de danse, la Matchiche ou même la Mort du Cygne.

— Voyez-vous, ma chère Violette, cet homme, notre ami, s'est persuadé qu'il souffre d'une maladie de cœur...

— Je ne me suis pas persuadé seul...

— Taratata, taratata... vous êtes de ces types qui arrivent chez le médecin avec un diagnostic prêt, élaboré on ne sait trop comment, en lisant des magazines de vulgarisation scientifique ou des dictionnaires médicaux. Si le médecin n'est pas d'accord, ils vont en voir un autre, plus intelligent, plus souple, plus diplomate qui les confirme dans leur idée, leur ordonne les médicaments qu'ils désirent... Vous souffrez de tachycardie comme tout le monde, et personne n'en meurt. Il est probable aussi que votre œsophage est irrité, hypersensible parce que vous avez trop bu, mangé de choses sales et antihygiéniques, vécu sous des climats absurdes. Je vous guéris cela en quelques semaines... Si ça vous intéresse... A moins que l'idée si plaisante de la mort, à laquelle vous vous êtes complu depuis des mois, vous paraisse intéressante... Mais, je vous préviens... vous risquez d'attendre longtemps...

Dehors Grouse aboya et une haute silhouette se dessina derrière la vitre en verre dépoli de la cuisine. Mrs Colleen ouvrit à Joe Mitchell. Il n'avait pas très fraîche mine, ayant passé une partie de la nuit à boire avec Sean pour oublier le terrible coup de poing qu'il lui avait assené sur l'oreille, la énième bagarre entre eux et la énième réconciliation car s'ils se tapaient dessus férocement, ils l'oubliaient vite en buvant et demeuraient les meilleurs amis du monde. J'aime bien Joe, il est sans détours avec, cependant, un éclair de malice dans son étroit regard gris ; une lueur rapide qu'il importe de saisir si l'on ne veut pas se tromper sur son compte. Il est notre messager, notre porteur de nouvelles. Tout ce qui ne s'écrit pas dans les journaux, tout ce qui se répète devant une compagnie n'excédant jamais deux ou trois personnes est sa propriété. On ne saurait parler d'indiscrétion. Il ne bavarde pas par plaisir, plutôt par un obscur besoin de tenir au courant la communauté de ce qui l'intéresse, de ce qui tisse entre ses membres d'invisibles liens. Dans une tragédie grecque, il annoncerait le retour d'Agamemnon, la fatale rencontre d'Œdipe avec son père, l'accident mortel d'Hippolyte. Malheureusement la vie d'Inishgate est trop plate pour la mission qu'il s'est dévolue, elle ne compte pas de dieux vengeurs et guère de héros. On n'y échange que la menue monnaie de racontars. Pourtant ce matin-là, Joe tenait un fait divers qui nous émut et avait la couleur de la tragédie : dans la nuit, l'atelier et le cottage de Billie et Teddy avaient brûlé. Réveillés en sursaut, suffoquant dans la fumée, ils n'avaient eu que le temps d'ouvrir une fenêtre et de se réfugier en chemise de nuit dans le jardin, sous la pluie battante. Les pompiers d'Ennis, arrivés trop tard, s'étaient contentés d'arroser les ruines et les cendres. La rumeur publique accusait la foudre mais depuis huit heures du matin, les gardes interrogeaient Endas O'Callihier. Jerry Kean avait recueilli dans son cottage les deux tisserands. L'épicier-postier venait de rentrer chez lui avec un énorme pansement sur la joue. En arrivant, Joe avait croisé sur la route la jeep conduite par Anne qui se rendait à l'hôpital d'Ennis.

Mrs Colleen eut un moment d'intense fierté. Tout convergeait vers elle, araignée au milieu de sa toile. Elle offrit une canette de stout à Joe Mitchell qui la but debout, ses longs doigts maigres et osseux enserrant le verre, grave comme il convenait au porteur d'une nouvelle aussi dramatique, encore que l'image de Billie et de Teddy, fuyant dans la campagne en chemise de nuit, eût quelque chose de plutôt comique. J'attendais un mot de Seamus. Il se tut, pensif soudain, ramassa son vieux sac de voyage et s'apprêtait à sortir quand il sembla changer de souci et pointant l'index vers moi, dit :

— Nous nous reverrons. Si du moins cela vous intéresse... J'ai une idée...

Puis, riant de nouveau :

— Violette, les œufs étaient impossibles. Le bacon possible. Je file à Limerick où l'on m'attend. Cet après-midi, je serai de retour...

Dès qu'il fut parti, Grouse gratta la porte. Mrs Colleen lui ouvrit et prépara un bol de lait avec des flocons d'avoine. Joe contempla la chienne d'un œil lourd.

— Trop nerveuse, dit-il. Ces damnés setters ont le feu aux fesses. Elle vous obéit ?

— Pas toujours au début de la chasse.

— Si vous voulez, je la sortirai de temps à autre avec mon pointer.

— J'irais bien avec vous.

— Oui, nous pourrions les conduire dans les bois.

Il s'essuya la bouche d'un revers de main, hocha la tête sur le côté pour nous dire au revoir et sortit en se courbant sous le chambranle trop bas. J'aidai Mrs Colleen à laver la vaisselle du petit déjeuner.

— Vous vous sentez mieux ? demanda-t-elle comme si elle n'y attachait aucune importance.

— Quelle tête avais-je quand Seamus m'a ramené hier soir ?

— Résignée.

Nous parlâmes de Billie et de Teddy qu'elle jugea sévèrement pour leurs mœurs dissolues. Elle plaignait sans exagération leur ruine mais ne croyait pas qu'Endas eût mis le feu à l'atelier pour se venger du coup de tabouret de Billie. Tout était dû au hasard. Le hasard ne faisait pas si mal les choses. Dieu n'aime pas qu'on se moque de ses commandements. Et ces deux-là les enfreignaient.

— Vous savez aussi quelque chose ? dit-elle. Parmi tous ces Anglais qui viennent vivre chez nous, il y a des espions.

— Si Billie et Teddy sont des espions, je crains fort que l'Intelligence Service gaspille son argent en les entretenant dans un coin perdu du Comté Clare.

— Oh je ne dis pas cela pour eux, mais pour d'autres dont on ne sait pas ce qu'ils font ici.

— Taubelman, vous voulez dire ?

— Je ne pense à personne en particulier...

Ce qui signifiait qu'elle pensait bien, en effet, à Taubelman.

— Enfin, ajouta-t-elle après un silence mesuré, son cas est étrange. Que fait-il ? De quoi vit-il ? D'où vient-il ? Je ne suis pas curieuse...

Oh si ! Elle l'était !

— ... je ne suis pas curieuse, mais quand on n'a pas les moyens d'acheter un château en ruine, d'engager quinze mille livres de dépenses, de vivre comme un seigneur, on ne s'installe pas en Irlande.

— Comment savez-vous qu'il a dépensé quinze mille livres ?

— Il ne les a pas dépensées. Il les doit. Il doit à tout le monde.

— Taubelman a peut-être choisi de vivre dangereusement.

— Je ne sais pas ce que vous voulez dire par là ! En tout cas, moi, je ne ferais pas cela.

J'eus garde de lui répondre qu'entre leurs deux styles de vie, je préférais celui de Taubelman bien que ce dernier fût mythomane et escroc. L'effroyable correction qu'il avait reçue la veille — et qui eût pu être pire si Billie, saisi par une révélation, n'était intervenu — ternissait son étoile insolente et, une fois de plus, quoiqu'on s'en défendît, le rendait sinon sympathique, du moins pitoyable. Oui, comment se tirerait-il du guêpier dans lequel il s'était fourré et quel serait le sort d'Anne dans la catastrophe ? Naturellement, je me trompais sur ce point. Anne n'était pas à plaindre. A certains signes, j'aurais dû m'en douter, mais ces signes je ne les avais pas notés, ou à peine, et c'est seulement aujourd'hui qu'écrivant ces dernières pages, je peux reconstituer une vérité partielle, celle qui donne au personnage d'Anne une dimension différente quoique aussi difficile à saisir et à comprendre.

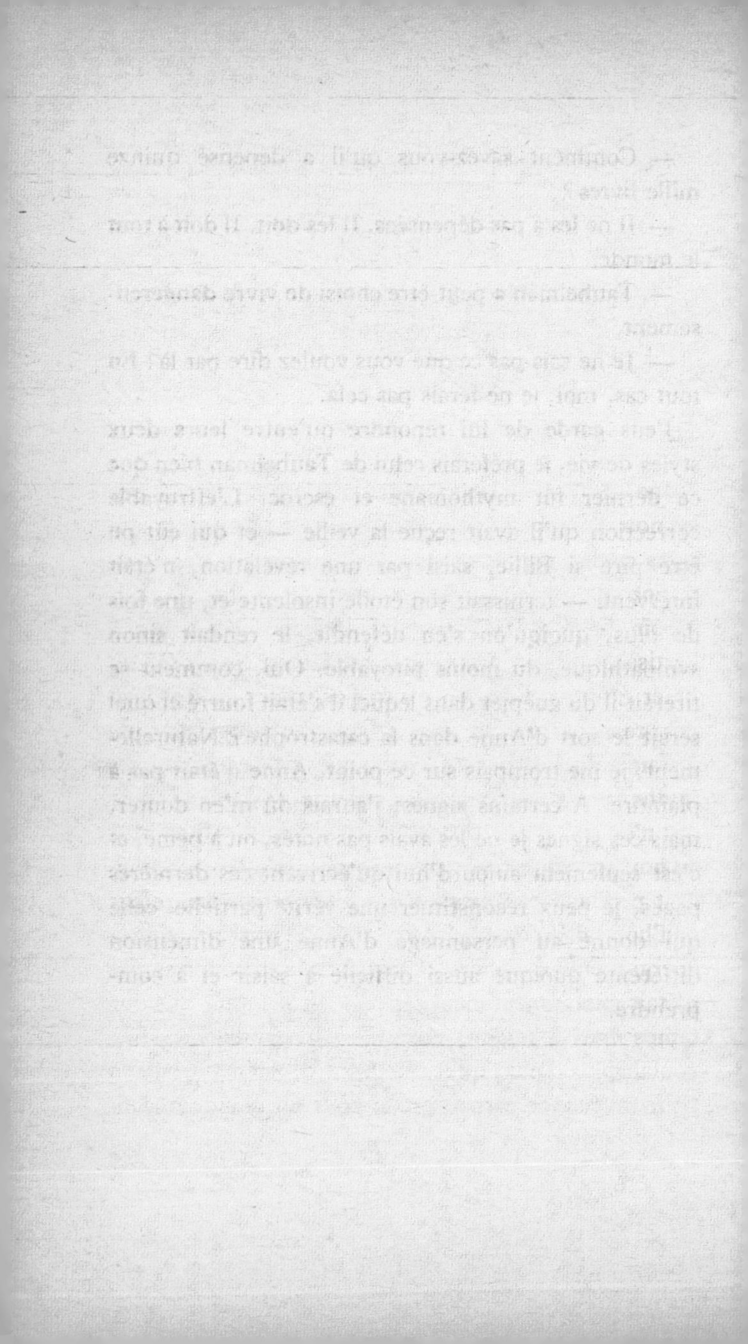

Joe Mitchell, bien entendu, n'apportait jamais que les nouvelles marginales, à la mesure de ses préoccupations et de l'intérêt de Mrs Colleen ou des clients de *L'Éperon*. Certes, la ruine de Billie et Teddy, leur espoir brisé d'une fin de vie tranquille vouée à l'artisanat, étaient tristes et lamentables. Endas O'Callihier ne fut pas arrêté, mais nous sûmes qu'il y avait des responsables et que l'anglophobie gagnait du terrain. Moïra, par sa visite, avait tiré de l'ombre ces inoffensives créatures. Elles payèrent pour des crimes qui n'étaient pas les leurs. Anne et Jerry — il habitait de nouveau Dun Moïran, seul avec elle — les accueillirent pendant quelques jours, puis Taubelman, retour de l'hôpital, recousu et pourvu d'un dentier, les poussa énergiquement dehors. Chez lui, la reconnaissance n'était pas un sentiment éperdu. Ils errèrent quelque temps dans la région, avant de comprendre qu'on ne voulait plus d'eux, qu'ils n'étaient décidément faits ni pour un monde carnassier, ni pour un monde bucolique. Billie et Teddy disparurent, et sur le chemin de leur nouvelle évasion — le Maroc où ils comptaient vivre pauvrement et acheter au rabais des charmes qui les consoleraient de leurs échecs — ils nous envoyèrent des cartes postales et lyriques.

Joe Mitchell, s'il avait été un vrai messager des bonnes et des mauvaises fortunes, nous aurait annoncé d'abord la mort du héros aux mains amputées, Paddy Fermor. Quand Seamus, prévenu on ne sait comment, en revenant de Limerick nous l'apprit, la nouvelle n'était pas encore connue de l'Irlande entière. Elle éclata le lendemain qui fut jour de deuil. Le pays plongea dans le silence et la prière, et si je ne priai pas c'est que le pouvoir m'en avait été retiré depuis longtemps, et que je devais me contenter de rêver à ce visage désormais quitté par la vie, à cette chambre où le veillaient une mère et une sœur admirables de courage et de dignité. Pourquoi les plus beaux et les plus purs mouraient-ils toujours en premier, comme s'ils offensaient l'idée atroce que Dieu — encore ce mot facile, tant pis ! — se fait de notre monde ? Il m'en vint, ce jour-là, une amertume indicible, et le souvenir de tant de drames dont j'avais été le témoin en Inde, en Afrique du Nord où l'homme coûtait le moins cher. Cette tristesse devant un tel gâchis d'existences héroïques effaça jusqu'au diagnostic optimiste de Seamus Scully. On prenait une vie qui en valait mille, dix mille, cent mille, et on me rendait la mienne qui ne valait rien parce que je l'avais vidée de son contenu. Le petit docteur voyait juste : j'hésitais comme si j'avais le choix entre la survie et une condamnation hypothétique, et même aujourd'hui où j'écris ces lignes, je ne cesse de me demander si Seamus ne m'a pas fait là un cadeau aussi empoisonné que celui du premier médecin que j'ai consulté. Mais ceci est une autre histoire sur laquelle je reviendrai, le cas échéant, car au fond, elle n'intéresse que moi ou, si l'on veut, qu'un homme seul qui ne doit rien, un homme face à la vie et à la mort, le cas le plus banal du monde. Une autre nouvelle qu'eût pu m'annoncer Joe Mitchell est l'arrivée de Sharon. Elle débarqua inopinément, apprit de Jerry que Moïra logeait au Great Southern et y descendit avec l'inévitable M^me^ Li. Je rencontrai le lendemain Sharon au bar de l'hôtel où elle buvait avec Stan Kosslawski et Reginald. Elle me reconnut, chose dont je lui sus gré, car, au fond, je m'attendais à un accueil d'une indifférence totale, à cet admirable regard de myope qu'elle savait poser sur les êtres pour décourager leur approche. On eût cru qu'elle avait assez d'instinct pour deviner le diagnostic de Seamus qui me reléguait parmi le commun des vivants. L'émotion que nous avions ressentie, l'un et l'autre, dans la chambre de Dorothy Templer, les trois jours de Leenden étaient effacés. Elle m'accorda quand même une place à côté d'elle, sur un tabouret, et je dus écouter de nouveau les plaintes acrimonieuses de Kosslawski que Moïra refusait toujours de revoir bien qu'elle n'eût pu décider aucun scénariste à le remplacer. Cela semblait passionner Sharon comme si à travers la dureté intransigeante de sa soeur, elle découvrait un caractère nouveau, inattendu même pour ses proches.

— Elle vous a vraiment dit cela ? demandait-elle.

Kosslawski ne savait plus très bien où il en était. Son histoire, répétée tant et tant de fois, s'enjolivait de détails, de fières réponses que j'ignorais. Quant à Reginald, il planait, indifférent aux horreurs débitées par Stan sur Moïra, attentif seulement aux éclats d'or qu'il pouvait lancer en jouant avec son briquet, sa gourmette ou un curieux pendentif à même son chandail, une chaîne à gros maillons au bout de laquelle se balançait un œil de verre tout rond, presque vivant. Deux fois, pendant que je fus là, Moïra le fit appeler dans sa chambre pour un rien, une pantoufle égarée, un coup de téléphone à donner, une lettre qu'elle ne retrouvait pas, affirmant ainsi la dépendance domestique dans laquelle elle le tenait. Il redescendit chaque fois, changé de pied en cap, avec sa belle nonchalance animale, car il adorait les métamorphoses, les costumes roses ou vert pâle, les chaussures pointues et le cachemire. Je cessai d'écouter Kosslawski pour ne plus contempler que la nuque de Sharon offerte de trois quarts, un espace de peau très doux, d'une pâleur exquise qu'elle présentait au regard avec ce qui me sembla soudain être presque de l'impudeur. Juste en dessous, un peu en arrière de l'oreille, se dessinait un espace nu, un lieu sacré que l'on devait se retenir de toucher du doigt, d'effleurer des lèvres. Je décidai qu'il me resterait cela d'elle, que c'était très beau.

Je n'existais donc plus pour Sharon. Ce fut très simple, sans comédie, et même pas une déception. Elle voulut revoir Taubelman et le soir même de leur rencontre, Jerry me raconta que Sharon les aiderait, qu'elle avait déjà téléphoné plusieurs fois à New York pour convaincre leur père de l'intérêt qu'il y avait à soutenir l'entreprise du haras. Jerry n'était pas assez rusé pour se servir de Sharon contre Moïra ou de Moïra contre Sharon. En fait, il suffisait de laisser les deux sœurs s'affronter comme elles s'étaient affrontées depuis l'enfance, et de se glisser entre elles pour avoir soit la paix, soit ce que l'on désirait. Moïra apprenant que Stan ne quittait pas Sharon n'eut d'autre ressource que de le reprendre à son service, de l'enfermer dans une chambre dont il n'avait la permission de sortir qu'après un certain nombre de pages. Je le trouvai un soir à la Taverne de Galway, buvant de l'eau, gai, lucide et même heureux. Il me fit une tout autre impression et nous parlâmes de Chaucer qu'il aimait, dont il savait un grand nombre de poèmes par cœur. Entre Moïra et lui, c'était la lune de miel, et nous dinâmes ensemble plusieurs fois, des soirées courtes car Stan se mettait devant sa machine à écrire dès six heures du matin. Peu attentif aux génériques, j'ignorais qu'il avait écrit le scénario et les dialogues d'un film de John Putman, *The Landlady,* que j'avais terriblement aimé un soir dans un cinéma du Ranelagh en compagnie de Marthe.

Je le lui dis, et il m'affirma que c'était son plus désastreux four au cinéma, un ratage financier total dont il se consolait en apprenant que les cinémathèques le classaient parmi les dix chefs-d'œuvre de l'après-guerre. Encouragé par mon admiration, Stan me passa un recueil de nouvelles publié cinq ans auparavant à New York, et je découvris qu'il possédait réellement un grand talent, gâché par sa propre veulerie, son appétit d'argent et son désespoir de n'être pas Henry James ou Dos Passos, ambition qui le hissa si fort à mes yeux que je le vis sous un autre jour. Lui aussi avait deux visages et, sans un minimum d'attention, je serais passé à côté de lui, le prenant pour un simple ivrogne échappé du zoo du cinéma et de la littérature alimentaire. La vie aurait dû m'apprendre plus tôt que les êtres peuvent avoir des profils différents, et sans doute avais-je été trop paresseux, ou trop tôt satisfait de mes jugements, manquant ainsi l'essentiel, c'est-à-dire l'essence des êtres. Mais pourquoi se cachent-ils ainsi ? Seamus Scully ne trompait pas son monde. Il avançait ouvertement dans l'existence, le visage nu, avec sa seule folie, son taxi mauve dont il triturait comme un perdu le volant de bois et la manette réglant l'allumage.

Je téléphonai à Marthe.

— Je pensais sans cesse à toi ces jours-ci, dit-elle, dès qu'elle reconnut ma voix. Mais je ne m'inquiétais pas. Il me semblait que nous étions très près l'un de l'autre. Quand même, j'aurais aimé te toucher... C'est bien que tu appelles. Je n'aurais pas osé. Tu sais... c'est étrange : depuis ton départ, le temps ne passe pas. Il me semble que tout est immobile. Je vis, je travaille et je crois que nous en sommes encore au jour de ton départ, que tu seras là ce soir, demain matin, aux heures qui te plaisent.

— Il est possible que nous nous revoyions bientôt.

— Tu viens à Paris ?

— Non, mais tu pourrais venir ici.

Elle ne répondit pas et ce fut un instant comme si la ligne était coupée. Je l'appelai de tout mon cœur :

— Marthe, Marthe...

— Oui.

Elle pleurait, je le savais, et ses larmes silencieuses que j'avais parfois provoquées, volontairement ou non, glissèrent contre ma joue. J'aurais pu les goûter, cueillir sur mes lèvres la saveur lointaine qui renouait avec nos difficultés, avec ce mal que nous éprouvions si souvent à nous comprendre sans nous blesser.

— Je suis désolé.

— Oh, il n'y a pas de quoi... Comment va ton Taubelman ?

— Il a reçu une raclée sérieuse il y a quelques jours, mais il s'en remet. As-tu encore entendu parler de lui ?

— Un peu. Il y a eu deux Taubelman.

— Je me disais bien qu'il était impossible que le mien fût mort dans un accident d'avion.

— Chatto le connaît à peine. Les deux frères ne s'aimaient pas. Je crois que le tien a soulevé la femme du premier. Ils ont eu une fille en commun, enfin quelque chose de très compliqué...

— Anne ?

— Il ne m'a pas précisé son nom... Tu la vois ?

Ce « tu la vois » fut lâché après un temps. Marthe craignait ma réponse. Je la rassurai :

— De temps à autre, je l'aperçois. Elle me paraît très belle et elle est certainement un peu dingue.

— J'essaierai d'en savoir plus.

— Si tu peux.

— Tu me diras le jour où tu auras besoin de moi ?

— Bien entendu.

Je raccrochai et sortis de l'épicerie-poste d'Inishgate au moment où le taxi mauve débouchait dans la grand-rue. Seamus freina autant qu'il put et s'arrêta devant *L'Éperon* où je le rejoignis. Nous n'y avions pas mis les pieds depuis le soir de la bagarre.

— Willie va croire que nous avons pris parti pour Taubelman, dit-il. Nous devons sacrifier à l'amitié.

Je sacrifiai volontiers. Il n'y avait dans le pub que trois habitués assis tristement devant leurs verres de stout et Willie Kox plongé derrière le comptoir dans un journal de courses. Il nous jeta un regard amorphe qui n'annonçait rien de bon ni de mauvais.

— ... 'soir Willie ! lança Seamus d'une voix qui voulait mettre de la gaieté dans l'ambiance si morne.

— ... 'soir docteur !

— Pas beaucoup de monde.

— Non.

— Parfois, c'est mieux.

— Oui, c'est mieux.

Nous restâmes seuls à une table et, en contemplant la salle, j'essayai non seulement de revivre la scène de l'autre soir, mais aussi de retrouver les symptômes du mal qui m'avait terrassé jusqu'à ce que la piqûre de Seamus me rendît l'indifférence. Depuis que je prenais quatre fois par jour les pilules dont il m'avait donné une pleine boîte, je n'avais éprouvé aucune fatigue, aucune angoisse. De là à me dire que j'étais sauvé, il y avait encore un grand pas. Seamus l'avait franchi sans moi qui doutais toujours. J'eusse aimé lui en parler, mais il semblait considérer ce sujet comme dépassé, sans intérêt, et si je tentais de l'aborder par un biais prudent, il me jetait le regard offensé de l'homme qui ne tolère pas qu'on profère des obscénités en sa présence. Il me fallait des jours et des jours pour refaire une provision de vie, reprendre une distance plus courte avec les êtres et les choses. Ce n'était pas sans danger. Il y avait l'écueil Sharon. Mais non, il était dépassé, et le goût de Marthe me revenait, à moi qui avais toujours cru qu'un homme digne de ce nom doit pouvoir vivre sans la compagnie constante des femmes, en paix avec soi-même.

— Voulez-vous que nous parlions de Taubelman ? dit Seamus.

— Pourquoi pas ?

— Il est aux abois, menacé de saisie. Cette fois, c'est sérieux. Les créanciers se ruent à la curée. Avec le jeu, il bouche quelques trous. Le reste, l'important, est dramatique. On ne jette pas de la poudre aux yeux indéfiniment. Ce qui m'étonne, c'est qu'il n'ait pas prévu la situation. Il devait machiner quelque chose ailleurs qu'en Irlande et cela n'a pas marché. D'où ces expédients : tricher au poker, tricher aux dés. Rappelez-vous la partie chez lui : Anne passait sans cesse derrière nous. On connaît le truc. Une mimique suffit à indiquer la couleur. Avec les doigts, on précise les chiffres. Ni vu ni connu. Pour la partie de dés, je n'ai pas besoin de vous faire un dessin. Vous étiez là.

Anne mêlée à cela ! Je n'y avais pas pensé mais Seamus, lui, s'en doutait depuis le début. Il m'ouvrait les yeux et, pendant un moment, je lui en voulus à la fois parce qu'il me révélait mon propre aveuglement et parce qu'il détruisait une image. Depuis les trois jours de Leenden avec Sharon, Anne avait cessé de m'émouvoir, mais je n'oubliais pas la sorte de sensibilité qu'elle avait éveillée en moi à un moment très précis où je croyais ne plus rien avoir à craindre, un sentiment qui aurait pu détruire l'équilibre complaisant de ma vie et que je n'aurais pas détesté. Dans un univers bien clos où je dialoguais seulement avec Jerry, Mrs Colleen ou Grouse, elle apportait le trouble et la beauté. En face d'elle, devant ses apparitions et ses gestes qui surprenaient toujours, on se trouvait comme à l'orée d'un bois, prêt à quitter la lumière pour des nappes d'ombre et des éclaircies tremblantes, des pièges et des silences, le parfum légèrement pourri des enchantements. Seamus retirait cette illusion pour offrir des réalités beaucoup plus solides où les regards, les mots d'Anne participaient à une conspiration à laquelle un homme est toujours honteux de se laisser prendre. Pauvre Jerry ! La blessure que je ressentais restait superficielle. Elle n'altérerait pas la fin de ma vie, elle confirmerait seulement l'espèce de défiance que m'inspiraient les êtres. Mais, pour Jerry, il en allait autrement. Il promenait encore sur le chemin des rencontres dangereuses, un visage d'innocent, et la barbe neuve qui mangeait son visage, ne le protégeait pas de l'essentiel. Je m'en ouvris à Seamus :

— Naturellement, dit-il, l'amitié exigerait qu'on lui ouvrît les yeux. Pourtant... pourtant... il y a des cures radicales qui tuent le patient que l'on voudrait soigner. La sagesse des nations enseigne une philosophie terre à terre qui semble parfois cynique, mais qui a le mérite de s'appuyer sur l'empirisme et d'exiger de chacun de nous une expérience propre. En évitant à Jerry une déception trop forte, nous le traitons comme un enfant. Laissons-le plonger la tête la première dans le désastre. Quand il refera surface, il sera de bronze. En ce qui concerne l'argent du papa, ça n'est vraiment pas important. Les Kean d'Amérique ont les reins solides. . et puis, cela ne nous regarde pas...

Les choses allèrent vite, grâce à l'impulsion de Sharon. Jerry et Taubelman partirent pour Dublin consulter un avocat d'affaires. Je l'appris par Anne qui arrêta sa jeep au bord de la route au moment où je sortais d'un bois après une longue promenade avec Grouse. Elle descendit de voiture et nous restâmes assis sur un muret qui longeait un champ de bruyère. Un matin exquis, teinté d'une lumière douce, mordorée, qui brillait dans la robe d'une jument suivie de son poulain de dix jours. Joe Mitchell passa sur sa bicyclette antédiluvienne et nous sûmes qu'à Inishgate on apprendrait bientôt que nous parlions dans la campagne sans témoins. Pour nous dire quoi ? Oh, des riens, mais à travers ces riens, tout ce qui se tramait, s'ourdissait, se conspirait à Dun Moïran. D'un geste, elle libéra sa belle chevelure qui retomba sur ses épaules, et pendant un instant elle m'apparut d'une beauté presque lourde, trop sévère, jusqu'à ce que son visage se durcît, perdît de son calme quand je posai la question qui me brûlait les lèvres :

— Quel est le Taubelman qui est mort en avion ?

— Comment savez-vous ?

— Des hasards.

— Je ne veux pas répondre.

— Et qui est Maria Schmitt del Tasso, par rapport à vous ?

— Ma mère.

— Je possède plusieurs enregistrements d'elle, notamment une *Sonate en la majeur* de Schubert que je me joue souvent. Elle est liée à vous. Impossible d'en entendre les premières mesures sans que votre visage m'apparaisse.

— Oh !

Elle parlait toujours difficilement, d'une voix contenue comme si elle devait en retenir les sons pour qu'ils ne trahissent pas sa nervosité ou sa crainte.

— Vous ne comprenez pas ! dit-elle.

— Qu'y a-t-il à comprendre ?

— Tout.

Grouse aussi nous contemplait, langue pendante parce qu'il faisait chaud et que nous venions de marcher à travers bois. Anne se pencha pour lui caresser la tête et lisser son beau poil feu.

— Elle vous aime beaucoup ! dit-elle.

— Non, elle aime la chasse.

— Elle aime la chasse à travers vous. Personne n'aime vraiment, je veux dire, face à face.

— Jerry vous aime face à face.

— Oui, peut-être, c'est vrai... une exception.

— Cette exception mérite le respect.

Elle se dressa d'un bond, une vive irritation peinte sur son visage mat.

— Que voulez-vous dire ?

— Vous le savez bien.

— *Notre* vie est ainsi.

— Ne m'annoncez pas la fin que je prévois !

— Vous ne pouvez rien prévoir. J'épouserai Jerry et nous serons heureux ici.

— Je le souhaite !

Elle se dirigea vers la jeep et je pensai que nous ne nous reverrions jamais, que malgré notre prudence, nous nous en étions encore trop dit, que je m'étais mêlé une fois de plus de ce qui ne me concernait pas, mais il y avait au fond de moi le regard de Jerry et aussi la beauté d'Anne telle qu'elle m'était apparue la première fois, et je ne pus souffrir d'être exilé d'eux.

— Restez !

— Non, dit-elle. Mais nous nous reverrons. Je suis comme vous... jusqu'à un certain point. Je ne souffre pas, je ne souffre pas...

Elle n'acheva pas sa phrase et grimpa dans sa jeep dont elle mit le moteur en marche. Un sourire effaça de son visage l'expression irritée qui l'avait durci.

— Comme c'est dommage ! dit-elle. Comme c'est dommage ! Nous reparlerons... A qui avez-vous répété qu'un Taubelman était mort dans un accident d'avion ?

— Seamus Scully. Sharon Kean... Ce doit être tout.

— Jerry ?

— Non.

— Merci. A bientôt.

La jeep roula une cinquantaine de mètres, s'arrêta mais je ne fis pas un pas vers elle et elle dut revenir en marche arrière jusqu'à ma hauteur.

— Pourquoi êtes-vous allé à Leenden avec Sharon ? Je serais partie avec vous et tout cela n'arriverait pas.

Anne ne pouvait rien dire de plus beau et de plus chaud sans me donner des regrets. Je restai là un long moment après le départ de la jeep. Endas O'Callihier passa dans sa vieille Austin à laquelle il manquait une aile. De loin on voyait la roue avant droite qui faseillait sur le bitume. Il s'arrêta et offrit de me déposer chez

Mrs Colleen. Il était tentant de monter avec lui que je connaissais peu et qu'auréolait la gloire d'avoir mis K.-O. Taubelman au pub de *L'Éperon*. D'un coup de poing, il avait vengé Willie Kox des railleries qui duraient depuis un an. Une forte odeur de foin et de bouse emplissait la voiture et un cochonnet rose se prélassait sur la banquette arrière. De profil, pendant qu'il conduisait, il me fit d'abord penser à un héron. Sa pomme d'Adam saillait au-dessus de la chemise béante sur le cou décharné. On l'imaginait très bien, à certains moments, poussant un cri de pintade. Oui... il ressemblait plus à une pintade qu'à un héron, avec son cou nu, déplumé, sa tête rasée sous la casquette de cuir bouilli si bien vissée qu'il devait dormir avec, ou, en tout cas, la remettre dès le réveil, son talisman, sa sauvegarde.

— Vous avez bien démoli Taubelman, lui dis-je.

— Oh, il a eu de la chance. Il aurait pu y passer tout entier, sans ce petit Anglais de malheur. Enfin, c'est drôle... on n'aurait jamais soupçonné le Billie de savoir se servir d'un tabouret... Nous surprennent toujours ces gars-là... une lopette... et puis... vlan !... Il m'a eu. Vous connaissez Taubelman ?

— Je l'ai connu ici, mais à la vérité, je ne sais pas grand-chose de lui.

— Un sacré faisan !

— Pourquoi dites-vous ça ?

— C'est à moi qu'il a acheté ses deux juments. Il ne m'a payé qu'un an après, quand il les a eu revendues.

Je me suis bien marré : il y en avait une qui cornait. Le type auquel il l'a refilée veut son argent. Taubelman fait le sourd, mais à moi il est venu demander ce qu'il m'avait versé : deux cents livres. Il peut toujours attendre. Rien qu'entre les deux opérations, il s'est fait plus de mille livres. Comment peut-on être aussi malhonnête ?

— Quand on n'a pas d'argent.

— Moi, je n'en ai pas.

On disait le contraire dans le pays et j'avais du mal à le plaindre. En vendant à Taubelman une jument qui cornait, il avait agi en bon maquignon.

— Vous savez qu'il monte un haras ? dis-je.

— On le dit.

— Il y aurait quand même intérêt à rester bien avec lui.

— Personne ici ne veut de lui. Si les fermiers décident de ne pas lui vendre de foin, ses bêtes crèveront. Vous ne nous connaissez pas bien encore.

— Non, c'est vrai.

Nous arrivions devant le cottage de Mrs Colleen. Elle était dans le jardin, en tablier, occupée à l'arrachage des mauvaises herbes.

— Endas, cria-t-elle, vous n'avez pas de parole ! Et mon fumier ?

— Demain, Mrs Colleen. Demain, c'est promis.

Elle rit tandis qu'il s'en allait.

— C'est votre nouvel ami ? me demanda-t-elle.

— Je n'ai pas d'ami, Mrs Colleen. Sauf, peut-être

le docteur Scully qui m'éblouit, m'étonne et me laisse ensuite tomber. Il donne trop à tout le monde. L'amitié est plus exigeante qu'il ne croit et implique un peu de jalousie.

— Seamus est un papillon. Enfin, il vous reste Jerry Kean...

Perfide Colleen ! Jerry avait disparu, avalé par Dun Moïran. Nous ne nous promenions plus dans la lande ou les bois avec nos chiens.

— Il aime Anne Taubelman, dis-je. A son âge, cette sorte de passion ne souffre guère d'entractes.

— Pauvre garçon, je le plains.

— Elle est très belle. Par instants, elle est même pathétique.

— Moi, je ne me fierais pas à ces airs-là.

— Vous avez peut-être raison, mais si on ne laisse pas la bride sur le cou à Jerry, il ne sera jamais un homme.

— Il y a bien assez d'hommes sur cette terre. Je ne vois pas la nécessité d'en ajouter un de plus.

Ses rapports avec les hommes n'ont pas dû être parfaits. Une photo de Mr Colleen, dans le salon, montre un colosse au visage carré, aux cheveux en brosse. On ne décèle en ce personnage tout d'une pièce aucun des raffinements qui font rêver les femmes. L'amour n'est jamais passé près de Mrs Colleen. Elle le considère plutôt comme une grossièreté, une protubérance pornographique dont la vie sociale s'accorde mal, qui jette la perturbation dans les rapports conventionnels des êtres humains. Or, qu'y a-t-il de mieux que les rapports conventionnels, qu'une politesse parfois excessive qui enrobe d'un voile de pudeur nos foucades, à la rigueur nos passions ? Tout autant que Mrs Colleen, j'appréciais, non sans parfois l'ombre d'un regret, l'attitude de Sharon. Elle simplifiait nos retrouvailles, sauvait ce que nous avions vécu de parfait, qui n'appartenait ni à l'un, ni à l'autre en particulier, mais à nous deux, au fond d'un passé conservé dans un musée interdit au public. Nous nous rencontrions et je me gardais d'un geste, d'un mot qui auraient ravivé les souvenirs. Sans doute y fut-elle sensible car elle vint à Inishgate un après-midi, me dépêcha un messager — Joe Mitchell bien entendu — et je la retrouvai, flanquée de M^me^ Li, sur la route où elle attendait, près de l'endroit que j'appelai au fond de moi : « le secret d'Anne » parce qu'elle y avait livré de son mystère et de son inquiétude, ce qui achevait de donner une unité de lieu à la petite histoire dont nous vivions les derniers épisodes. Sharon avait chaussé des bottes, passé un pantalon de velours et un chandail serré sur son torse mince et plat.

— J'adorerais me promener, dit-elle. M^me^ Li ne veut pas marcher. J'ai pensé à vous.

— Vous êtes trop bonne.

Elle ne releva pas l'ironie, elle s'en moquait, elle se moquait de tout d'ailleurs, caractère lisse sur lequel glissait la vie. Je marchai derrière elle, le regard attiré par sa nuque et cet espace si délicat sous l'oreille, espace qui m'avait ému et retenu un soir au bar du Great Southern et qui, maintenant où nous nous retrouvions seuls, m'inspirait presque de la faim ou, en tout cas, un si grand désir d'oubli que je me serais plongé à la folie dans cette chevelure blonde pour m'endormir, les lèvres posées sur un espace de chair rose, peut-être le lieu géométrique des plaisirs physiques de Sharon et des miens. M'endormir, oui, pour le reste de l'éternité.

— Vous ne m'écoutez pas ! fit Sharon au bout d'un moment. Aucun homme ne se l'est jamais permis. Je vous l'ai déjà dit.

— Je ne suis pas tous les hommes. Ensuite, il me semble qu'on rend le plus bel hommage à une femme en lui offrant sa propre distraction. C'est signe qu'elle vous trouble.

— Oh non, nous n'allons pas revenir là-dessus !

— Vous ai-je dit quelque chose ?

— Non, rien, c'est vrai.

Elle parut plongée dans un songe jusqu'à ce que nous arrivions au bord du Lough Roerg dont le printemps transformait les rives. Au lieu des arbres dénudés, tragiquement couverts de nuées de corbeaux et de corneilles, nous avions sous les yeux un lac aux eaux dormantes où se reflétaient des masses de hêtres au feuillage d'un vert luisant qui scintillait dans la lumière de midi. Au centre, l'île vierge dressait une folie d'arbustes et de chênes mêlés. Il semblait impossible d'y aborder tant la végétation qui commençait dans l'eau, parmi les joncs, montait à l'assaut de l'île et l'étouffait dans ses bras. Là, quelques mois auparavant, nous nous étions assis sur l'herbe humide et elle m'avait raconté, tandis que Jerry ramait sur le lac, dans quelles circonstances il s'était si grièvement brûlé la jambe en sautant par la fenêtre de sa chambre en feu. Quand Sharon reconnut l'endroit, elle sursauta, posa sa main crispée sur mon bras :

— Nous sommes déjà venus ici ! Il n'y avait pas tant d'eau, et elle était sombre, presque noire.

— Il a plu beaucoup, ces derniers jours.

— Je déteste cet endroit. Vous sentez cette pourriture ?

— Qu'aimez-vous ?

— En vérité, les Bahamas et rien d'autre.

— Vivent les affiches des bureaux de tourisme ! Elles composent un monde idéal pour des êtres comme vous, un monde de plages de sable, de cocotiers et de ciel bleu. De quoi enflammer le cœur des dactylos !

— Vous êtes méchant.

— Vous me décevez.

— Je n'ai jamais prétendu vous éblouir.

— Je vous rends cette justice.

— Partons, voulez-vous... Allons ailleurs, dit-elle, la voix lasse comme si elle savait bien qu'il était illusoire de changer de décor, que sur les plages de Nassau comme sur les rives du Lough Roerg, elle rencontrerait toujours le reflet du même être futile et angoissé.

— Vous n'avez jamais la paix ! dis-je.

— Et vous, pourquoi vous promenez-vous ainsi ? Vous n'aimez personne.

— J'aurais le même reproche à vous faire.

— Nous ne sommes pas gais.

— Ni drôles.

— Je suis de cet avis.

Elle était toute proche et je la pris dans mes bras, dégageai son oreille, la baisai à cet endroit sacré. Son long frémissement fut presque du bonheur. Nous revînmes par les champs, escaladant les murets de pierre, effrayant des troupeaux de moutons à genoux pour paître l'herbe. Au bord de la route, nous retrouvâmes les deux voitures. Dans celle de Sharon, Mme Li tricotait une chose infâme.

— Elle est merveilleuse, dit Sharon. Elle croit aux petits Chinois. Pas à ceux auxquels nous réservions le papier d'argent de notre chocolat, à d'autres qui ont froid et se réchauffent sous des couvertures en patchwork, le dernier cri de la mode à Londres... Si nous allions à Leenden ?

Nous n'allâmes pas à Leenden. On ne recommence pas ces choses-là deux fois, encore que j'eusse eu du plaisir à retrouver Mme Li trônant dans mes rêves, martyrisant Taubelman et apparaissant sous des déguisements divers. Sharon avait ouvert cette porte sans y croire. Nous serions retournés à Leenden, l'un et l'autre, mais sans conviction, pour renouer puérilement avec une période heureuse. J'ai beau ne pas savoir grand-chose de la vie, je sais qu'il ne faut pas se copier, ni raconter deux fois la même histoire. Sharon ne l'ignorait pas et attendait, sans aucun doute, que je dise non. Elle parut déçue, elle l'aurait été bien plus si j'avais accepté. Ce fut donc « non », mais nous passâmes la journée ensemble, et je l'emmenai à Moher, sur les falaises. Un vent violent soufflait, et une poussière d'embruns irisés montait jusqu'au chemin qui conduit à la tour en ruine. Nous marchâmes courbés, à l'abri des dalles qui protègent le chemin, et là-haut ce fut le tonnerre, le grondement des vagues qui s'écrasent contre les parois noircies de la falaise, les cris perçants et blessés des goélands, le halètement irrégulier d'un cargo cypriote qui longeait la côte et roulait dans la houle. Loin des petits paysages cernés de collines, de bosquets, marqués par des clochers d'église et des toits de chaume, nous retrouvions la dimension de la terre, du haut des falaises, face à l'océan et sous le ciel dans lequel couraient des nuages d'un blanc soyeux. Comme on respirait bien à Moher, comme on y retrouvait l'échelle de tout ! Nos passions, nos regrets, nos plaisirs se délayaient dans l'immensité. Sharon eut la même pensée et dit :

— Nous devrions venir ici tous les jours, n'est-ce pas ? Dix minutes, cinq minutes, le temps de s'emplir le cœur et d'apprendre à vivre moins bêtement.

Elle le croyait et je l'embrassai sur les deux joues. Nous allions devenir des amis et je lui promis chaque fois qu'il y aurait une ombre entre nous, un désaccord, un agacement, de rappeler cette visite à Moher, comme un talisman contre les bêtises de l'existence. Dans la voiture en bas, Mme Li continuait son tricot. La solitude dont cette femme parvenait à s'entourer émerveillait. Elle eût tricoté en haut d'une pyramide sans prêter attention à l'assaut des touristes. Aucun bruit ne l'atteignait, que la voix de sa maîtresse. Quand, au retour, nous passâmes devant le chemin qui conduisait à Dun Moïran, Sharon me demanda d'arrêter.

— Ils ont dû rentrer de Dublin aujourd'hui, dit-elle. J'ai envie de les voir.

— Je vous laisse.

— Non, accompagnez-moi !

— Nous risquons d'effacer la grâce spéciale accordée par Moher...

— Nous ne resterons pas !

Bien entendu, je cédai. La jeep était arrêtée devant le perron. Dans l'écurie, Sean Coen sciait du bois. Il leva la tête et nous offrit son grand sourire édenté.

— Le patron est là ! cria-t-il. Tout va bien.

Je frappai à la porte et Taubelman ouvrit. Il était en bras de chemise et nous le dérangions visiblement, mais quand il reconnut Sharon, sa face qui portait encore les traces de la bagarre chez Willie — une cicatrice rose aux deux lèvres, Un sourcil fendu — s'éclaira soudain et il prit cette expression enjôleuse que je détestais le plus chez lui.

— Nous vous attendions !

Sharon me jeta un regard. Déjà Taubelman lui baisait goulûment la main, et je crus entendre deux ou trois fois le mot « princesse ». Elle haussa les épaules.

— Jerry est là ?

— Oui, entrez. Nous préparions un budget.

— Je veux le voir.

Il nous introduisit dans le salon où se tenait Jerry, assis devant une table, avec une masse de papiers devant lui, des livres ouverts. Depuis quelques semaines, il se documentait sur l'élevage avec une passion naïve que je n'aurais pas osé discuter. En s'approchant des chevaux, il pensait s'approcher d'Anne qui les aimait d'instinct, profondément, seuls êtres vivants avec lesquels elle fût en communication. J'écris exprès « vivants » tant il me semble maintenant, après réflexion, que le véritable domaine d'Anne est le domaine des morts au sein duquel elle nourrit sa vie intérieure. Jerry ne le comprenait pas, ne pouvait le comprendre et, par une grâce que seul l'amour accorde, il s'acharnait à approcher d'une femme qui ne serait jamais à lui, sans se rendre compte de son aveuglement.

Il monta chercher Anne et revint avec elle après ce qui sembla être une longue discussion dont on pouvait encore lire les traces sur leurs visages. Enfin elle fut là, et, pour la première fois depuis la scène de l'hôpital, je pus la comparer à Sharon, une note sombre, une note claire sur une portée dont on aurait en vain cherché l'harmonie. Elles ne se détestaient pas — c'eût été trop —, elles ne s'aimaient pas — un point mort —, elles resteraient deux étrangères qui affecteraient de n'avoir aucune curiosité l'une pour l'autre. Jerry le savait et parce que j'étais là, témoin lucide, il en souffrit d'autant plus que le moindre doute blessait son amour pour Anne. Et aussi, il devait tout à Sharon, position inconfortable qu'il supportait désormais avec dégoût. Je fus étonné que Sharon n'usât pas de ses armes habituelles : myopie et distraction, une certaine façon de n'écouter pas ce qu'on lui disait. A ses yeux, Anne méritait mieux. Sharon fut donc doucereuse, aimable, feignant l'ignorance sur les choses les plus simples, pour donner de l'assurance à Anne :

— Comment faites-vous pour avoir des cheveux aussi brillants dans ce climat détrempé ?... Ah oui... Je note le nom de ce produit... n'est-ce pas. Il faut que je vous imite. Le résultat est extraordinaire.

Seul Taubelman pouvait être trompé par cette attitude. Je me demandai même comment lui, d'ordinaire si sensible à ce genre de rapports, ne percevait pas ce que la fausse amabilité de Sharon avait de condescendant, mais c'est qu'il aimait Anne d'un amour immense, et vivait, dès qu'il s'agissait d'elle, dans un empyrée où rien ne le troublerait jamais. Anne était la seule excuse de sa vie de tricheur. Elle le sauvait en un sens, il n'était pas tout à fait condamnable, car ses mensonges, ses escroqueries, ses duperies, tout était au nom du bonheur d'Anne. Nous le comprîmes mieux encore après leur fuite mais j'avais surpris cette complicité totale le soir où je les avais trouvés dans le salon, elle face au miroir, en kimono, offrant à la brosse et au peigne de Taubelman sa belle chevelure d'amazone. Il avait eu, après qu'elle eut regagné sa chambre, un instant de lyrisme qui le trahissait, lyrisme vite corrigé par des propos cyniques que je n'oubliais pas. Mais ce soir, grisé par la visite de Sharon qu'il accablait de regards veloutés pleins de sous-entendus, il était incapable de percevoir ce qu'elle mettait de finesse à dominer Anne sans en avoir l'air. Il est possible aussi que l'accord signé devant un avocat de Dublin pour la constitution d'une société de haras eût mis fin aux angoisses de ces dernières semaines, à la situation inextricable dans laquelle il se débattait. Dans l'enthousiasme, il ne vit pas ce qu'avait de fragile et de fantaisiste l'appui de Sharon à ses desseins. Au fond, je ne sais pas, je n'avance rien de sûr, puisque Taubelman est resté une inconnue mathématique pour nous tous, et que nous ne saurons jamais à quel point il s'est moqué du monde, à moins que le monde se soit moqué de lui, seule possibilité qui lui vaudrait des excuses.

M^me^ Li était entrée avec nous. Assise près de la cheminée sans feu, sur une chaise trop haute pour que ses pieds touchassent terre, elle continua son patchwork tout le temps que nous fûmes là, et, plusieurs fois, je dus bouger, vider mon verre, faire trois pas, pour m'assurer que je ne rêvais pas, qu'elle n'avait pas repris place dans mes songes pour m'apprendre que Taubelman était une fripouille et Anne une illusion après laquelle je pouvais toujours courir, que les personnages du petit monde où nous vivions disposaient d'une profusion de masques qu'ils enlevaient ou changeaient avec une désinvolture infinie selon les besoins de leurs tortueux desseins.

Puis, aussi brusquement qu'elle avait eu envie de les surprendre à Dun Moïran, Sharon ne pensa plus qu'à partir. Mme Li ramassa son tricot et disparut pour s'engouffrer dans la voiture tandis que Taubelman décontenancé, comme s'il craignait d'avoir commis un impair, cherchait à nous retenir sans rencontrer le moindre secours de la part de Jerry et d'Anne. Jerry me fit même un signe pour me dire que le départ de sa sœur le soulageait, qu'il ne pouvait plus la supporter. Anne n'avait pas prononcé dix mots. Notre visite était un four. Sharon fut bien la seule à ne pas s'en apercevoir. Dans la voiture, au retour, elle m'annonça son départ.

— Que fais-je ici ? Rien. Et je vais m'ennuyer. La seule apparition de Moïra au bar du Great Southern me plonge dans un sommeil désespérant. Avez-vous jamais vu un pareil bas-bleu ? Et Jerry ! Le petit a trouvé une famille ; le voilà bien au chaud, filant le parfait amour avec Anne. Croyez-vous qu'il couche avec elle ?

— A la vérité, je n'en sais rien.

— Eh bien, moi je le sais. Et c'est oui. Triste déception pour lui : il n'est pas le premier. Dans le gamin, se cache un romantique, un Shelley barbu.

J'eusse préféré un cynique Byron rasé. Mais je rêve. Jerry est ce qu'il est. Il paraît qu'elle baise bien. Oh, ne pensez pas que Jerry s'est montré prolixe sur ce sujet. Il a fallu que je lui arrache tout mot par mot, comme autrefois quand il était un petit garçon. Sa sexualité est assez développée. Il doit ça à son Iranienne, une championne paraît-il. Cela dit, il peut s'en passer des semaines, des mois, un an, sans en éprouver la moindre gêne. Pas du tout comme moi, vous voyez ! Et Moïra est comme Jerry. Elle fait ça comme on se mouche, par hygiène... J'ai l'air de la détester : ce n'est pas vrai. Je regrette seulement qu'elle soit ma sœur. Sans cette parenté, elle m'intéresserait peut-être... Un type qui doit être formidable au lit c'est Taubelman. J'ai eu envie d'essayer, par curiosité, et sans vous j'aurais peut-être cédé. Vous m'avez sauvée de ce mauvais pas. La tête que j'aurais faite le lendemain ! Il vaut mieux que je m'en aille avant de bêtifier. Si je pars demain, ils continueront de me porter dans leur cœur. Je passe... comme la fée pour Cendrillon. Un coup de baguette magique — un coup de téléphone à papa — et leur vie a été transformée. C'est fou ce que je suis bonne au fond. Ne nous quittons pas ce soir, voulez-vous, ne nous quittons pas cette nuit. Je ne vous offre pas de coucher avec moi, ce serait trop vulgaire et puis j'ai un amant aux Bahamas, un garçon exquis, plus jeune que moi, très jaloux, que je laisse toujours sur sa faim. Je pars le rejoindre... J'aimerais tant que vous le connaissiez ! Non, non, ne riez pas... il vous plairait tout de suite.

Je passai la nuit avec elle, étourdi, abreuvé, saturé de son monologue qui se déroulait comme une vie sans fin. On nous monta un seau à glace, des alcools dans la chambre du Great Southern et tout ce que j'eus la force de faire fut de changer de fauteuil pour écouter Sharon de face ou de profil, préférant son profil dessiné d'un trait si fin, si délicat qu'il semblait irréel dans la fumée bleuâtre des cigarettes. Un moment même, allongé en travers du lit, de droite à gauche et Sharon allongée de gauche à droite parlant au plafond, je somnolai, bercé par sa voix, à demi conscient de ce qu'elle disait et qui levait en moi des fantasmes légers, visions d'eau et de soleil quand elle parlait des Bahamas, souvenirs d'un voyage aux châteaux de Bavière quand elle racontait sa vie toujours si brève avec Frédéric-Charles, plaisir de son corps quand elle se levait, traversait la chambre et qu'une bouffée de son parfum m'atteignait rappelant les jours heureux, détachés du monde, de Leenden. Sharon appartenait par sa folie, son absurdité et son irrésistible attrait à un petit cercle de femmes que j'avais peu approchées dans ma vie, qui ne m'avait pas intéressé et dont à travers elle, je découvrais soudain l'infinie complication, et, dans une certaine mesure, l'inattendu poétique, l'isolement total, la solitude qu'elles prenaient aussitôt pour de l'ennui et tuaient n'importe comment, avec n'importe qui. Qu'elle était loin des autres, même de la charmante Marion qui traversait le Sahara seule en Land Rover, qu'elle était loin surtout de Marthe dont la vie intérieure si discrète était le reflet de la mienne ! Et comme j'avais éte préservé en n'aimant pas une telle femme, en ne subissant pas son attirance ! Il y avait chez elle une profusion verbale, un délire organisé dont on ne perdait pas le fil, qui la ramenait toujours à trois ou quatre de ses thèmes : sa détestation de Moïra, sa tendresse réelle pour Jerry, la noblesse morale de Frédéric-Charles et, un échelon nettement plus bas, la curiosité sexuelle qui la taraudait, ne lui laissait pas un instant de paix bien qu'elle fût assez forte pour ne pas céder n'importe comment, avec n'importe qui.

L'aube pointa. J'avais trop fumé, trop bu et mourais de sommeil tandis qu'elle continuait, la voix à peine plus rauque. Elle finit par demander un double petit déjeuner, se déshabilla et se jeta dans un bain bouillant. Je l'entendis barboter, se brosser sans cesser de parler et rêvai à son joli corps d'échalas qui faisait penser à un animal du désert, à son torse plat ponctué de fleurs roses écrasées, à la brusquerie de ses gestes, brusquerie qui déconcertait, brisait le plaisir assoupi auquel on était trop tenté de s'abandonner. Alors à ce moment-là, comme un aveugle qui aperçoit enfin la première lueur de sa guérison, je sus mieux ce qui avait été si important avec Marthe, le silence complice de l'amour, le decrescendo des ondes émises par nos deux corps reconnaissants, le respect des minutes passées hors du monde.

Je me levai avec peine du fauteuil, il me sembla que je pesais cent tonnes, que je n'arriverais jamais à quitter cette chambre bourrée à éclater des confidences de Sharon. En entrouvrant les rideaux, on apercevait Eyre Square luisant d'une pluie fine presque invisible, désert, avec ses façades grises aveuglées et le péristyle de la banque. Deux jeunes garçons en chaussures de tennis, culotte courte et maillot de corps, la tête coiffée d'un sac de nylon, couraient au petit trot, coude à coude, autour du square. Ils furent rejoints au bout d'un moment par Stan Kosslawski en imperméable qui courut derrière eux. Comme il ne pouvait tenir le train, il s'arrêta sur un banc, alluma une cigarette et eut l'air tout à fait misérable. Au bout d'un instant, il regagna l'hôtel. Les deux jeunes gens couraient toujours, seuls sur le square que traversa une charrette tirée par un poney pie.

— C'est vraiment un pauvre type ! dit Sharon derrière mon épaule. Moïra les aime comme ça, à sa botte.

Elle sentait bon le savon frais et je baisai son épaule découverte par la grande serviette de bain dans laquelle elle s'était enroulée. On frappait à la porte. Un garçon mal réveillé roulait une table qu'il laissa au milieu de la chambre. Le spectacle du lit qui n'avait pas été défait l'intrigua et il sourit timidement comme pour nous rassurer sur sa discrétion. Le thé éclaircit les brumes de la nuit. Sharon dévora des œufs brouillés, des saucisses, des tomates grillées, plusieurs toasts. Non,

non, ce n'était pas un elfe, une créature de rêve. Elle tenait à la vie terrestre par de fortes dents, un appétit solide et un grand sens des réalités financières. J'embrassai Sharon sur les deux joues. A la porte, elle ajouta encore :

— Ne croyez pas que je sois folle ! L'argent Kean investi dans l'affaire du haras est entre les mains d'un avocat qui ne cédera ni aux pressions de Taubelman, ni à celles de Jerry. Si Taubelman, que je sais comme vous au bord de la saisie pour ses dettes passées, pense qu'il va d'abord se renflouer personnellement, il a grand tort. J'espère que Jerry ne sera pas déçu, mais je ne pouvais pas faire plus... Au revoir, chéri, j'ai été heureuse de cette nuit. Cela fait du bien. Avez-vous remarqué qu'il n'y a d'amitié possible entre un homme et une femme que s'ils ont été amants et ont renoncé une bonne fois pour toutes aux plaisirs vulgaires ? C'est notre cas, n'est-ce pas ?

— Une bonne fois pour toutes ?

— Je n'exclus pas les accidents. Mais les risques sont limités. Je ne sais pas quand nous nous reverrons...

— Vous partez ?

— Aujourd'hui.

Dans le couloir, je croisai M^me^ Li qui baissa ses paupières obliques pour ne pas me voir. Sur la place, je n'aperçus plus les deux garçons qui s'entraînaient, mais le taxi mauve était là, arrêté devant le parvis de l'hôtel. Au volant, Seamus Scully lisait un article de Caroline Walsh dans l'*Irish Times*.

— Ah, vous voilà enfin ! dit-il. Je vous ai cherché cette nuit et je viens seulement d'apercevoir votre voiture sur la place. Montez. J'ai à vous parler.

Peu avant minuit, au moment où Willie poussait dehors les attardés de *L'Éperon,* Jerry avait surgi en coup de vent dans le pub, pour demander d'une voix étranglée où l'on pouvait trouver le docteur Scully. Joe Mitchell était parti sur sa haute bicyclette le chercher, suivi de la jeep dans la pluie battante. Anne venait d'avaler deux tubes de soporifique et râlait, dans le coma. Seamus, déjà couché, s'était levé en hâte pour aller à Dun Moïran. Dans le taxi mauve, ils avaient transporté Anne au centre antipoison du Calvary Hospital de Galway. Vers six heures du matin, après plusieurs lavages d'estomac, elle avait repris connaissance. Elle désirait me voir.

— Anne s'en tire, mais de justesse, me dit Scully. Très curieuse impression : les choses se précipitent. Nous assistons au dénouement.

— Et Taubelman ?

— Effondré, une loque, s'arrachant les cheveux ! Quand il a su qu'elle était sauvée, il a repris de l'assurance, crié des ordres, menacé les médecins, les infirmières... enfin vous connaissez son cinéma habituel puisque vous l'avez déjà vu à l'hôpital d'Ennis quand Anne est tombée de cheval. Il ne se renouvelle pas autant qu'on le croirait. C'est un personnage à répétition, plein de haine pour tout. On vient de le piquer et il dort sur un canapé dans la salle d'attente. Un très affreux canapé en fausse tapisserie, avec des roses incarnates et une profusion de perroquets. Comment peut-on dormir là-dessus ?

— Nous le lui demanderons. Jerry ?

— Il est dans la salle d'attente avec Taubelman, lucide et calme. Il a même pris des initiatives.

Nous longions les docks qui commençaient à s'activer sous la pluie. Le cargo cypriote aperçu la veille au large de Moher était à quai, déchargeant du bois à l'aide d'un palan jaune qui avait l'air d'une pince de langouste. Un couple de cygnes nageait et pêchait au milieu de la darse où un chalutier accostait. Son équipage, en cirés ocre luisants, lança une amarre à terre qu'un cycliste ramassa. Au Great Southern la vie en s'éveillant sentait le toast, la marmelade d'orange et le thé de Chine. Ici elle sentait le goudron, le pétrole et l'océan saumâtre. De profil, le visage de Seamus accusait la fatigue de la nuit et le bas de la joue grisonnait de poils durs. Une grande pitié monta en moi, beaucoup plus grande que pour Jerry et Anne. Même si cette dernière avait manqué mourir, même si elle ne devait conserver de cette expérience qu'un goût limité pour la vie, il lui restait encore, devant elle, un large espace vide avec des amours, des secrets, des chevaux, de nouveaux êtres émouvants qu'elle dominerait ou puissants qui la domineraient, tandis que Seamus usait ses dernières années dans une course folle vers un précipice sans Dieu. Il ne cessait de donner sans rien recevoir. Un jour, il s'effondrerait sur un gros volant de bois, la main crispée à la manette en cuivre de l'allumage, et le sang se retirerait de son visage d'ordinaire empourpré par l'excitation ou l'alcool, ses cheveux fous, frisés dans le cou, deviendraient encore plus blancs. On le pleurerait un temps avant de l'oublier à jamais. Il distribuait à la folie des biens qui ne laissent pas de trace : la générosité, la bonté, le courage, la gaieté, l'intelligence de la vie. Et si je pouvais lui reprocher une chose, c'était, au moment où je m'étais installé dans l'idée confortable de mourir d'un coup, sèchement, sans bavures, où je m'apprêtais à l'éternité proche, à portée de la main, à un souffle, de m'avoir retiré cette éternité pour me rendre une réalité éphémère, hérissée de dangers et d'incertitudes.

Nous arrivions devant le Calvary, mais Seamus contourna l'hôpital pour entrer par la porte de service.

— Il ne faut pas que Taubelman et Jerry vous voient. Je l'ai promis à la petite. Un genre de promesse que l'on doit tenir, bien que j'aie horreur des secrets.

Anne était couchée dans une chambre liliale, les draps remontés jusqu'au cou, un bras sorti pour l'appareil de perfusion. Ses paupières se levèrent lentement, découvrant son regard embué comme si elle émergeait du fond des eaux, et, à cette minute, elle eût pu être, avec ses cheveux défaits répandus sur l'oreiller, une ondine capturée, la malheureuse prisonnière d'un monde cruel où on allait l'exhiber et la torturer.

— Docteur, dit-elle, pourquoi m'avoir fait ça ? J'étais si bien... là-bas.

— Vous n'étiez pas « là-bas », je vous prie de remarquer, sinon vous n'en seriez pas revenue. Cela dit, sachez que les médecins sont des bourreaux. J'en suis un. Nous avons tous juré de perpétuer la vie. On ne sait pas pourquoi puisque la vie est chienne... Comment dit-on en français, mon cher ?... Ah oui... une vallée de larmes... une vraie vallée de larmes... Perpétuer la vie misérable est le devoir des médecins. C'est d'ailleurs, je vous le signale, le désir de la majorité des êtres humains. Le très petit nombre qui en a assez n'a pas droit à la compréhension. Nous vivons dans un système majoritaire où le plus fort impose le plus faible. Notre civilisation édicte des lois de masse. Si vous voulez passer entre les mailles du filet, il faut plonger dans l'illégalité. Là, en tant que médecin, je n'ai pas le droit de vous suivre...

Ces mots amenèrent sur le visage pâli d'Anne un faible sourire qu'elle ne sut pas réprimer, qui éclaira soudain la chambre et me rendit courage. Oui, elle revivrait et tout reprendrait du goût, bien plus que pour moi. Les mensonges, les tricheries perdraient de leur réalité et les fumées se dissiperaient. Hélas, je comptais sans la nature même d'Anne, sans sa faculté étrange d'avancer d'un pas pour mieux reculer de deux, sans sa crainte du cercle étroit dans lequel il lui fallait vivre et son refus de s'en évader. Seamus nous laissa seuls.

— Pourquoi avez-vous fait cela ? dis-je.

— Ne me demandez pas pourquoi ! C'était tout de suite après votre départ avec Sharon. Vous auriez dû rester.

— Je ne voulais même pas venir. Sharon m'a forcé. Nous vous gênions. Elle agaçait Jerry. Je l'ai suivie quand elle a désiré partir.

— Compte-t-elle beaucoup pour vous ?

— On ne pose pas de questions pareilles. Tout de même, je répondrai peut-être : « non », mais ce serait aussi trahir la vérité. Ce n'est pas pour me poser cette question que vous voulez me voir ce matin, n'est-ce pas ?

— Non. C'est à propos de Jerry.

Elle ferma les yeux comme si elle allait se rendormir, oublier tout, rentrer en elle-même comme au temps du silence. Je lui baisai le front.

— Cela vous dégoûte à ce point qu'il soit attiré dans un guet-apens ? dis-je.

— Oui.

— Prévenez-le vous-même.

— Je ne peux pas. Faites-le.

— Il ne me croira pas. Il vous aime. Il m'enverrait

son poing dans la figure si je lui apprenais comment vous aidez Taubelman à tricher au poker.

— Vous vous en êtes aperçu ?

— Et le docteur Scully aussi. J'ai un sens moral très limité, mais je vous avoue que tricher au jeu me dégoûte immensément. Votre père est un escroc.

— Ne dites pas ça ! Il essaye de vivre pour moi. Et je ne suis même pas sûre que ce soit mon père.

— Je m'en doutais.

— Vous avez tout deviné.

— Non, j'ai essayé.

Elle baissa les paupières et ce fut comme si elle disparaissait, s'évanouissait de cette chambre ou je restai seul avec son visage livide aux cernes verdâtres sous les yeux.

— Vous savez, dit-elle au bout d'un moment, il a des excuses...

— Qui « il » ?

— Taubelman. Je suis peut-être sa fille, ou je suis peut-être la fille de son frère. Ils ne l'ont su ni l'un ni l'autre.

— Et votre mère ?

— Elle était la femme de l'un et la maîtresse de l'autre. Une artiste... elle ne s'inquiétait pas beaucoup de ces détails.

— En découvrant cela vous avez refusé de parler ?

— Je n'ai pas refusé : je ne *pouvais* plus... Il fait très froid dans cet hôpital. Pourquoi ne chauffe-t-on pas ?

Il me semblait au contraire que j'étouffais, mais ce

froid qu'elle éprouvait était celui de la mort approchée de si près. Elle mettrait longtemps à se réchauffer.

— Qu'y a-t-il de vrai dans les histoires de Taubelman ?

— Il vous en a raconté beaucoup ?

— Beaucoup.

— Il y en a de vraies, et d'autres qui sont à mon père.

— Vous dites « mon père ».

— Je suis légalement la fille de l'autre. Mais lui aussi est mon père. Je n'oublierai pas ce qu'il a été pour moi. Difficile à expliquer... C'est l'enfer pour nous deux et il voudrait tant que ce soit le paradis. Il n'est pas aussi mauvais qu'il en a l'air... Je vous ai demandé de venir pour que tout soit clair entre nous.

— Et Jerry ?

— J'aimerais le garder... enfin maintenant.

Elle parut très fatiguée et je la laissai un instant s'assoupir. Seamus se tenait dans le couloir avec une sœur en coiffe bleue.

— Alors ? me dit-il.

— La confession sera longue.

— Je vais me coucher. Ne vous faites pas voir de Jerry.

— J'essaierai.

Anne dut sonner peu après car la sœur passant devant moi entra dans la chambre et revint me chercher.

— N'essayez pas de savoir tout, me dit Anne. Ce

serait absurde et incompréhensible. Il n'y a pas de vérité avec *nous*.

Ce « nous » était la clé de leur attitude. Ils ne se séparaient pas l'un de l'autre. Tout au plus, à certains moments, se réfugiait-elle dans le mutisme, ou, à toute extrémité, dans l'espérance de la mort, mais, après, le « nous » revenait, symbole d'une entente hors de raison. Je restai encore quelque temps avec elle avant qu'on me poussât dehors parce qu'elle nécessitait des soins.

— Ne revenez pas ici ! supplia-t-elle. Maintenant ce qui arrivera est mon affaire. Je peux accepter ou refuser de nouveau. Je ne suis pas à plaindre.

Je baisai son front moite.

— Vous sentez le parfum de Sharon, dit-elle. Je ne l'aime pas.

Une heure après, j'étais à Inishgate, aussi épuisé que Seamus. Comme lui, j'avais passé une nuit blanche, mais ne m'en souvins vraiment qu'en entrant dans ma chambre pour m'affaler sur le lit. La visite à l'hôpital avait effacé le souvenir du délire verbal de Sharon qui me revint d'un coup quand, posant mes vêtements sur une chaise, une bouffée du parfum m'atteignit droit au cœur. Je retrouvai le son de sa voix, son agitation incessante, le goût de l'alcool dont elle avait rempli nos verres et la fuite lente des heures, ce temps qui s'étirait dans la nuit sans âme. Je m'endormis et ce fut Mme Li qui me rendit visite. Le rêve est resté dans ma mémoire avec une netteté inhabituelle, sans doute parce qu'éveillé soudain par la porte qui se refermait en grinçant — Mrs Colleen vérifiant que je vivais encore — je m'efforçai d'en recoller les morceaux sans lâcher le fil ténu et absurde qui les reliait l'un à l'autre dans les boursouflures de la mémoire. Mme Li me croisa dans le couloir de l'hôtel mais, au lieu de baisser ses paupières obliques, me jeta un regard noir, assassin qui me glaça au point que je ne pus supporter de ne pas avoir une explication. Je la rattrapai par le bras. Elle se dégagea et courut dans le couloir qui s'allongea devant elle, tourna brusquement et devint un labyrinthe où je crus la perdre plusieurs fois. Seul le hasard me guidait sur ses pas, permettant de la débusquer soudain au moment où elle se croyait sauve. Enfin, elle buta dans moi, rebondit comme une balle et tomba en arrière, assise sur ses grosses fesses, furieuse et véhémente, s'adressant à moi en un français parfait :

— Imbécile, je vous fuis pour que vous ne mouriez pas.

— Mais je ne vais plus mourir. Je suis éternel.

— Non. Moi seulement, je suis éternelle. L'éternelle Mme Li. Tout le monde m'appelle ainsi. Sauf vous qui ne savez rien, ne comprenez rien et ne saurez jamais la vérité.

— Quelle vérité ?

Avec une promptitude inattendue chez une personne aussi forte, elle se dressa sur ses courtes jambes, esquissa un pied de nez et s'enfuit dans le couloir. Le meilleur était de ne pas bouger, d'attendre que, dans sa course folle, elle reparût à ce carrefour où nous nous étions quittés. Elle ne reparut pas et je songeai à gagner la sortie ce qui parut d'abord facile en suivant les numéros des chambres inscrits sur les portes, mais il y en avait une telle quantité que je commençais à désespérer de parvenir au numéro 1, le plus proche de l'ascenseur, quand la porte 213 s'entrouvrit. Un visage blafard apparut dans la pénombre :

— Vous cherchez quelque chose ? murmura une voix à demi éteinte.

— La sortie !

La femme éclata de rire :

— Il n'y en a pas.

La porte se referma et dans le couloir les lumières clignotèrent et un haut-parleur à la voix aigrelette annonça qu'on me demandait au téléphone. Dans une niche en plastique, un appareil grésillait. En le décrochant, j'entendis la voix de Marthe :

— Es-tu bien, mon chéri ?

— Non.

— Que te faut-il ?

— Je voudrais trouver la sortie.

— C'est très simple : tourne une fois à gauche, puis deux fois à droite. L'ascenseur t'attendra.

En suivant ses indications, je me retrouvai sur un palier mal éclairé. La cabine montait doucement, auréolée de lumière. Quand elle s'arrêta, je vis Marthe à la place du liftier. La porte coulissa et je me jetai dans ses bras. Nous descendîmes de plus en plus vite, si vite que je me réveillai. Grouse, assise à côté du lit, me contemplait, la langue pendante. Je l'appelai et elle se dirigea vers la porte pour renifler le ciré que j'endosse toujours quand nous sortons.

A ma montre, il était quatre heures. Le soleil filtrait à travers les rideaux de mauvais velours. Au-dehors, vagissait une antique trompe d'auto. Mrs Colleen répondit de la porte :

— Venez donc, Seamus. J'ai peur que cela n'aille pas.

Il fut là un instant après et me secoua gentiment.

— Allons, allons, ne perdez pas votre vie à dormir. Vous n'êtes pas une loche.

— Je ne m'étais pas couché la nuit dernière.

— Je ne vous demande pas d'explications graveleuses. Nous sommes ici dans la maison d'une honnête femme. Laissez-moi prendre votre pouls.

Il sortit de la poche de son gilet un oignon grandpaternel en or ciselé, ouvrit le boîtier et contempla l'aiguille sans bouger tandis que son index pressait mon pouls avec une délicatesse infinie.

— Vous vous portez comme un charme. Debout ! Je vous emmène. C'est urgent !

— Des nouvelles d'Anne ?

— Excellentes ! Il n'y a rien de tel que de se suicider et de se manquer pour regoûter à la vie avec appétit. Mais Taubelman ne va pas bien. Il a fait un scandale à l'hôpital. Deux infirmiers l'ont proprement foutu à la porte. Il est revenu en force. Bris de glace, fuite de cornettes effrayées. Bref, la police est intervenue. On l'a arrêté et, semble-t-il, calmé avec assez d'énergie pour qu'il ait besoin de quelques points de suture.

— Je m'inquiète de Jerry.

Le visage de Seamus exprima une courte anxiété.

— Lui n'est pas très bien. Mais nous n'y pouvons pas grand-chose. Une crise de puberté, mon cher. « C'est la vie comme elle va ! » dit-il en français avec une intonation comique forcée.

La chose urgente qu'il m'emmenait voir était une course de lévriers au cynodrome de Limerick. Seamus gagna outrageusement au guichet d'un bookmaker en chapeau melon, au nez d'un rouge heureux.

— Il me doit quelques consultations. Comme il ne saurait être question d'argent entre nous, il me paye de tuyaux. Ainsi suis-je remboursé. Je garde les mains propres et j'ai de quoi vivre. Je vous invite à dîner. Nous parlerons de Jerry.

Nous parlâmes de tout sauf de Jerry, ce qui était encore une manière de penser à lui, de nous inquiéter de sa solitude et de son sort. Tard dans la nuit, Seamus me déposa chez Mrs Colleen où je trouvai une lettre de Jerry. Il me demandait de passer le plus tôt possible au Great Southern où il habitait avec Moïra en attendant qu'Anne sortît de l'hôpital. Je n'y allai pas cette nuit-là. Le fantôme parfumé de Sharon demeurait encore dans une chambre de l'hôtel et je risquai de voir se profiler sur les murs crémeux l'ombre furtive de la cruelle M^me^ Li. L'incapacité où j'étais d'aider Jerry ne m'accablait pas. Il avait l'âge d'être mon fils, il était beau, sans soucis matériels dans l'existence et je ne pouvais honnêtement pas le plaindre, après ce que j'avais connu au début de ma vie. Et puis, il y avait toujours une chance, la chance qu'Anne, respectant cet homme simple et bon, le sauvât de la pire des déceptions. En était-elle capable ? Oui, je le croyais, par une sorte de lâcheté qui, en donnant bonne conscience, porte à croire que les êtres humains ont plus de plaisir à être bons que mauvais. Si Anne n'était pas totalement la prisonnière de Taubelman, elle épargnerait Jerry. Je m'endormis et me réveillai cent fois jusqu'à m'asseoir dans mon lit, allumer la lampe de chevet pour noter des résolutions qu'à la relecture, le matin, je trouvai froides, incompréhensibles ou hors du sens commun. « Rejoindre Sharon aux Bahamas », « Interdire à Mrs Colleen d'entrer dans ma chambre pour vérifier que je ne suis pas mort », « Aidé de Seamus, tricher au jeu et plumer Taubelman. Mais a-t-il des plumes ? », « Accoupler Grouse et Pack pour avoir un bâtard qui lève et qui rapporte », « Acheter un terrain avec vue sur la baie de Galway et bâtir une maison avec un observatoire pour suivre le vol des oiseaux sur la côte », « Demander à Seamus s'il a jamais aimé », puis un leitmotiv qui revenait d'une écriture inversée différente de la mienne : « Aller chercher Marthe à l'avion de 14 heures », « Interdire à Marthe de me téléphoner », « Emmener Marthe à Moher ».

Je prenais un petit déjeuner dans la cuisine avec Mrs Colleen quand Reginald frappa à la porte. Certes, mon hôtesse avait déjà vu des hommes de couleur, de bronze en Inde, safranés en Birmanie, mais elle devait imaginer qu'hors des frontières d'Irlande tout était possible, y compris de rencontrer des hérétiques. Ici, dans ce pays de prairies vertes, de douces collines de bruyère, tout ce qui n'était pas blanc — et plus spécialement roux — ne pouvait être qu'une apparition infernale, l'annonce méphistophélique de quelque catastrophe. Mrs Colleen poussa donc un petit cri, se dressa sur ses jambes grêles et courut se réfugier dans sa chambre. Reginald hésita entre la vexation et le rire, choisit le rire et s'assit sur la toile cirée de la table, en une de ces attitudes nonchalantes qui révélaient la netteté de son pli de pantalon, la couleur de ses chaussettes et l'élégance de ses chaussures.

— La Princesse est partie ! dit-il.

— Oui, je le sais.

Il n'était pas venu jusque-là pour annoncer cela, mais je le décevais en étant renseigné avant lui sur les déplacements inattendus de Sharon.

— Elles sont folles, ces filles Kean, complètement timbrées. Moïra a trouvé Stan au bar hier soir en train de boire un whisky, elle l'a congédié, rayé de son existence. Il s'est saoulé toute la nuit.

— Si Sharon revient et s'intéresse de nouveau à lui, Moïra le reprendra aussitôt.

— Au fond, c'est un pauvre type ! dit Reginald. Et

il croit qu'il sait jouer au poker. La terre est pleine de gars comme ça, qui vivent au-dessus de leurs moyens, je ne dis pas financiers, mais intellectuels...

— Regie, vous êtes injuste... A jeun, Kosslawski est un garçon remarquable, cultivé, bourré de dons. J'ai vu de lui un film très beau et j'ai lu un recueil de nouvelles qui m'ont plu.

— Tout ça, c'est du passé... Maintenant, c'est un sac à vin. Et quand il est plein, il bave...

— Y a-t-il quelqu'un qui trouve grâce devant vous ?

Il parut réfléchir, mouvement de sincérité, qui, affecté ou non, rompait avec ses habitudes.

— Non ! dit-il enfin. Mais tant pis ! Je n'ai pas d'autre solution. Il faut bien vivre avec qui me paye.

— Pourquoi êtes-vous venu me voir ?

— Moïra me l'a demandé. Elle voudrait que vous vous occupiez de Jerry.

— Je ne suis pas sa nounou.

— Elle prétend que vous êtes le seul à avoir de l'influence sur lui.

— Je m'y refuse. Et pourquoi pas elle ?

— Nous partons. Elle renonce à son film. Nous participons à une manifestation contre la guerre au Vietnam samedi prochain à Washington.

Elles me le laissaient sur les bras, elles n'aimaient pas Jerry. Ou peut-être aurait-il dû se raser la barbe. Tel quel, et amoureux d'une personne étrange, compliquée, habillée de mystères, il ne les intéressait pas. Il ressemblait aux jeunes hommes de son âge, il devait forer seul son chemin dans la jungle et on me conviait à m'occuper de lui s'il était blessé ou désespéré, tâche ingrate abandonnée à un étranger. Je suivis donc Reginald à Galway, vautré sur les coussins de la Rolls de louage, sans enthousiasme, essayant de croire que les liens tissés entre Jerry et moi, par les longues journées de marche dans les forêts et les bois, m'imposaient cette obligation au moment où j'aurais tant voulu être seul avec moi-même pour retrouver le fil d'une vie que j'avais perdu, fil qui m'apparaissait, maintenant, tendu à craquer, prêt à rompre. Je me surprenais à craindre les accidents de voiture sur les routes trop étroites, à économiser les sentiments et les émotions, alors qu'avec l'idée de la mort présente à mon esprit, j'avais gaspillé mes forces et vécu avec une indifférence qui me paraissait désormais coupable. Au fond, ce qui est beau fait mal : les femmes, les enfants, le lever ou le coucher du soleil, le parfum du chèvrefeuille et l'amour, l'amour quand il est harmonieux et heureux. Tout fait mal tant chaque chose est unique et inéchangeable, fatale, alors que dans l'approche de la mort et sa certitude imminente, notre vision, dépouillée du désir insensé de la possession, savoure la beauté comme une chance inespérée, un présent des Dieux, dont le seul inconvénient est de susciter en nous une doucereuse et invincible mélancolie.

Derrière les vitres griffées par la pluie et giflées par les gerbes d'eau sale que nous soulevions en traversant, impavides, les flaques de la route, s'étiraient des arbres, des haies de mûriers, des murs de pierres entassées, des étangs glauques et, parfois, des personnages aperçus en un éclair, flous, déformés : nomades dans leurs roulottes bariolées tirées par des poneys pie, benhurs en casquette juchés sur leurs tracteurs amarante, joemitchells à bicyclette, raides, pédalant le genou à l'extérieur, bonnes sœurs agrippées aux volants de leurs camionnettes, héros des affiches dorées, luxuriantes d'une marque de stout, comme si, à l'intérieur d'un aquarium, un sous-marin silencieux — notre voiture climatisée et son chauffeur — avançait sans être vu, parmi des animaux que la réfraction déformait. Et comment devions-nous leur apparaître, nous-mêmes, dans notre Rolls noire, vernie et nickelée comme un corbillard, visages entrevus en coup de vent, Reginald sombre et lustré, moi pâle en comparaison et le chauffeur en uniforme et casquette grise comme un croque-mort ? Oui, cette voiture ressemblait tout à fait à un corbillard, silencieuse, capitonnée, équipée du luxe qu'on n'offre ici qu'aux morts. Il y a des années elle était le symbole de l'élégance, et maintenant quand elle n'était pas de louage, on voyait s'y pavaner des voyous enrichis à la folie dans la chansonnette. Notre vision du monde était faussée comme à travers une loupe qui n'est pas maniée à bonne distance, et le monde nous jugeait sur des apparences trompeuses, car nous n'étions, ni Reginald ni moi, des hommes à Rolls et à chauffeurs, encore que Reginald eût acquis dans son rôle d'emprunt une aisance qui rendait la chose possible. Peu avant d'arriver à Galway, mon compagnon commença de se limer les ongles avec les soins et les mines d'une jolie femme à sa toilette. Je ne lui arrivais pas à la cheville. Hiver comme été, je portais un pantalon de velours, une chemise de laine et un blouson. C'est dans cet accoutrement que j'entrai au Great Southern sous le regard méprisant du portier. Moïra était dans sa chambre, au milieu de ses valises ouvertes dans lesquelles une femme de chambre hagarde essayait d'empiler du linge, des chaussures et des robes longues.

— Ah Reginald enfin ! Cette idiote ne sait pas préparer une valise. Aidez-la... ou plutôt non... défaites et recommencez tout depuis le début. Je ne sais pas par quelle méprise j'ai pu croire que cette pauvre fille s'en tirerait.

Reginald se pencha sur les bagages et, dans l'heure qui suivit, tandis que Moïra me parlait, ses longues mains noires et baguées aux paumes roses plièrent artistement le linge, si artistement qu'on se demandait le degré de leur intimité avec tout ce qui touchait à Moïra. Se pouvait-il que la connivence de ces deux êtres s'arrêtât au seul linge ? Plusieurs fois, je fus distrait par Reginald qui dédaignait de nous écouter, occupé de l'ordre qu'il installait dans les valises de cuir aux monogrammes dorés. Ne restèrent que deux robes en lamé et un pyjama du soir en taffetas pomme que Moïra décida d'abandonner à la femme de chambre médusée de ce cadeau somptueux qu'elle ne saurait probablement jamais utiliser. Jerry dormait dans une chambre communicante. La veille, sa sœur lui avait administré deux somnifères, la moitié de la dose qu'elle prenait chaque soir, prétendit-elle, ce que je crus avec peine car elle me paraissait une personne équilibrée, saine d'esprit, douée d'un grand sens pratique, ne buvant pas et abhorrant les fumeurs de hash, mais la réputation d'une actrice d'aujourd'hui tient aux pilules, aux crises de nerfs, aux dépressions dont la presse fait son régal. Nous savons qu'en ce domaine, Moïra ne néglige rien de ce qui peut colorer l'image qu'on se fait d'elle.

J'ai l'air de détester Moïra. Ce n'est pas vrai. Il semble simplement que c'est un des rares êtres de cette histoire que j'aie vu d'emblée comme il est, sans doute parce qu'à travers tant de comédies et d'affectations, transparaît un seul personnage totalement engagé dans l'ambition de sa propre vie. Elle est belle et, comme pour beaucoup d'autres êtres qui ont reçu à la naissance ce don trompeur, la beauté est à la fois son propre pardon et son vice. A propos de Moïra, on peut parler du charme des Kean et il faut admirer sa volonté sauvage qui s'embarrasse de peu de scrupules, et aussi l'énergie qu'elle a dépensée pour sortir de son milieu et affirmer sa personnalité. Il est certain que, née dans une famille où l'argent et le snobisme n'auraient pas été les valeurs suprêmes, Moïra ne serait pas ce qu'elle est, par réaction, par ennui ou dégoût. Oui, elle me confiait

Jerry avec une désinvolture qui me déplaisait, qui m'humiliait presque et me donna envie de l'envoyer aux mille diables.

— Il est très malheureux, dit-elle. Il n'a pas compris pourquoi Anne a tenté de se suicider. Je ne veux pas m'en mêler, mais je vous demande au nom de notre amitié de veiller sur lui.

Où était-elle allée pêcher cette amitié ? Pouvait-on appeler un déjeuner à Leenden une amitié ? Ou prenait-elle pour une sorte de parenté ce qui était advenu entre Sharon et moi ? L'interpolation semblait forte. Après Leenden, je n'avais guère qu'entrevu Moïra et ne pouvais m'empêcher de penser à ce que Stan Kosslawski dégoisait sur elle dès qu'il buvait. Oui, elle était cela aussi, ce qui n'attirait guère. Tant pis, je promis de veiller sur Jerry. D'ailleurs, c'était urgent. Moïra demandait sa note et partait dans la matinée. Les photographes l'attendaient déjà en bas et à Shannon une équipe de télévision s'apprêtait à enregistrer ses déclarations sur la guerre au Vietnam.

J'entrai dans la chambre voisine où régnait une odeur étouffante de malade et ouvris la fenêtre à l'air frais du matin. Après la pluie, un soleil radieux éclairait Eyre Square où les voitures tournaient en rond. Je cherchai Kosslawsky sur le banc où il s'était assis misérablement deux jours auparavant. Il ne s'y trouvait pas, à moins qu'il se fût déguisé en petite vieille et donnât du pain aux pigeons. Jerry s'étira sous sa couverture en désordre.

— Ah, c'est vous ! dit-il. Que se passe-t-il ?

— Rien. Moïra est partie. Levez-vous, il est midi.

— Mais Anne ?

— Aucune idée.

— Il faut que j'aille à l'hôpital.

En se couchant, il avait jeté ses vêtements par terre, vieux réflexe d'enfant gâté, surveillé par des bonnes. Il les reprit avec dégoût et se rhabilla après une douche.

— Pourquoi Moïra est-elle partie ?

— Une manifestation à Washington contre la guerre au Vietnam.

— Elle est dingue.

— Pas tellement que ça ! Si on l'arrête, quelle publicité !

Je ne pensais pas si bien dire. Trois jours après, elle fut arrêtée une pancarte à la main, libérée presque aussitôt sous caution et, le soir même, interviewée par un réseau de télévision. Le lendemain, elle signait avec une grande firme de production un contrat pour le film que l'on tirerait du roman de Calberson : *A moi les nuages*.

Je forçai Jerry à déjeuner, ce qu'il fit avec dégoût. De toute façon les visites n'étaient autorisées qu'à deux heures. Nous trouvâmes Taubelman devant l'hôpital, marchant et gesticulant. Son explication avec les gardes lui avait valu un œil au beurre noir et plusieurs côtes cassées. Il parlait avec difficulté et s'arrêtait pour aspirer comme si l'air soudain lui manquait. Je m'attendais à le trouver pitoyable, mais la raclée reçue au poste de police lui avait remonté plutôt le moral. Il aimait vicieusement la bagarre et se montrait beau joueur quand il ne l'emportait pas.

— Ah vous voilà, mon vieux, me dit-il. Toujours au bon moment ! Il s'en passe des choses ! Mais ils n'ont pas fini d'en voir avec moi. Je les écraserai !

Il fit mine d'étrangler entre ses larges mains un ennemi hypothétique, les bonnes sœurs du Calvary Hospital, les gardes de Galway, peut-être l'entière république d'Irlande, ou quelques autres personnages qui en voulaient à sa tranquillité et sa bonne foi.

— Rudes cogneurs, ces Irlandais ! dit-il. Frappent comme des sourds, la garde basse. On peut les toucher au menton, ils ne bronchent pas. J'en ai descendu trois avant d'aller au tapis. Après, nous avons fait venir du stout, une bouteille de whisky, et hop là... en moins de deux. Vous auriez dû être là... Mais c'est vrai, Monsieur se trouve mal quand le résiné coule. Trop sensible, voilà ce que vous êtes...

Il me gratifia d'une tape dans le dos qui le fit grimacer.

— Aïe ! Ouille ! M'ont démoli plusieurs côtes. Impossible de fermer l'œil... Quelle heure est-il ?

— Deux heures moins le quart.

— Je me suis pointé à la salle d'attente. Une foutue bonne sœur m'a prié de sortir. Pas de cœur pour un sou, ces femmes-là...

On ne laissa pas monter Jerry avec qui je restai assis sur un banc au bord de la pelouse :

— Je me demande si c'est elle qui ne veut pas me voir avec Taubelman, dit-il, ou si ce sont les médecins qui interdisent plus d'une visite à la fois. Tout a été si étrange, si incompréhensible après votre départ l'autre soir ! Elle s'était couchée et je dormais quand je l'ai entendue râler. Depuis quelques jours, elle n'était plus la même. Mais je ne sais pas la forcer à se confier. Anne est un casse-tête pour moi.

— Pour tous, Jerry.

— Et lui, Taubelman, qui est-il ?

— Il ne le sait pas lui-même... Tant de mensonges, de mystifications, de talent pour la mythomanie ont brouillé ses propres pistes. Il ne voit plus où il en est. Comme nous, d'ailleurs, avec lui...

Taubelman nous rejoignit et Jerry put monter à son tour. Je restai sur le banc. Une gentille mouette se promenait sur le gazon.

— Que savez-vous de moi ? demanda Taubelman en allumant un cigare.

La question surprenait. D'abord, il n'en posait jamais puisqu'en principe, il savait tout. Ensuite, il affectait de se moquer pas mal de ce qu'on pensait de lui.

— Deux ou trois choses, dis-je.

— Ah !

Il tira sur son cigare, puis se gratta la tête, embarrassé.

— Puis-je connaître une de ces choses ?

— Quel intérêt ?

— Je dois vous rendre cette justice que je ne vous ai jamais trouvé en travers de ma route. Enfin, jusqu'ici... Est-ce pour demain ?

— Je ne pense pas.

Il soupira. Toute gouaille avait disparu de sa voix. J'ajoutai sans beaucoup de précision :

— A Paris, j'ai connu un certain Chatto.

— Hum ! je vois.

— Pourquoi vous en dirais-je plus ?

— Le monde est petit, comme disent les imbéciles.

— Il a été très petit pour vous, Taubelman. Comment auriez-vous rencontré tous ceux que vous vous vantez de connaître ?

— Parfois, je confonds ma vie avec celle de mon frère.

— Je m'en suis aperçu. Et Anne ?

— Ne la mêlez pas à cela, dit-il avec véhémence en jetant son cigare à peine entamé sur la pelouse. Avez-vous parlé à Jerry ?

— Non, mais je devrais. J'imagine qu'Anne s'en chargera.

— Il y a de quoi devenir fou. Vous n'avez pas soif ?

— Les pubs sont fermés.

— J'avais envie d'une bière. Foutu pays !

— Attendons Jerry.

— Vous êtes un drôle de type.

— Merci, dis-je.

— Oh, attendez... ce n'est pas un compliment. Je n'en fais jamais !

— Vous avez tort !

Jerry revenait. On ne leur avait autorisé qu'une courte visite chacun. Anne allait bien, mais se sentait lasse. Elle quitterait le Calvary le lendemain. Qui connaissait la vérité sur sa tentative de suicide ? Apparemment personne, bien que chacun soupçonnât l'autre de détenir une parcelle du secret. J'eusse aimé être à cent lieues de là, loin de ces histoires qui troublaient ma paix et le sentiment encore obscur qu'un tournant de ma vie débouchait sur une nouvelle route et qu'au bout de cette route se profilait un visage paisible encadré de cheveux noirs, Marthe pour tout dire. Mais les uns et les autres — Anne, Jerry, Taubelman — avaient été trop mêlés à ma vie pour que je les abandonne d'un coup, sans regret. Ils me reconduisirent à Inishgate où Taubelman voulut, par bravade, entrer à *L'Éperon*. Je l'en dissuadai avec peine, tombant dans le panneau car, au fond, il n'avait aucune envie d'y entrer et souhaitait seulement qu'on l'en empêchât, comme d'une folie. Il fallut se rabattre sur Ennis que j'aime bien avec sa rivière boueuse, ses maisons de belle pierre grise et, au cœur de la ville, une prairie noyée, piquetée de mouettes. Jerry nous suivit, mais dire qu'il était là, présent, serait exagéré. Ses pensées voguaient vers Anne, ou, peut-être, à ce qu'ils avaient convenu lors de la dernière visite. Quelque chose se tramait contre Taubelman qui allait choir de haut avec un bruit énorme. On l'entendrait cette fois, comme une bête déchirée à mort. Jerry avait le plus grand mal à dissimuler son dessein et à trahir un homme qui l'étonnait sans cesse, l'éblouissait, ne lui laissait pas une seconde pour respirer. Oublié était le coup de fusil nocturne, au bord de la mare au canard. Oui, Jerry oubliait tout. Pas moi.

A peine étions-nous assis au bar du grand hôtel d'Ennis qu'un petit homme maigre, au visage si laminé qu'il semblait n'être qu'un profil, entra comme une bombe et se dirigea vers notre table en brandissant un chèque surchargé d'inscriptions. Qui l'avait prévenu de la présence de Taubelman à cet endroit et à cette heure, nul ne le saura jamais, mais en Irlande fonctionne, comme en pays arabe, un téléphone occulte d'une extraordinaire efficacité. James O'Brien est couvreur de son état. Je le connais depuis le jour où il est venu remplacer quelques ardoises chez Mrs Colleen. C'est lui qui avait posé les toits de Dun Moïran et, après des mois de menaces et l'envoi d'un huissier, il venait d'être payé avec un chèque sans provision. Taubelman risquait enfin de perdre la face et cela devant Jerry, ce qui semblait le plus grave. O'Brien surexcité, dans un état voisin de l'hystérie, commença de nous noyer d'un flot de paroles que Taubelman accueillit avec calme ne l'interrompant que pour dire :

— Et si vous vous asseyiez, Mr O'Brien ? Ne croyez-vous pas qu'il serait plus commode de discuter et de trouver l'erreur ?

La première faute d'O'Brien fut de s'asseoir, de tremper ses lèvres dans la pinte de stout qu'on lui apporta. Le fil était coupé. Il tenta bien de le reprendre, mais Taubelman chaussa des lunettes de presbyte, s'empara du chèque et le contempla d'un air accablé :

— Les imbéciles ! Ils se sont encore trompés de compte. Je vais changer de banque.

O'Brien ouvrit tant qu'il put ses yeux bordés de jambon, tenta de reprendre le chèque posé sur la table, mais Taubelman appuya sa main dessus et, royal :

— Laissez, Mr O'Brien... C'est mon affaire. Malheureusement il est plus de quatre heures et la banque est fermée. Demain matin, à l'ouverture, ils vont m'entendre, je vous le garantis.

— Il n'y a pas d'erreur, vous me racontez des blagues ! dit le couvreur. Voilà six mois que vous me lanternez.

— Je ne vous lanterne pas, je suis négligent et je vous prie de m'en excuser.

Des sentiments divers agitèrent O'Brien, puis la fureur l'emporta de nouveau. Il refusait de se laisser berner une fois de plus. Dans le pub, les conversations s'arrêtèrent. On nous regarda, on regarda O'Brien, et peut-être eut-il le sentiment qu'on l'encourageait. Du poing, il frappa la table qui trembla. Son verre de stout tomba et se répandit sur le chèque qui, en quelques secondes, ne fut plus qu'un bouillon délavé. Taubelman essuya son pantalon et feignit de croire que O'Brien s'excusait :

— Ce n'est rien, mon cher. Des choses qui arrivent

à tout le monde. Croyez-le, je suis moi-même d'une maladresse insigne. Quant à ce chèque qui est la cause de tout, il a ce qu'il mérite.

Il le roula en boule et le jeta dans le cendrier.

— Mon chèque ! cria O'Brien.

— Vous m'avez dit vous-même qu'il ne vaut rien.

— Avec ce papier, je pouvais vous envoyer en prison.

— En prison ! C'est le caissier qui vous a répondu que ce bout de papier est sans provision, qui doit y aller..., s'il y a une Justice.

— Rendez-moi ça !

— Prenez-le, mais je vous préviens que ma patience a des limites. Si vous avez de l'argent à perdre avec des huissiers et des avocats, ne vous gênez pas... Jerry, notre ami O'Brien a renversé son stout. Voulez-vous lui en apporter un autre.

Jerry se leva à regret. Il s'était montré plus intéressé que je ne l'aurais cru, lui que les questions d'argent endormaient. O'Brien perdait pied. Son arme la plus sûre, ce chèque trempé, roulé en boule dans la cendre de cigarette, était inutilisable. Il était clair qu'il devait tout recommencer. Enfin aussi, un doute s'immisçait dans son esprit. Taubelman se montrait trop calme, trop sûr de soi. A sa place, O'Brien aurait désespérément tenté de se défendre. Jerry rapporta une pleine pinte de stout.

— Vous connaissez Mr Kean, n'est-ce pas? Jerry Kean. Les Kean d'Inishgate. Demandez à

Mrs O'Brien si elle n'a jamais vu au cinéma la sœur de Jerry, Moïra Kean. Une grande actrice... Les journaux irlandais ont beaucoup parlé d'elle ces temps derniers. Ils ont parlé aussi de sa sœur, la Princesse...

— Vous avez une sœur qui est princesse ? demanda O'Brien.

Taubelman réprima un sourire de satisfaction. Il avait gagné. Assez vite, en somme, et le couvreur allait encore manifester de l'humeur, mais il ne passerait pas des menaces à l'exécution immédiate.

— Oui, j'ai une sœur princesse, dit Jerry, mais je m'en fous. D'ailleurs, c'est une emmerdeuse et Moïra est une folle.

O'Brien parut décontenancé par la désinvolture de ces appréciations, mais il connaissait les Kean de réputation.

— Ce n'est pas tout, mon cher O'Brien ! dit Taubelman. Vous avez raison de vous plaindre du mauvais fonctionnement des banques, mais j'ai une affaire à vous proposer où les banques n'ont rien à voir.

— Une affaire avec vous ! Je préfère me les couper tout de suite que de jamais travailler avec vous !

Taubelman s'esclaffa :

— Ne les coupez pas ! Ne les coupez pas ! Mrs O'Brien m'en tiendrait pour responsable. N'en parlons plus...

Puis se tournant vers Jerry :

— La mauvaise volonté de Mr O'Brien est typique du caractère irlandais. Un cheveu dans la soupe et ils jettent l'assiette entière. Dommage, car il travaille fort bien, mais enfin ce n'est pas le seul couvreur de l'Irlande et nous trouverons quelqu'un d'autre pour nos toits...

— Quels toits ? dit O'Brien.

— Mr Kean, ici présent, se fixe en Irlande Il monte un haras. Les plans sont terminés, nous avons un entrepreneur...

— Jonathan Pike ?

— Exactement. J'ai parlé de vous avec lui et il était d'accord pour que nous nous rencontrions tous, un de ces soirs à Dun Moïran. Voulez-vous mercredi ?

— Je ne travaillerai pas pour vous.

— Libre à vous, mon cher O'Brien... Auriez-vous un concurrent à me recommander ?

— Un type à qui je voudrais faire une sale blague ?

— Vous avez de l'humour.. Très bien, n'en parlons plus.

— Et mon chèque ?

— Croyez-vous que je me balade avec mon chéquier dans la poche ? Vous me prenez pour un maquignon ? Demain matin, je vous ai dit, à l'ouverture de la banque. En attendant, tout ce qui nous reste à faire est de vider un dernier verre ensemble et de rester bons amis.

— Bons amis ! Vous vous foutez de moi ! Vous devez de l'argent à tout le monde.

— Et tout le monde m'en doit. Ainsi vont les affaires. Si quelqu'un se met à payer frénétiquement, l'équilibre est rompu. J'espère que vous comprenez cela, Mr O'Brien ?

— Vous me prenez pour un idiot ?

— Non. Et la preuve en est que je vous parle ce langage.

Autour de nous, l'attention se relâcha de manière presque insensible et le couvreur comprit qu'on ne l'épaulait plus de la même façon, que Taubelman convainquait ceux qui avaient suivi la conversation. Ce fut un moment assez pathétique où le pauvre homme se sentit seul, but un whisky sec sur son stout, puis un autre et commença de montrer quelque trouble de la parole. Un voile glauque passa dans ses yeux et il essuya ses lèvres sèches avec le revers de sa manche. Taubelman le tournait et le retournait sur le gril

— Vous ne m'avez toujours pas dit le nom du couvreur que vous me recommandez.

— J'ai bien envie de vous envoyer foutre.

— C'est une idée, Mr O'Brien. Une très bonne idée, mais permettez-moi de ne pas vous trouver très amical, ni très bon homme d'affaires. Le haras que je monte avec Mr Kean ici présent représente six mois de travail pour vous. Ce n'est pas que je sois un partisan effréné du travail, mais il faut vivre. Ne serait-ce que pour avoir le plaisir de boire...

Taubelman était mielleux et supérieur, dégoûtant d'hypocrisie. Jerry ne le quittait pas des yeux et, à la fin, sortit un chéquier de sa poche.

— Combien vous doit-on, O'Brien ?

— Six cents livres

— Voici un chèque de la moitié. Vous aurez le reste demain.

O'Brien écarta les bras comme s'il suffoquait, geste d'un nageur qui a bu la tasse et tente de retrouver son souffle. Jerry rédigeait le chèque et il s'interposa :

— Non !

— Quoi non ?

— Je ne veux pas. Nous reverrons cela demain ou après-demain, peu importe.

— Mr O'Brien est un homme raisonnable qui comprend ses intérêts, dit Taubelman.

— Et la dernière tournée est pour moi, dit le couvreur en se levant pour commander des verres au bar.

Il titubait. Jerry reprit son chéquier.

— Pas de générosité insensée, dit Taubelman. Il faut d'abord créer un climat amical.

Nous laissâmes O'Brien au pub. Il faisait nuit. La scène avait duré plus de deux heures, je l'ai beaucoup abrégée, mais l'essentiel y est : mon silence, l'assurance cauteleuse de Taubelman, le dégoût de Jerry et la naïveté d'O'Brien. Je ne la raconte que parce qu'elle eut une influence décisive sur Jerry et lui ouvrit les yeux à une heure où il hésitait peut-être encore. Du moins je l'imagine, car la suite des événements dans son illogisme paraîtra trop inattendue si on ne prête pas à chacun un dessein

Nous regagnâmes Dun Moira où Taubelman, au

meilleur de son épanouissement, nous prépara un goulasch qu'il servit dans des bols en porcelaine de Chine, avec une bouteille de tokay. Oui, il savait vivre. Il brassait de l'air, vendait du vent, mais il y avait aussi en lui des raffinements inattendus, une science de la vie qui détonnait avec son « hénaurmité ». Et comme il redressait la tête quand le sort le frappait dans ce qu'il avait de plus cher, Anne ! Qu'elle eût tenté de se suicider ruinait certainement une partie de sa foi en lui-même, et, pourtant, maintenant qu'elle revivait, que ce coup de folie appartenait au passé, il l'oubliait, il mangeait, buvait, dupait de nouveau, bâtissait un château en Espagne, ce haras auquel Jerry ne croyait plus. Ses ressources physiques, morales, énergétiques semblaient inépuisables. Rien ne l'accablerait longtemps. En toute justice, il eût mérité l'immortalité si difficile à supporter pour un caractère commun. Lors de cette soirée qui dura jusqu'à minuit, où nous n'étions que nous trois — et encore Jerry ne prononça-t-il pas dix mots —, il déploya un génie verbal éblouissant, comme si le fait d'avoir embobiné O'Brien le grisait de lui-même. Pas plus que les autres fois, je ne me souviens de tout ce qu'il raconta. Seule une histoire m'est restée, invraisemblable et vraie, typiquement taubelmanienne, née de quelques mots que je prononçai à propos d'un voyage en Grèce et d'un ami, Oswald Prince, prospecteur anglais qu'un groupe d'armateurs et d'épiciers, enrichis par le marché noir pendant la guerre, avait engagé pour découvrir du pétrole près d'Héraklion. J'étais venu passer trois jours dans ce camp, vite persuadé que c'était une fausse piste et qu'Oswald y perdrait sa jeunesse malgré son acharnement.

— Alors, vous connaissez Athanasiadis ? me dit-il.

— Non, mais je sais qui c'est. Il avait engagé Prince et quand, au bout de six mois, ce dernier a renoncé, Athanasiadis a voulu continuer. Il a passé le bâton à un autre qui a su mener le groupe en bateau pendant des mois.

— C'était mon frère ! dit Taubelman d'un air négligent et comme pour m'empêcher d'en dire plus sur un sujet qu'en vérité je connaissais fort mal.

Je jouai la naïveté, à cause de Jerry.

— Vous avez un frère ?

— *J'avais* un frère. Il est mort dans un accident d'avion.

Ainsi lâchait-il la vérité par morceaux. Ce frère dont la vie se mêlait à la sienne au point qu'ils avaient eu la même femme et d'elle une fille dont ils s'étaient disputé la paternité sans jamais pouvoir résoudre le problème, ce frère avait réellement vécu et l'existence aventureuse des Taubelman n'était pas un mythe. Ils s'étaient même curieusement croisés avec moi, une fois au Maroc, une fois en Crète, et, peut-être, avaient-ils l'un ou l'autre connu la grand-tante des Kean, Miss Pennyhurst aux vingt-huit chiens, dans son hôtel particulier de Park Avenue, fait la guerre avec le mari de Sharon, opéré une bergère des Abruzzes dans une cabane en pleine montagne.

— Mon frère voyageait en Crète, sac au dos, reprit-il, je parle de juste après la guerre quand l'île était encore habitée par de vrais Crétois, pas par des touristes, que dans les villages on ne pouvait pas regarder une femme sans se faire ouvrir le ventre de bas en haut par un moustachu furieux, et qu'à Knossos, Sir Arthur Evans avait achevé, sur des indications sommaires, son palais en carton-pâte sorti de l'imagination d'un marchand de bretelles. A Tangalia, mon frère est tombé sur une drôle d'équipe, des types venus d'Athènes en veston bordé noir et pantalon rayé qui se battaient les flancs sur un chantier en friche...

— Oswald Prince avait travaillé là six mois pour rien !

— Mon pauvre, votre ami Oswald Prince était dépourvu de bon sens. Il a lâché la bonne affaire. Ces Athéniens crevaient de fric et rêvaient de le dépenser. Mon frère a ramassé quelques pierres et assuré cette bande d'imbéciles que c'était une terre à lignite, qu'en dessous il devait y avoir d'énormes gisements de gaz, qu'avec ça on allait chauffer le Proche et le Moyen-Orient. Il ne payait pas de mine, il était sale, pas rasé, il parlait l'anglais avec l'accent allemand, le français avec l'accent anglais, mais il a convaincu Athanasiadis en lui racontant qu'il était un ingénieur estonien chassé de son pays par les Soviets, chassé d'Allemagne par les

Américains. Ils ont vu le gars providentiel et ils l'ont tout de suite installé sur le chantier avec une équipe de Crétois bien décidés à ne pas en foutre une rame. Deux mois après, ils avaient creusé un beau trou de quatre mètres sur quatre, pour y enfouir les bouteilles de bière, d'ouzo, de whisky de contrebande que consommait le chantier. Je suis venu à cette époque-là et j'ai failli en crever, moi qui vous parle, Taubelman, à cause de ces Crétois avec un foie en acier qui buvaient comme des fous et dansaient toute la nuit autour des feux allumés avec la charpente du chantier, en s'accompagnant au santouri. Nous avons fait venir des filles d'Athènes, deux joyeuses blondes platinées aux énormes chattes noires qu'elles passaient leur temps à nous montrer en soulevant leurs jupes. Olga et Koula, elles s'appelaient, je n'ai jamais rien vu de plus dégueulasse, mais elles débordaient de vitalité, elles acceptaient tout et les Crétois du chantier en étaient fous à lier. Ils les renversaient n'importe où, en plein air, devant les autres, forniquaient et se croyaient des dieux parce qu'elles avaient appris de leurs maquereaux à hurler de plaisir quand on les baisait ou les sodomisait. Ça s'est su, bien entendu, et les gars du village ont rappliqué pour partager l'aubaine. On s'est battu à coups de pierre et de pioche. Il y a eu un mort et quatre blessés, la police a téléphoné à M. Athanasiadis qui est arrivé sur son yacht avec une casquette dorée de capitaine. Derrière lui, se tenait un petit homme en noir, son avocat qui nous a foutus dehors en voyant qu'il ne restait plus une planche dans le chantier et que nous avions même déjà brûlé les bureaux et la paperasse de la société pour nous chauffer...

J'abrège encore. Il y avait foule de détails délirants sur la vie du camp, les danses de guerre des Crétois, la folie érotique des blondes platinées et leurs sexes monstrueusement agrandis par la virilité crétoise. Rien de cela ne correspondait avec le souvenir des trois jours passés en compagnie d'Oswald à Tangalia, de l'équipe rassemblée au village, des grands gaillards bottés en pantalon bouffant de toile, la taille serrée dans une ceinture rouge. Ils nous accompagnaient en camion jusqu'à la plage où maintenant s'élève un grand hôtel et nous regardaient, Oswald et moi, nous baigner comme si nous étions des fous assez inconséquents pour nous confier à la mer de Crète. Mais il était vrai qu'après l'échec d'Oswald, un prospecteur, venu d'on ne sait où, avait réussi à capter la confiance d'Athanasiadis. Était-ce vraiment l'un des Taubelman ? Impossible de le savoir, à moins de retourner en Grèce, de retrouver Athanasiadis ou d'interroger les villageois de Tangalia, puisque Oswald était mort l'année suivante en Irak, après l'explosion d'un puits. Les légendes taubelmaniennes, vérifiables en principe, ne l'étaient pas en pratique. Sans Marthe et le hasard de sa rencontre avec Chatto, je n'aurais même pas su l'existence du frère, l'accident d'avion. Sans le coup de téléphone de Sharon à Frédéric-Charles nous n'aurions pas appris que Maria Schmitt del Tasso était la mère d'Anne. En fait, il eût fallu se confier à Taubelman, se laisser emporter par lui dans un monde imaginaire et réel à la fois où il opérait comme un magicien avec une assurance et un bagou irrésistibles qui masquaient ses escroqueries beaucoup plus terre à terre.

Jerry bâillait. Je lui demandai de me raccompagner, ce qu'il fit sans un mot jusqu'au moment où je le quittai pour pousser la barrière du jardin de Mrs Colleen. Alors, il passa la tête par la portière et me rappela pour me dire :

— Pourquoi ne raconte-t-il jamais ses histoires quand Anne est là ?

— Si vous posez la question, vous savez la réponse aussi bien que moi.

— Peut-être pas « aussi bien » mais je commence à deviner.

— Tant mieux !

— Le pauvre O'Brien ne verra pas son argent.

— Il y aura des vases communicants entre votre société d'élevage et les dettes passées de Taubelman.

— Non, n'en croyez rien ! assura Jerry. Mon père n'est pas si fou. Il a confié l'administration de l'affaire à un avocat de Dublin.

— Taubelman en est-il conscient ?

— Pas encore.

— Alors, attention à sa réaction !

Jerry eut un geste vague comme s'il s'en moquait, embraya et partit.

Le lendemain soir, j'étais à *L'Éperon* avec Seamus quand on m'appela au téléphone. Dans le brouhaha du pub, je reconnus mal la voix lointaine de Jerry et dus lui faire répéter plusieurs fois ce qu'il me dit d'entrée :

— Nous sommes à Londres.

— Qui « nous » ?

— Anne et moi. Je voulais que vous le sachiez, mais vous seulement.

Puis, après un silence :

— Comment a-t-il pris cela ?

— Aucune idée. Je ne l'ai pas vu aujourd'hui. Nous ne tarderons pas à le savoir.

— Je vous passe Anne.

Un nouveau silence, puis Jerry reprit :

— Elle est trop fatiguée. Je vous téléphonerai demain à la même heure à *L'Éperon*.

— Entendu.

Il raccrocha et je regagnai ma table où Seamus m'accueillit avec des yeux brillants de curiosité.

— Alors ?

— Jerry est à Londres avec Anne.

— Je m'y attendais.

Il exultait, comme si ses prévisions se vérifiaient, et il appela tout de suite le Calvary Hospital. Miss Taubelman était partie en fin de matinée. On paraissait très ennuyé car vers une heure de l'après-midi, son père avait fait un scandale épouvantable en apprenant son départ. Non, on n'avait pas appelé la police. Taubelman menaçait de s'y rendre lui-même, ce qui était tout à fait illusoire puisque Anne dépassait sa majorité de quelques années. On s'était débarrassé de lui en le poussant dans un taxi qui l'avait conduit a Dun Moïran.

— Merveilleux ! dit Seamus. L'action se resserre, nous allons savoir la vérité si tant est qu'il y ait une vérité avec des types de cette envergure et des femmes aussi ambiguës. A mon avis, d'ailleurs, Anne et Taubelman sont de pures illusions. Si vous essayez de les toucher pour palper leur réalité, vous tombez dans du mou, une variété d'ectoplasme. Ils sont beaucoup trop habiles pour se laisser cerner.

— Ce n'est pas tout à fait juste ! Nous avons réussi des approximations ! Avec le temps nous en saurions plus !

— Qui a le temps ? s'écria Seamus en levant les bras au ciel comme si je demandais l'impossible. Je vieillis et vous partez.

— Première nouvelle !

— Voyons, voyons, je ne vous apprends rien. Ou

alors, vous visez à finir vos jours avec Mrs Colleen. Non. Tout ceci est absurde. Autant je comprends que vous ayez désiré cette solitude et ce calme lorsque vous vous persuadiez de n'avoir plus longtemps à vivre, autant j'estime qu'un homme qui dépasse de peu la cinquantaine n'a pas le droit — pas le droit, vous m'entendez — de s'enterrer. Filez, déguerpissez... Laissez-nous à nos querelles.

— Je ne m'en mêle pas !

— C'est bien le tort que vous avez aussi.

— J'aurais tort si je m'en mêlais.

— Vous voyez que votre situation est intenable ! Vous ne me croyez pas ! Allons voir s'il y a des traces de Taubelman à Dun Moïran...

Le feu avait déjà pris aux écuries et à la grange quand nous arrivâmes. De la route, on apercevait des flammes rouges et jaunes qui s'élevaient par soubresauts au-dessus des futaies, éclairant un champignon de fumée grise dans la nuit sans lune. Deux voitures s'engagèrent dans le chemin de Dun Moïran et nous arrivâmes derrière elles dans la cour. Il fallut reculer, se mettre à l'abri. Des ombres coururent dans les lueurs tremblantes de l'incendie, portant des pelles, des seaux, une échelle. Une demi-heure après, arrivèrent les pompiers d'Ennis qui branchèrent leur tuyau sur la citerne. Il était trop tard. Les flammes atteignaient le donjon et, brisant une fenêtre, pénétrèrent à l'intérieur. Un éclat rouge illumina soudain les autres fenêtres et en quelques minutes, le feu, comme aspiré par une cheminée, atteignit le toit si patiemment refait par James O'Brien. Dun Moïran flamba, à l'intérieur de ses murs, énorme torche brandie par un poing invisible. Il n'y avait rien à faire et les pompiers que nous vîmes s'acharner à démolir les portes à coups de hache reculèrent devant la sauvagerie des flammes qui s'en échappaient. Ils réussirent néanmoins à noyer une écurie et à en retirer le cadavre calciné de Sean qui avait dû y cuver sa bière dans la paille. Nous découvrîmes Taubelman, assis sur une borne, affaissé, la tête dans les mains, qui leva vers nous un regard hébété. Il empestait l'alcool. Les gardes voulurent l'emmener et il tenta de se débattre. On l'allongea sur une civière. Son visage noirci par la fumée ne vivait plus que par deux yeux fous et sa main droite dégouttait de sang. Nous n'avions plus qu'à contempler le spectacle du donjon en feu, un audodafé superbe dans sa violence et sa grandeur. La foule venue à pied, en voiture, à travers champs, en tracteur, entourait la scène, fascinée par ce sacrifice élevé dans la nuit à un désespoir dont nous étions seuls, Seamus et moi, à connaître la raison et à deviner la profondeur. Seamus tenta en vain de soigner la main de Taubelman qui le repoussa en proférant des menaces confuses. Vers minuit, les pompiers parvinrent à maîtriser les flammes dans le donjon et, le vent s'arrêtant, les cendres retombèrent sur nous, épaisses et grasses, répandant une odeur suave qui se mêlait à celle des arbres et de l'herbe, du foin calciné Il ne restait rien de Dun Moïran, des collections de livres, de journaux, de meubles. La vie de Taubelman, fausse ou vraie, avait été dévorée en une soirée. J'eus une pensée pour la chambre d'Anne, découverte par effraction quelques mois auparavant, le lit romantique, les cadres avec les images de son passé, sa mère, son père, qu'il fût l'un ou l'autre des deux frères. Le feu avait tout effacé. Ils pouvaient recommencer, l'un et l'autre, une vie à partir de zéro.

— Assez bien réussi, dit Seamus en me raccompagnant. Je pense qu'il est assuré et sait ce qu'il fait.

— Pas plus que vous, je n'ai l'impression du hasard. La chose qui m'horrifie est la mort de ce saoulard de Sean.

— Oui, c'est là qu'est la malédiction, le geste de trop. Nous savons qu'il suffisait d'approcher une allumette de l'haleine de ce pauvre type pour que des flammes jaillissent... mais de là, tout de même... Je suis partisan des incendies. C'est un rite irlandais. Nous sommes tous des pyromanes. Billie et Teddy l'ont éprouvé. Cela dit, on leur a laissé des chances d'en sortir, même en chemises de nuit dans la campagne, ce qui n'était pas pour leur déplaire. Une occasion unique de montrer leur cul ! Attendons des nouvelles d'Anne et de Jerry, c'est tout ce qui nous reste à faire. Et motus !

Le lendemain soir, Jerry n'appela pas de Londres. Où pouvait-il se cacher avec Anne ? Londres était indubitablement une étape trop courte. Joe Mitchell apporta des informations sur Taubelman. Il avait passé la nuit à l'hôpital. Ses brûlures et sa blessure à la main droite étaient sans conséquence et on l'avait libéré le matin même. La police l'interrogeait, mais il semblait ne se souvenir de rien, sinon d'avoir été réveillé par l'odeur de la fumée. Seamus disparut huit jours à sa manière habituelle, plongeant dans ce monde souterrain d'où il revenait vivifié par un succès ou terrassé par un échec. Terrassé provisoirement d'ailleurs, tant est grande sa foi secrète en un univers meilleur où les belles causes triomphent même si cela doit coûter de superbes cadavres. J'en fus réduit à la conversation de Mrs Colleen quand je n'allais pas me promener à travers bois accompagné de Grouse et Pack avec qui je poussais jusqu'au Lough Roerg. Le lac s'épanouissait dans la fin du printemps. Nous restions assis dans l'herbe à l'endroit même que Sharon avait sacré, contemplant le vol des oiseaux, guettant les brochets qui happaient les faucheux à fleur d'eau et dessinaient sur la surface verdâtre de mystérieuses ondes mourant dans les roseaux. Je retournai à la maison Templer dont le parc, avec la floraison des hêtres, des saules et d'un massif de rhododendrons, perdait de sa tragique mélancolie. La fenêtre fracturée par laquelle nous étions entrés étant ouverte, je montai jusqu'à la chambre de Dorothy, hésitant sur le parquet vermoulu. Le soleil entrait par la guillotine tissée de toiles d'araignées. Il me sembla retrouver les grands yeux anxieux et myopes de Sharon, entendre sa voix : « Qu'avez-vous ? » La question se posait toujours, mais la réponse n'était plus la même. Ce qui me poignait avait des couleurs tendres et la forme d'un triangle : Anne, Sharon, Marthe, une sensation dont la douceur confortait. Je ne décidais rien et aucun regret ne m'effleurait. Bientôt, un jour, Marthe arriverait, j'en étais maintenant certain et il ne fallait pas violer la vie. Attendre. Invinciblement, mes promenades m'attiraient vers les endroits où je m'étais trouvé avec Anne ou avec Sharon. J'allai revoir la prairie d'où la première était tombée de cheval tandis que nous l'épiions en lisière avec Jerry, le bord de la route et le muret qui avaient été le rendez-vous des deux. Je n'y allai pas, comme je l'aurais fait quelques mois auparavant, pour dire adieu à ces pierres ou ces arbres du souvenir, mais au contraire pour les affirmer dans les profondeurs d'un nouveau futur, pour qu'il n'y eût plus de coupure dans ma vie, pour que l'Irlande fût fixée aussi intensément dans ma mémoire que l'avait été le passé. Je me remis à lire beaucoup, ce qui était l'indice d'un bon équilibre moral. Foin des songeries creuses. Je revivais avec les autres dans les mondes vrais ou imaginaires. J'écoutai aussi de la musique et souvent la *Sonate en la majeur* comme si sa fin exaltante pouvait atteindre Anne quelque part où elle se cachait avec Jerry. Un matin, Joe Mitchell arriva, suivi de Blondie, le labrador de Taubelman, me demandant si je pouvais garder quelque temps la chienne dont il ne répondait plus. Il avait beau l'enfermer, tous les soirs elle s'échappait et revenait errer autour des ruines calcinées de Dun

Moïran. De Taubelman, nous savions seulement qu'il se trouvait à Dublin pour discuter avec une compagnie d'assurances et assister aux obsèques de Sean auxquelles l'I.R.A. avait tenu à donner quelque éclat. Mrs Colleen se montra d'une charité parfaite pour Pack et Blondie. Depuis longtemps, elle reportait son amour de l'humanité sur les chiens qui la décevaient moins. Seamus réapparut un matin, les traits tirés, la voix rauque. Il but du thé, blasphéma pour choquer son amie, se plaignit des œufs trop cuits, se redonna de l'allant avec une gorgée de whisky et m'attira jusqu'à son taxi mauve au moment du départ, pour m'annoncer que l'enquête autour de l'incendie de Dun Moïran ne donnait rien. La veille, Dawson Street, à Dublin, il avait rencontré Taubelman en chair et en os, amaigri, cils et sourcils brûlés, assez effrayant à voir, au bord de la folie semblait-il, mais avec assez de lucidité pour affirmer que les assureurs payeraient.

— Il m'a fait pitié, dit Seamus. Un sentiment que personne, sauf lui, n'aime inspirer. Au bout de trois minutes, il m'a parlé d'Anne comme s'il savait où elle se trouve. Je ne l'ai pas cru. Il ment toujours, et puis le dégoût m'est venu : j'ai fait allusion aux obsèques de Sean. Il a joué la comédie. Ce n'était pas un serviteur, mais un ami... En tout cas, pas l'ombre d'un regret s'il est exact, comme nous le soupçonnons, qu'il est responsable de sa mort. Taubelman ne sait pas encore que ses créanciers ont formé un consortium dans le comté de Clare. Ils vont essayer de récupérer quelque chose au passage. A leur tête, ils ont placé James O'Brien. Hélas, je crains que le nonchaloir irlandais soit gagné de vitesse par Taubelman qui entend toucher la prime. Nous verrons... cela commence à devenir intéressant... Vous avez bonne mine... Faites attention ! C'est comme ça, quand on se porte trop bien, qu'on finit par claquer, brusquement, sans être prévenu...

Enfin, je reçus une lettre de Jerry postée à Paris. Ils avaient fui jusque-là de crainte que Taubelman les retrouve à Londres. Ils allaient se marier, mais Jerry devait auparavant se rendre aux États-Unis pour régulariser sa situation et ne voulait pas laisser Anne seule. Connaissais-je quelqu'un qui pourrait l'héberger pendant une courte semaine et veiller sur elle ? Il me donnait son numéro de téléphone. Je l'appelai le soir même après avoir téléphoné à Marthe qui acceptait de prendre Anne chez elle. Jerry me remercia longuement. Il paraissait heureux, plein de projets. Anne, à côté de lui, prit le récepteur et j'entendis sa voix chaude, posée, toujours un peu hésitante, qui prononça des mots banals et décevants. Trois jours après, j'appelai de nouveau Marthe qui me dit :

— Elle est dans sa chambre. Veux-tu que je te la passe ?

— Non. Pas tout de suite. Comment est-elle ?

— Impossible de le savoir. A la fois très présente, mais ce pourrait être seulement de la politesse, et très absente, ce qui serait sa vérité. Hier matin nous sommes sorties faire des courses dans le quartier, et chez l'épicier, nous avons rencontré Chatto...

— Ah ! Je n'avais pas pensé à cela !

— Bien sûr, il la connaît depuis longtemps. Et elle s'est souvenue de lui. C'était la panique. J'ai cru qu'elle s'enfuirait dans la rue, puis elle s'est dominée et lui a parlé normalement. Il a demandé des nouvelles de ton ami Taubelman et elle a dit qu'il allait très bien.

— Elle ne doit pourtant rien savoir de lui.

— Je suppose qu'elle inventait.

— Je te rappellerai dans deux ou trois jours. Passe-moi Anne si possible.

Elle vint presque tout de suite et dit :

— Il faut que je vous remercie. Je suis très bien chez votre amie. Puis-je vous demander un service ?

— Oui.

— Je suis partie un peu vite. J'aurais aimé récupérer le nécessaire qui est sur la coiffeuse de ma chambre. S'il n'y a personne... Sean vous laissera sûrement le prendre...

Devais-je lui dire la vérité ou la lui dissimuler encore quelque temps ? A brûle-pourpoint, il était presque impossible de prendre une décision. J'optai, presque sans réfléchir, pour l'exactitude.

— Dun Moïran n'existe plus. Le soir de votre départ tout a brûlé. Et Sean avec.

Elle raccrocha et je restai un moment l'écouteur à l'oreille. Il n'y eut plus qu'un bourdonnement, puis la sonnerie lassante des appels internationaux. J'étais à l'épicerie-poste et on m'observait. Encore quelques mots dans le vide pour cacher qu'on ne me parlait plus, puis je quittai la boutique où Joe Mitchell achetait son journal et des tranches de lard. Je rentrai à pied suivi des trois chiens.

Mrs Colleen ratissait, émondait, sarclait, bêchait, engraissait, arrosait avec frénésie. Habillée d'une veste de toile délavée qui avait connu les tropiques et lui donnait l'air d'un épouvantail à moineaux, elle me fit penser, son sécateur à la main, à une vieille Parque à la retraite.

— La radio annonce du mauvais temps pour demain, dit-elle. Je me demande s'il ne faudrait pas tendre une toile goudronnée sur la niche des chiens. La paille est déjà toute mouillée. Grouse n'est pas solide comme ces labradors qui aiment l'eau glacée.

— Je ne me sens pas grande envie de la prendre dans mon lit.

— Pendant quinze ans, j'ai eu un pékinois qui dormait à mes pieds. La nuit, je touchais son museau de l'orteil et savais s'il se portait bien.

— Oui, c'est pratique.

— Très pratique.

Ainsi, prudemment, n'abordions-nous jamais l'essentiel, ce dont tout le pays parlait : l'incendie de Dun Moïran et l'absence de Taubelman et d'Anne. Nos conversations étaient pleines de roses, de pilules pour chiens, de nuages, de pluie ou des menues nouvelles du village. Willie Kox, par exemple, était allé aux obsèques solennelles de Sean Coen à Dublin. Endas O'Callihier était tombé de son tracteur et un gros hématome au-dessus de l'oreille l'empêchait de porter sa graisseuse casquette de cuir. Le taxi mauve de Seamus s'était embourbé dans un chemin vicinal et on l'avait tiré de là, au petit matin, avec deux chevaux qui appartenaient à Joe Mitchell. Ce dernier mariait sa fille la semaine prochaine avec un maître d'école et il y aurait un déjeuner après la cérémonie et bien entendu une danse. J'étais invité. Enfin, grande nouvelle, Mrs Campbell renonçait à tenir l'harmonium que le Père Martin confiait à Mrs Colleen. Dans l'optique d'Inishgate, c'était une belle promotion. Je la félicitai, comme il se doit, sans pour autant promettre formellement d'assister à la messe, ce qui la déçut un peu, pas trop, tant elle s'était habituée à l'idée que hors de l'Irlande, on compte surtout des mécréants. Enfin, un soir Taubelman apparut, amené de Galway par un taxi. Mrs Colleen lui ouvrit et le conduisit dans ma chambre, non sans me jeter, derrière lui, un regard entendu qui pouvait signifier tout ce qu'on voulait : ou « je suis là si vous avez besoin de moi », ou « méfiez-vous, c'est une crapule », ou encore « je vous l'avais bien dit ». Il me sembla aussi ravagé qu'après sa fièvre, amaigri, le regard brûlant, mais il se tenait droit et fier et ses premiers mots furent de dégoût :

— Je me demande comment vous pouvez vivre dans une tôle pareille, avec cette grenouille de bénitier. Elle pue la dévotion à cinq pas.

— Vous devez vous tromper. Ce doit plutôt être l'odeur des engrais qu'elle manipule toute la journée pour son jardin.

— Ah oui ! Alors, il n'y a pas grande différence de l'un à l'autre... Je ne vous ai pas remercié !

— De quoi, grands dieux ?

— Vous êtes arrivé un des premiers à Dun Moïran

— Nous n'avons rien pu faire.

— Personne ne pouvait rien.

Il se laissa tomber dans un fauteuil et je lui offris un whisky sec qu'il but d'un trait.

— Je quitte l'Irlande, dit-il. Rien à faire ici. C'est marrant de repartir à zéro quand on a mon âge. Avez-vous des nouvelles de Jerry Kean ?

— Aucune.

A ce moment-là, nous entendîmes gratter et geindre à la fenêtre. J'ouvris et Blondie sauta dans la pièce pour venir se coucher aux pieds de Taubelman. Il la caressa de la paume et elle se roula sur le dos, offrant son ventre obèse.

— C'est vous qui la gardez ? Je l'avais confiée à Joe Mitchell.

— Elle s'échappait tout le temps pour retourner à Dun Moïran.

— Et ici ?

— Non. Elle reste, avec Pack et Grouse.

— Je vous la donne.

— Pourquoi ne l'emmenez-vous pas ?

— Recommence-t-on sa vie avec un chien ? Non, les mains vides... Où peut être passé Jerry ?

Il ne parlait pas d'Anne, il n'en parlerait pas.

— Il est majeur, dis-je.

— Oh ! sur le papier. C'est tout. Un vrai ludion, malgré sa barbe.

— Vous en avez fait votre associé.

— Il a toutes les qualités qu'on peut exiger d'un associé.

— Vous méprisez trop facilement Taubelman.

Il haussa les épaules.

— Que faire d'autre ? Allez-vous rester ici ?

— Je n'en sais rien. Il est probable que non. J'attends l'arrivée d'une amie pour me décider.

Son œil s'alluma une seconde, puis s'éteignit. Il était trop las pour risquer une fine plaisanterie.

— Si vous avez des nouvelles de Jerry, n'importe quoi, une adresse où je pourrais le toucher, prévenez-moi.

— Où ?

— A Paris.

Il sortit un carnet de sa poche, écrivit une adresse dans le seizième et un numéro de téléphone, que je lus avec angoisse, mais Marthe habitait Passy et l'adresse de Taubelman se situait à Auteuil. Paris était grand, même si les hasards étaient grands aussi.

— Où est passé ce diable de Seamus ? me dit-il.

— Personne ne sait jamais au juste.

— J'aurais aimé le remercier avant de partir. Peut-être a-t-il, lui, des nouvelles de Jerry...

— Je le saurais, s'il en avait.

— Le cottage des Kean n'est même pas fermé. La clé est restée sur la porte.

— Jerry est négligent comme tous les enfants gâtés. D'ailleurs, il n'y a rien à l'intérieur. J'irai quand même retirer la clé.

Taubelman se leva et, amaigri, me parut immense.

— Je monte une affaire de voyage, dit-il. Vous avez pas mal bourlingué. Si ça vous intéresse...

— Merci, après ce que vous avez dit de vos associés...

Il rit grassement d'être pris au piège d'un de ses cyniques propos.

— De toute façon, ajoutai-je, j'ai de quoi vivre modestement et je n'ai pas besoin de réintégrer le cercle infernal.

— Il y a longtemps que cette idée me trotte dans la tête... Ou peut-être ne vais-je rien faire. Ce serait si bon de crever, de dire « merde » à tout.

Pour une fois, il ne jouait pas la comédie et m'inspira de la commisération. Privé d'Anne, il continuait de fabuler, mais comme un homme à la dérive. J'eusse aimé lui parler sans voiles. Accepterait-il ?

— Taubelman, vous devriez asseoir votre vie sur un peu de vérité.

— Vous la connaissez, vous, la vérité, monsieur le malin ?

La brusquerie du ton indiquait que nous n'irions pas plus loin.

— Oui, par moments ! dis-je.

— Eh bien, vous avez de la veine.

Il me tendit sa forte main blessée à la paume lors de l'incendie.

— Au revoir ou adieu.

Sur le pas de la porte, il s'arrêta :

— Pensez à prévenir Jerry que je *veux* le voir. Nous avons des affaires à régler ensemble. On ne se tire pas comme ça, quand même !

— Quand serez-vous à Paris ?

— Demain.

Il redressa la taille et traversa le jardin. Comme je restais sur le seuil, Blondie me bouscula, le suivit et sauta autour de lui.

— Couché ! cria-t-il.

Elle obéit et il se pencha pour lui caresser la tête. Elle gémit.

— Gardez-la, si vous voulez, dit-il.

— Cela sera difficile.

— Non, elle sait déjà.

Il lui parla doucement en anglais, et elle cessa de gémir, mais ne bougea plus jusqu'à ce qu'il fût dans le taxi qui l'attendait sur la route. Alors Blondie disparut dans la nuit courant après la voiture qui démarrait.

Il n'y avait plus de temps à perdre et pourtant ce temps fut perdu, non par ma faute : le lendemain les syndicats décidaient une grève totale illimitée. Seul le téléphone automatique marchait et on ne pouvait télégraphier qu'en cas de décès ou de maladie grave. Mon seul espoir fut que Taubelman n'arriverait pas à trouver un avion, mais j'appris plus tard qu'il avait réussi à prendre place à bord d'un appareil des Icelandic Airlines qui relâcha quelques minutes à Shannon. Trois jours après son départ, Blondie revint, efflanquée, couverte de boue et de croûtes. Elle se coucha dans la niche et n'en bougea plus, refusant de manger. J'appelai un vétérinaire quand elle se mit à trembler, langue pendante, mais elle se laissa mourir Mrs Colleen me dit :

— Cet homme n'est peut-être pas aussi mauvais qu'on le prétend. Il inspire de l'amour aux animaux.

La grève ne dura pas autant que nous le craignions et, le cinquième jour, je pus appeler Marthe pour la prévenir du danger, mais Anne était partie la veille, sans un mot, sans une explication. Le hasard que je redoutais n'avait pourtant pas joué. En arrivant à Paris, Taubelman avait appelé Chatto et ce dernier lui avait donné l'adresse d'Anne. Le seul hasard était la rencontre de Chatto et d'Anne huit jours auparavant, mais Marthe et Chatto se rencontraient fréquemment et il n'y avait donc là qu'une malchance très ordinaire. Défait, ruiné, Taubelman l'emportait et il n'avait jamais douté de l'emporter, fût-ce au prix de l'autodafé de sa maison. Il est vrai qu'il avait empoché la prime d'assurance et que les créanciers de Dun Moïran n'en verraient pas un sou, mais la perte des précieuses collections de livres, de dictionnaires et de magazines dans lesquels il puisait les éléments du décor de ses esbroufes était irréparable. Sur quel pied repartirait-il ? Quel nouveau coup monterait-il ? Et aussi — question bien plus intrigante — quels étaient les rapports de ces deux êtres ? Sans doute ne le saurions-nous jamais. Quelque chose d'indissoluble et de fatal, une puissance invisible les liait bien plus dans le désastre que dans l'euphorie. Cela ne s'expliquait pas. C'était ainsi. Il aurait fallu tout connaître du passé, et Anne ne le connaissait pas, et même Taubelman ne pouvait plus en être sûr après qu'il se fut tant de fois dissimulé derrière des rideaux de fumée. On pouvait imaginer le pire, c'est-à-dire la complicité totale d'Anne avec son père (ou oncle), un marché infernal passé entre eux, comme on pouvait imaginer aussi le meilleur, c'est-à-dire un rôle de victime. Pour les amateurs de clarté, cette double disparition est exaspérante, mais il n'y a peut-être de clarté que dans les personnages imaginaires. Anne et Taubelman ne relèvent pas de l'imaginaire, ils errent dans le pur illogisme de la réalité, ne rendant de comptes à personne, forme suprême de la liberté dont ils usent dans le bien comme dans le mal. Ils quittèrent Paris sans laisser de traces, cependant, un mois après, je reçus une carte postée à Palerme, avec ces seuls mots : « Je regrette », et signée : Anne. Sur l'oblitération, on distinguait une date. La carte avait mis trois semaines à me parvenir à cause des grèves. Aurais-je mis Jerry sur la piste de Palerme qu'il serait arrivé longtemps après leur départ d'Italie. Je ne lui en soufflai pas mot. Il ne s'était pas attardé à Paris et avait sauté dans l'avion pour Dublin où je l'avais rejoint, ayant dans l'idée de me livrer à un dernier examen médical, mais devant la porte du médecin avec lequel j'avais pris rendez-vous, un réflexe sain me fit faire demi-tour. Entre deux diagnostics, celui de Seamus me sied mieux et redonne de l'attrait à ce que j'ai cru quitter sans regrets. Il est bien plus naturel de vivre avec le sentiment que la mort est pour les autres, jamais pour moi. Je restai donc deux jours en compagnie de Jerry. Barbe rasée, son visage avait mué, comme si le masque qu'il s'imposait depuis quelques mois avait permis à ses traits de s'affirmer, de durcir. Le profil juvénile, un peu bouffi, gâté par de la mollesse dans la joue, cédait place à un profil mieux accusé dont le nez commençait à prendre la courbure aquiline des Kean. Jerry me parut froid, calme, désespéré et décidé à ne pas le montrer. Une révélation lui fit notamment le plus grand bien, du moins me sembla-t-il sur l'instant. En consultant l'avocat d'affaires qui avait aidé à monter la société anonyme pour la création d'un haras, il découvrit qu'avant son départ d'Irlande, Taubelman, forgeant un faux, avait réussi à débloquer une bonne partie des fonds avancés par Mr Kean, une vingtaine de milliers de livres. Jerry apprit la nouvelle avec un sourire. Ce n'était pas trop cher payer la certitude que Taubelman se révélait un escroc.

Seamus avec qui nous dînâmes à Ennis me dit :

— Ça y est, ce n'est plus Bébé Jerry... Oh oui, je sais ce genre de durcissement coûte cher, mais cela en vaut la peine. L'idée chrétienne de la rédemption par la souffrance n'est pas aussi absurde qu'elle en a l'air. Son application laïque est intéressante.

Le cottage des Kean n'est pas fermé. Un matin, nous rencontrâmes, sortant d'un des plus sinistres pubs du quartier de Gladdagh à Galway, Stan Koslawski, déjà ivre, à la démarche de somnambule. Depuis le départ de Moïra, il tournait au clochard. Il avait vendu son billet de retour en avion, laissé en gage ses costumes dans un hôtel dont il ne pouvait pas payer la note et je crois bien qu'il ne lui restait plus que quelques livres en poche, de quoi boire pour une semaine. Il s'accrocha à nous comme s'il n'avait pas rencontré un être humain depuis des semaines et Jerry lui offrit de loger au cottage. Kosslawski qui cherche toujours une raison sérieuse de ne plus boire accepta d'emblée et, dessaoulé, commença de nous raconter le début du roman qu'il voulait écrire. Il est maintenant mon voisin. Nous nous promenons deux ou trois heures chaque matin dans les bois. Il accepte ces sorties comme un rite, mais il se promènerait avec le même plaisir (ou la même indifférence) dans un entrepôt de gare. La nature est dépourvue d'attraits pour lui et notre marche est un monologue au cours duquel il essaye sur moi les chapitres à venir de son livre.

Jerry n'a pas supporté de rester en Irlande. Il est parti pour les États-Unis, emmenant Pack. A l'aéroport, il m'a dit en me broyant la main :

— Vous verrez... un jour, ELLE se libérera...

Ainsi sa résignation est-elle surtout faite de l'espoir qu'Anne, prisonnière de Taubelman, s'évadera « un jour ». Je n'ai rien répondu à Jerry tant il me semble qu'Anne est liée à son père dans la déconfiture comme dans la réussite. Lui a-t-elle jamais échappé, même ici, même à Paris ? Je crains que Jerry ait vécu une illusion, celle de tout homme qui voit une femme avec les yeux du cœur, et si Taubelman a tremblé un moment de perdre le seul être pour lequel il a du respect, il n'a jamais douté réellement de reprendre Anne.

Nous approchons de l'été. L'Irlande se couvre de pêcheurs de truites et de saumons, mais la pêche m'ennuie. De Sharon, rien, comme il se doit. D'après les journaux, Moïra tourne *A moi, les nuages,* un « anti-western », appellation qui reste un mystère. Marthe accepte de venir. Le jour où j'ai su qu'elle me rejoindrait j'ai détruit le disque de Maria Schmitt del Tasso. Je n'écouterai plus la *Sonate en la majeur.* J'ai donné congé à Mrs Colleen qui a reçu le coup sans sourciller et a demandé en tapinois des explications à Seamus. Seamus lui a raconté que j'attendais une femme avec laquelle je n'étais pas marié. Mrs Colleen a froncé les sourcils puis assuré son ami que ce genre de choses ne la regardait pas. Mais j'ai tenu bon. Avec Marthe, nous irons dans le Kerry qui est si beau, et puis ailleurs ensuite, je ne sais où, pour recommencer une vie. Seamus s'en attriste, mais je crois l'avoir beaucoup plus inquiété en lui annonçant que je termine un manuscrit qui raconte l'histoire de ces derniers mois. Il m'a dit, avec la nuance de mépris de ceux qui vivent, pour ceux qui les regardent vivre :

— Eh quoi, mon cher, vous avez écrit un livre ! Comme une postière hystérique !

## DU MÊME AUTEUR

*Aux Éditions Gallimard*

LES TROMPEUSES ESPÉRANCES, *roman.*

LE BALCON DE SPETSAI, *récit.*

UN PARFUM DE JASMIN, *nouvelles.*

LES PONEYS SAUVAGES, *roman* (Prix Interallié).

UN TAXI MAUVE, *roman* (Grand prix du roman de l'Académie française).

LE JEUNE HOMME VERT, *roman.*

THOMAS ET L'INFINI, illustré par Étienne Delessert.

LES VINGT ANS DU JEUNE HOMME VERT, *roman.*

DISCOURS DE RÉCEPTION DE MICHEL DÉON À L'ACADÉMIE FRANÇAISE ET RÉPONSE DE FÉLICIEN MARCEAU.

UN DÉJEUNER DE SOLEIL, *roman.*

« JE VOUS ÉCRIS D'ITALIE... », *roman.*

LA MONTÉE DU SOIR, *roman.*

MA VIE N'EST PLUS UN ROMAN, *théâtre.*

DISCOURS DE RÉCEPTION DE JACQUES LAURENT À L'ACADÉMIE FRANÇAISE ET RÉPONSE DE MICHEL DÉON.

UN SOUVENIR, *roman.*

*Aux Éditions de la Table Ronde*

LA CORRIDA, *roman* (Folio).

LES GENS DE LA NUIT, *roman* (Folio).

LE RENDEZ-VOUS DE PATMOS, *récits* (Folio).

MÉGALONOSE, *pamphlet.*

TOUT L'AMOUR DU MONDE, *récits* (Folio).

MES ARCHES DE NOÉ, *récits* (Folio).

LA CAROTTE ET LE BÂTON, *roman* (Folio).

BAGAGES POUR VANCOUVER, *récits* (Folio).

*Aux Éditions Fasquelle*

LETTRE À UN JEUNE RASTIGNAC, *libelle.*

FLEUR DE COLCHIQUE, avec des eaux-fortes de Jean-Paul Vroom.

*À la Librairie Nicaise*

HISTOIRE DE MINNIE, eaux-fortes de Balthazar.

BALINBADOUR, eaux-fortes de Balthazar.

LE DIABLE AU PARADIS, eaux-fortes de Balthazar.

*Aux Éditions Cristiani*

EST-OUEST, illustré par Jean Cortot.

*Aux Éditions Matarasso*

TURBULENCES, eaux-fortes de Balthazar.

*Aux Éditions La Palatine*

UNE JEUNE PARQUE, eaux-fortes de Mathieux-Marie.